Uma Carta de Amor

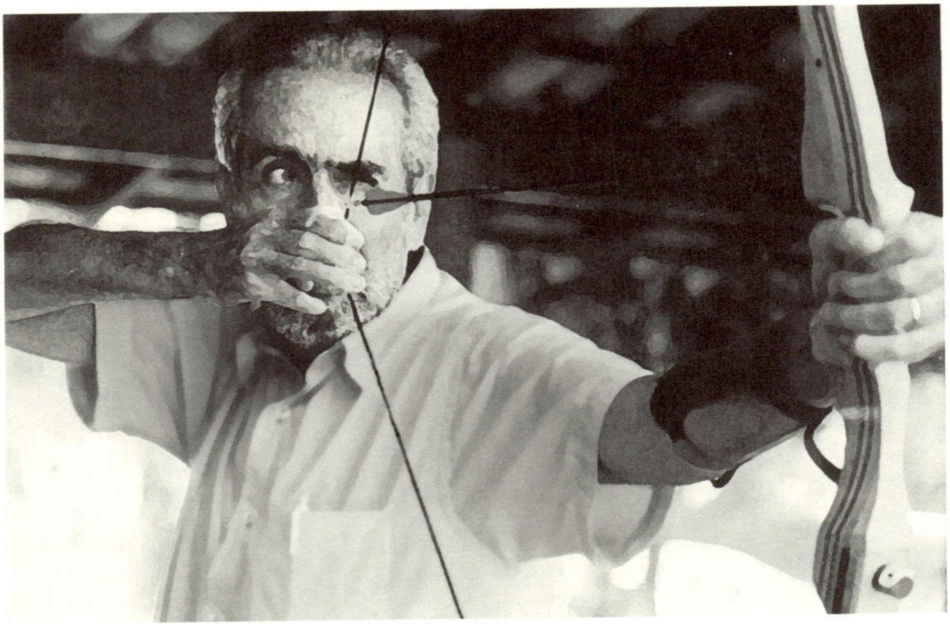

O Arqueiro

Geraldo Jordão Pereira (1938-2008) começou sua carreira aos 17 anos, quando foi trabalhar com seu pai, o célebre editor José Olympio, publicando obras marcantes como *O menino do dedo verde*, de Maurice Druon, e *Minha vida*, de Charles Chaplin.

Em 1976, fundou a Editora Salamandra com o propósito de formar uma nova geração de leitores e acabou criando um dos catálogos infantis mais premiados do Brasil. Em 1992, fugindo de sua linha editorial, lançou *Muitas vidas, muitos mestres*, de Brian Weiss, livro que deu origem à Editora Sextante.

Fã de histórias de suspense, Geraldo descobriu *O Código Da Vinci* antes mesmo de ele ser lançado nos Estados Unidos. A aposta em ficção, que não era o foco da Sextante, foi certeira: o título se transformou em um dos maiores fenômenos editoriais de todos os tempos.

Mas não foi só aos livros que se dedicou. Com seu desejo de ajudar o próximo, Geraldo desenvolveu diversos projetos sociais que se tornaram sua grande paixão.

Com a missão de publicar histórias empolgantes, tornar os livros cada vez mais acessíveis e despertar o amor pela leitura, a Editora Arqueiro é uma homenagem a esta figura extraordinária, capaz de enxergar mais além, mirar nas coisas verdadeiramente importantes e não perder o idealismo e a esperança diante dos desafios e contratempos da vida.

NICHOLAS SPARKS

Uma Carta de Amor

ARQUEIRO

Título original: *Message in a Bottle*

Publicado em acordo com a Grand Central Publishing, Nova York.

tradução: Eliana Sabino

preparo de originais: Taís Monteiro

revisão: Ana Grillo e Flávia Midori

diagramação: Valéria Teixeira

capa: Raul Fernandes

imagem de capa: Anne Domdey/Latinstock/Corbis

impressão e acabamento: RR Donnelley

CIP-BRASIL. CATALOGAÇÃO NA PUBLICAÇÃO
SINDICATO NACIONAL DOS EDITORES DE LIVROS, RJ

S726c Sparks, Nicholas
Uma carta de amor / Nicholas Sparks [tradução de
Eliana Sabino]; São Paulo: Arqueiro, 2014.
288 p.; 16 x 23 cm.

Tradução de: Message in a bottle
ISBN 978-85-8041-247-5

1. Ficção americana. 2. Relacionamentos.
I. Sabino, Eliana. II. Título.

13-08162 CDD: 813
CDU: 821.111(73)-3

Editora Arqueiro Ltda.
Rua Funchal, 538 – conjuntos 52 e 54 – Vila Olímpia
04551-060 – São Paulo – SP
Tel.: (11) 3868-4492 – Fax: (11) 3862-5818
E-mail: atendimento@editoraarqueiro.com.br
www.editoraarqueiro.com.br

Para Miles e Ryan

PRÓLOGO

A garrafa foi atirada do barco numa noite quente de verão, poucas horas antes de cair a chuva. Era frágil, como todas as garrafas, e teria se estilhaçado se tivesse sido jogada no chão. Mas bem vedada e lançada ao mar, como essa foi, tornou-se um dos objetos mais resistentes conhecidos pelo homem. Flutuaria, ilesa, enfrentando furacões e tempestades tropicais, boiaria na crista das correntezas mais violentas e perigosas. Era, de certo modo, o repositório ideal da mensagem que levava – uma mensagem enviada para pagar uma promessa.

Como o curso de todas as garrafas entregues aos caprichos do oceano, o desta era imprevisível. Os ventos e as correntes têm papel importante na direção de qualquer garrafa; tempestades e detritos boiando à deriva também podem mudar seu rumo. Às vezes uma rede de pesca aprisiona uma delas e a transporta por muitos quilômetros na direção oposta àquela em que ela vinha viajando. O resultado é que dois recipientes lançados ao mar ao mesmo tempo podem terminar em dois continentes diferentes, ou mesmo em lados opostos do planeta. Não há como prever onde uma garrafa pode ir parar, e isso é parte do mistério.

Este mistério intriga as pessoas desde que as garrafas existem, e poucas tentaram descobrir mais sobre o assunto. Em 1929, uma equipe de cientistas alemães resolveu seguir a trilha de uma determinada garrafa. Ela foi lançada ao oceano Índico meridional, levando um bilhete que pedia a quem a encontrasse que registrasse o local e a jogasse de volta ao mar. Em 1935 ela tinha dado a volta ao mundo, percorrendo cerca de 25 mil quilômetros – a maior distância oficialmente assinalada.

Durante séculos, as mensagens em garrafas foram registradas, e esses documentos mencionam alguns nomes famosos da história. Benjamin Franklin, por exemplo, em meados do século XVIII lançava garrafas ao mar para conhecer mais sobre as correntes da Costa Leste dos Estados Unidos, recolhendo dados que ainda são utilizados. Hoje em dia, a Marinha norte-americana usa garrafas para obter informações sobre marés e correntes, e elas são muito úteis para que se possa rastrear a direção de manchas de óleo no mar.

A mensagem mais famosa foi enviada em 1784 por um jovem marujo, Chunosuke Matsuyama, que ficou perdido num banco de coral, sem comida e água, quando seu navio naufragou. Antes de morrer, ele entalhou num pedaço de madeira o relato do que lhe acontecera e fechou-o dentro de uma garrafa. Em 1935 – 150 anos depois de tê-lo lançado ao mar – o recipiente apareceu na pequena aldeia no litoral do Japão onde Matsuyama nascera.

No entanto, a garrafa arremessada naquela noite quente de verão não continha o relato de um naufrágio, tampouco seria usada para mapear os mares. Mas levava uma mensagem que mudaria para sempre a vida de duas pessoas que de outro modo jamais se conheceriam, e por este motivo pode ser considerada uma mensagem do destino. Durante seis dias, ela flutuou lentamente na direção nordeste, levada pelos ventos de uma frente de alta pressão que pairava acima do Golfo do México. No sétimo dia, os ventos cederam e a garrafa foi direto para o leste, alcançando a corrente do Golfo, onde ganhou velocidade e passou a percorrer quase 110 quilômetros diários rumo ao norte.

Pouco mais de duas semanas depois de ter sido lançada, a garrafa ainda seguia a corrente do Golfo. No 17º dia, porém, outra tempestade – dessa vez sobre o Atlântico – produziu um vento leste forte o suficiente para desviá-la e ela começou a boiar à deriva na direção da Nova Inglaterra. Sem a corrente para impulsioná-la, a garrafa novamente diminuiu a velocidade e ficou ziguezagueando em várias direções perto da costa de Massachusetts durante cinco dias, até enredar-se na rede de pesca de John Hanes. O homem encontrou a garrafa em meio a milhares de percas e deixou-a de lado enquanto examinava os peixes. Por sorte o recipiente não se quebrou, mas foi logo esquecido e ficou perto da proa do barco durante o restante da tarde e o início da noite, no caminho de volta para a baía de Cape Cod. Às oito e meia dessa mesma noite – depois de deixar a embarcação em segurança dentro da baía –, Hanes fumava um cigarro quando tornou a atentar para a garrafa. Como já estava escuro, ele não conseguiu ver coisa alguma dentro dela, de modo que tornou a jogá-la ao mar. Em seguida, ela foi parar num dos muitos povoados localizados no perímetro da baía.

Mas isso não aconteceu logo. A garrafa ficou à deriva durante alguns dias – como se estivesse resolvendo aonde ir antes de seguir o seu curso – e finalmente apareceu numa praia perto de Chatham.

E foi ali, depois de 26 dias e 1.180 quilômetros, que ela chegou ao fim da sua viagem.

1

Soprava o vento frio de dezembro. Theresa Osborne cruzou os braços, contemplando o mar. Quando chegara ali mais cedo, algumas pessoas passeavam à beira-mar, mas logo notaram as nuvens e partiram. Agora, sozinha na praia, ela olhou em volta. O oceano, refletindo a cor do céu, parecia ferro liquefeito, e as ondas rolavam em direção à areia numa sucessão regular. Nuvens pesadas aos poucos encobriam o céu e a neblina começava a se tornar espessa, deixando o horizonte invisível. Em outro lugar, em outra época, Theresa teria se emocionado com toda a beleza que a cercava, mas ali ela se dava conta de que não sentia coisa alguma. De certo modo, parecia que não estava realmente ali, que aquilo tudo não era nada senão um sonho.

Tinha chegado de manhã, de carro, embora mal recordasse a viagem. Quando tomara a decisão de ir, pretendia passar a noite – tinha feito a reserva e até apreciava a perspectiva de um pernoite tranquilo longe de Boston –, mas agora, contemplando o oceano agitado e fervilhante, percebeu que não queria ficar. Voltaria para casa assim que terminasse, não importava a hora.

Quando enfim se sentiu preparada, Theresa começou a caminhar devagar em direção à água. Levava debaixo do braço uma sacola que preparara com todo o cuidado naquela mesma manhã, certificando-se de não ter esquecido nada. Não tinha revelado a ninguém aquilo que levava consigo, nem o que pretendia fazer naquele dia. Ao contrário: dissera que ia fazer compras de Natal. Era a desculpa perfeita, e, embora tivesse certeza de que teriam compreendido se lhes contasse a verdade, aquela viagem era algo que ela não queria compartilhar com ninguém. Tudo tinha começado com ela sozinha, e era assim que desejava que fosse o fim.

Theresa suspirou e consultou o relógio. Logo, quando a maré ficasse alta, ela estaria finalmente pronta. Depois de achar um lugar confortável numa pequena duna, sentou-se na areia e abriu a sacola. Depois de vasculhar seu conteúdo, encontrou o envelope que procurava. Respirando fundo, abriu devagar o lacre.

Dentro havia três cartas dobradas com cuidado, correspondências que lera mais vezes do que conseguiria contar. Segurou-as diante de si e contemplou-as.

Havia outras coisas na sacola mas ela ainda não estava preparada para vê-las. Assim, continuou com os olhos fixos nas cartas. Ele tinha usado uma caneta-tinteiro para escrevê-las, e havia manchas em vários lugares onde a caneta vazara. O papel, com a figura de um veleiro no canto superior direito, começava a descorar em certos trechos, desbotando lentamente com a passagem do tempo. Ela sabia que chegaria o momento em que seria impossível ler as palavras, mas esperava que depois daquele dia não sentisse necessidade de fitá-las com tanta frequência.

Quando acabou, colocou-as de volta no envelope com o mesmo cuidado com que as tinha retirado. Então, depois de guardá-lo de novo na sacola, tornou a olhar para a praia. De onde estava sentada, via o lugar onde tudo começara.

Lembrava que estava fazendo cooper ao amanhecer – conseguia visualizar claramente aquela manhã de verão. Era o começo de um lindo dia e ela absorvia o mundo à sua volta, enquanto escutava os pios estridentes das andorinhas-do-mar e o suave sussurro das ondas rolando para a areia. Mesmo de férias, tinha levantado cedo para poder correr sem ter que prestar atenção ao caminho: dali a poucas horas, a praia estaria repleta de turistas deitados em suas toalhas, absorvendo os raios do sol quente da Nova Inglaterra. A baía de Cape Cod sempre ficava cheia naquela época, mas a maioria dos veranistas costumava dormir até tarde e ela apreciava a sensação de correr na areia dura e lisa deixada pela maré vazante. Ao contrário das calçadas da sua cidade, o solo parecia ceder um pouquinho, e ela sabia que não ficaria com os joelhos doloridos como às vezes acontecia ao se exercitar em calçadas de cimento.

Ela sempre gostara de correr – fora um hábito adquirido na escola, quando corria em pistas e trilhas. Embora já não lhe agradasse competir e ela quase nunca cronometrasse as distâncias, a atividade era agora uma das poucas oportunidades que tinha de ficar sozinha com seus pensamentos. Considerava a corrida uma espécie de meditação, e essa era a razão por que gostava de fazer isso sozinha – não conseguia entender como as pessoas apreciavam correr em grupos.

Por mais que amasse o filho, achava bom Kevin não ter ido com ela. Toda mãe às vezes precisa de uma folga, e Theresa se sentia ansiosa pela rotina calma que teria ali. Nada de jogos de futebol à noite ou treinos de natação, nada de MTV no último volume, nenhum dever de casa que ela precisasse ajudar a fazer, nada de acordar de madrugada quando ele tinha câimbras. Ela o levara ao aeroporto três dias antes para que visitasse o pai – seu ex-marido – na Califórnia, e Kevin só se lembrou de lhe dar um beijo e um abraço de despedida depois que ela mencionou o fato. "Desculpa, mamãe", dissera ele, jogando os braços ao redor do pescoço dela. "Te amo. Não fica com muita saudade, tá?" Depois o garoto lhe dera as costas, entregara o cartão de embarque ao funcionário e entrara no avião quase correndo, sem olhar para trás.

Ela não o culpava por quase esquecer. Aos 12 anos, ele entrara naquela fase esquisita em que abraçar e beijar a mãe em público não era "legal". Além disso, estava com a cabeça em outras coisas. Esperava aquela viagem desde o Natal. Ele e o pai iriam ao Grand Canyon, depois passariam uma semana fazendo *rafting* no rio Colorado e por fim iriam à Disneylândia. Era a viagem dos sonhos de qualquer garoto, e Theresa se sentia feliz por ele. Embora fosse passar seis semanas longe, ela sabia que seria bom para Kevin ficar algum tempo com o pai.

Ela e David se davam relativamente bem desde o divórcio, três anos antes. Embora ele não tivesse sido o melhor dos maridos, era um bom pai: nunca deixava de mandar um presente de aniversário ou de Natal, telefonava todas as semanas e atravessava o país algumas vezes por ano só para passar um fim de semana com o filho. Além disso, é claro, havia as visitas estabelecidas pelo tribunal: um mês e meio no verão, Natal em anos alternados e a Semana Santa, quando a escola fechava. Annette, a nova mulher de David, estava ocupadíssima com o bebê, mas Kevin gostava muito dela e nunca tinha voltado para casa zangado ou se sentindo rejeitado. Aliás, costumava contar maravilhas do período passado lá. Havia momentos em que Theresa chegava a ter ataques de ciúmes, que tentava esconder de Kevin.

Agora, na praia, ela corria em ritmo moderado. Deanna esperava que ela terminasse a corrida antes de começar o café da manhã – Brian já teria saído –, e Theresa estava ansiosa para vê-la. O casal era mais velho, ambos com quase 60 anos, mas a mulher era sua melhor amiga.

Ela era editora-chefe do jornal onde Theresa trabalhava, e junto com Brian, seu marido, visitava Cape Cod havia anos. Os dois sempre se hospedavam no mesmo lugar, uma casa chamada Fisher House. Quando ficara sabendo que Kevin viajaria para visitar o pai na Califórnia e ficaria fora durante boa parte do verão, Deanna insistira que Theresa se juntasse ao casal. "Sempre que estamos lá, Brian sai todos os dias para jogar golfe, e sinto falta de companhia", argumentara ela. "Além disso, o que você vai ficar fazendo? Precisa sair desse apartamento de vez em quando!" Theresa sabia que ela tinha razão, e enfim concordou. "Ótimo!", dissera Deanna, com ar vitorioso. "Você vai adorar aquilo lá."

Theresa tinha que admitir que era um ótimo lugar para ficar. A Fisher House era a casa de um capitão, primorosamente restaurada, à beira de um penhasco, acima da baía de Cape Cod. Quando a avistou, de longe, Theresa diminuiu a velocidade. Ao contrário dos corredores mais jovens, que aumentam o ritmo no final da corrida, ela preferia reduzi-lo. Aos 36 anos, não se recuperava com a mesma rapidez de antes.

Enquanto recobrava o fôlego, pensou em como passaria o restante do dia. Levara cinco livros para aquelas férias, obras que queria ler desde o início do ano, mas nunca conseguira. Parecia que simplesmente não havia mais tempo suficiente – com Kevin e sua energia inesgotável, todas as tarefas domésticas e, sobretudo, todo o trabalho sempre empilhado na escrivaninha. Como cronista do *Boston Times*, ela vivia sob constante pressão de prazos para escrever três artigos por semana. A maioria dos colegas achava que isso era moleza – bastava digitar trezentas palavras e ter o resto do dia liberado –, mas não era bem assim. Conseguir escrever com tanta frequência uma crônica original a respeito de pais e filhos não era tão fácil, especialmente se ela quisesse publicar em outros impressos. Sua coluna, "Pais Modernos", saía em sessenta jornais de todo o país, embora a maioria só reproduzisse um ou dois artigos em determinadas semanas. E como as ofertas de publicação tinham começado apenas um ano e meio antes e para a maior parte dos periódicos ela ainda era uma novata, não podia se dar ao luxo de deixar de mandar material. Em quase todos os jornais, o espaço para colunistas era muito limitado, e centenas de escritores faziam de tudo para ocupá-lo.

Theresa passou a caminhar e enfim parou enquanto uma andorinha-do-mar voava em círculos acima dela. A umidade do ar estava elevada, e ela usou o antebraço para enxugar o suor do rosto. Inspirou profundamente, manteve o ar nos pulmões por um instante e depois exalou, antes de olhar para o mar. Como era cedo, a água ainda estava cinzenta e opaca, mas isso iria mudar assim que o sol subisse um pouco mais. Parecia tentador. Depois de um instante, ela tirou os sapatos e as meias, caminhou até a beira do mar e deixou que as ondas cobrissem seus pés. A água estava refrescante, e durante alguns minutos ela andou para a frente e para trás com os pés imersos. De repente achou maravilhoso ter escrito artigos extras nos últimos meses para poder passar aquela semana sem pensar em trabalho. Não se lembrava da última vez que não estivera perto de um computador, ou que não tivesse uma reunião de que participar, um prazo a cumprir. Experimentou uma sensação de liberdade por se encontrar longe da escrivaninha. Era quase como se estivesse mais uma vez no controle do próprio destino – como se estivesse começando a vida.

Sim, tinha consciência das dezenas de coisas que deveria estar fazendo em casa. O banheiro já deveria ter sido reformado e o papel de parede trocado, os buracos nas paredes tinham que ser tapados e o restante do apartamento também precisava de uns retoques na pintura. Alguns meses antes ela comprara o papel de parede, algumas tintas, rolos, pincéis, maçanetas e um espelho novo para o banheiro, além de todas as ferramentas de que ia precisar para montá-lo, mas ainda não tinha sequer aberto as embalagens. Sempre adiava a tarefa para o próximo fim de semana, embora ela tivesse tanta coisa para fazer aos sábados e domingos quanto nos dias úteis. Tudo o que ela comprara continuava nas sacolas, atrás do aspirador de pó, e parecia zombar das suas intenções cada vez que ela abria o armário. Talvez, quando voltasse para casa...

Virou a cabeça e avistou um homem parado a certa distância. Era mais velho que ela – aparentava uns 50 anos – e tinha o rosto bem bronzeado, como se morasse ali. Estava imóvel, apenas em pé na água, deixando que as ondas molhassem suas pernas, e Theresa percebeu que ele tinha os olhos fechados, como se apreciasse a beleza do mundo sem precisar vê-la. Usava uma calça jeans desbotada, dobrada até os joelhos, e uma camisa confortável que não se dera ao trabalho de colocar para dentro do cós. Enquanto o observava, ela de repente teve vontade de ser outro tipo de pessoa. Como seria a sensação de andar pela praia sem qualquer preocupação? Como seria chegar todos os dias a um lugar sossegado, longe da confusão e do burburinho de Boston, só para aproveitar o que a vida tinha a oferecer?

Theresa entrou um pouco mais na água e imitou o homem, esperando sentir o mesmo que ele, o que quer que fosse. Mas quando fechou os olhos só conseguiu pensar em Kevin. Deus sabia quanto ela queria passar mais tempo com ele e, sem dúvida, ser mais paciente quando estavam juntos. Adoraria ser capaz de se sentar para conversar com o filho, ou jogar Banco Imobiliário, ou simplesmente ver televisão com ele, sem sentir o impulso de se levantar do sofá para fazer algo mais urgente. Havia ocasiões em que ela se sentia hipócrita ao insistir com Kevin que ele vinha em primeiro lugar e que a família era a coisa mais importante que ele teria na vida.

Mas o problema era que sempre havia alguma coisa a fazer: lavar a louça, limpar o banheiro, trocar a areia da caixa do gato, levar o carro para a regulagem do motor, colocar a roupa para lavar, pagar as contas. Mesmo que Kevin ajudasse bastante nas tarefas, ele era quase tão ocupado quanto ela – tinha a escola, os amigos e todas as suas atividades. Logo, as revistas iam direto para o lixo sem serem lidas, as cartas não eram escritas e às vezes, em momentos como aquele, ela se preocupava ao sentir que a vida estava passando diante de seus olhos.

Mas como mudar tudo isso? "Viva a vida um dia de cada vez", dizia sempre sua mãe, mas ela não precisava trabalhar fora ou criar um filho forte e confiante, porém sensível, sem a ajuda de um pai. Ela não compreendia a pressão que Theresa enfrentava todos os dias. A irmã mais nova, Janet, que seguia os passos da mãe, também não entendia – ela e o marido eram casados e felizes havia quase onze anos e tinham três filhas maravilhosas. Edward não era um homem brilhante, mas era honesto e trabalhador, e sustentava a família, de modo que Janet não precisava trabalhar. Havia ocasiões em que Theresa achava que gostaria de uma vida assim, mesmo que significasse renunciar à carreira.

Mas era impossível. Principalmente depois que ela e David se divorciaram. Já fazia três anos – quatro, contando o período em que ficaram separados. Ela não odiava o ex pelo que ele tinha feito, mas seu respeito por ele tinha acabado. O adultério, fosse uma aventura de uma noite ou um longo romance, não era algo que ela conseguisse aceitar. Tampouco a fazia se sentir melhor o fato de ele não ter se casado com a mulher de quem fora amante por dois anos. A quebra de confiança fora irreparável.

Um ano após a separação, David voltou para a Califórnia, onde nascera, e meses depois conheceu Annette. A nova esposa era muito religiosa, e aos poucos conseguiu que David se interessasse pela igreja. Ele, que a vida inteira fora agnóstico, sempre parecera ansioso por algo mais significativo na vida. Agora frequentava a igreja com regularidade e trabalhava como conselheiro conjugal junto com o pastor. Theresa muitas vezes se perguntava que conselhos o ex-marido poderia dar a alguém que tivesse feito as mesmas coisas que ele e como poderia ajudar outras pessoas se ele próprio não tivera a capacidade de se controlar. Ela não sabia, e na verdade não fazia questão de descobrir. Só ficava feliz por David ainda se interessar pelo filho.

Como era de se esperar, muitas amizades também se foram quando os dois se separaram. Agora que não era mais parte de um casal, ela se sentia deslocada nas festas natalinas ou nos churrascos. Alguns amigos permaneceram, no entanto, e de vez em quando havia um recado na secretária eletrônica sugerindo que combinassem um almoço ou que ela aparecesse para jantar. Ocasionalmente ela aceitava, mas em geral inventava desculpas para não ir. Para Theresa, nenhum desses relacionamentos parecia igual ao que costumava ser, e é claro que não era mesmo. As coisas mudavam, assim como as pessoas, e o mundo continuava a girar.

Depois do divórcio ela tivera pouquíssimos encontros amorosos. Não que não fosse atraente – ao menos não era o que lhe diziam. Tinha cabelos castanho-escuros, cortados logo acima dos ombros, e bem lisos. Os olhos – parte de seu corpo que mais atraía elogios – eram castanhos, com tons dourados que refletiam a luz quando ela estava ao ar livre. Como corria todos os dias, era saudável e não aparentava a idade que tinha. Tampouco a sentia, mas nos últimos tempos, quando se olhava no espelho, tinha a impressão de que estava começando a envelhecer. Uma ruguinha nova no canto dos olhos, um fio de cabelo branco surgindo da noite para o dia, um ar vagamente cansado pela rotina sempre agitada.

As amigas achavam que ela era louca. "Você está melhor agora do que antes", insistiam. E ela ainda percebia alguns homens a observando no supermercado. Mas não tinha e jamais voltaria a ter 22 anos. Não que desejasse isso e, ainda que fosse possível, não aceitaria a menos que tivesse também a cabeça atual, mais madura. Pensava nisso de vez em quando. Se não fosse assim, provavelmente se envolveria com outro David, um bonitão que adorava as coisas boas da vida e achava que não precisava seguir as regras. Mas, ora, as regras eram importantes, sobretudo as relacionadas ao casamento, regras que as pessoas juravam jamais quebrar. Seu pai e sua mãe não as tinham quebrado, sua irmã e seu cunhado também não, nem Deanna e Brian. Por que ele tivera que ser diferente? E por que, Theresa imaginava com os pés imersos na espuma, seus pensamentos sempre voltavam a esse assunto, mesmo depois de todo aquele tempo?

Ela achava que tinha algo a ver com o fato de que, quando enfim chegaram os papéis do divórcio, sentira uma pequena parte de si morrer. A raiva inicial transformara-se em tristeza, e agora tinha virado outra coisa, quase uma espécie de insensibilidade. Mesmo estando sempre em movimento, parecia que hoje nada de especial lhe acontecia: cada dia parecia exatamente igual ao anterior, e era difícil distinguir um do outro. Certa vez, cerca de um ano antes, ficara quinze minutos sentada à escrivaninha tentando lembrar a última coisa espontânea que fizera, sem sucesso.

Os primeiros meses tinham sido complicados para ela. Mas então a raiva diminuíra e sua vontade de agredir David e fazê-lo pagar por seus atos arrefecera. A única coisa que podia fazer era lamentar por si mesma. Até ter Kevin por perto o tempo todo não mudara em nada o fato de se sentir absolutamente sozinha no mundo. Houvera um curto período em que não conseguia dormir mais do que poucas horas por noite e, de vez em quando, no trabalho, saía e ia se sentar dentro do carro para chorar um pouco.

Agora, passados três anos, Theresa não sabia se algum dia amaria outra pessoa como tinha amado David. Quando ele apareceu na festa da faculdade dela, no início do seu primeiro ano na universidade, bastou-lhe olhar para ele para saber que o queria. Seu amor juvenil parecia-lhe tão avassalador e tão poderoso na época... À noite ela ficava acordada pensando nele e durante o dia, andando pelo campus, sorria tanto que as pessoas retribuíam o sorriso sempre que a viam.

Mas esse tipo de amor não dura – ao menos foi o que ela descobriu. Ao longo dos anos, nascera outro tipo de casamento. Ela e David amadureceram e se afastaram. Tornou-se difícil lembrar as características que no princípio achavam atraentes um no outro. Olhando para trás, Theresa via que o marido tinha se tornado uma pessoa totalmente diferente, embora ela não conseguisse apontar o momento exato em que tudo começara a mudar. Mas qualquer coisa pode acontecer quando a chama de um relacionamento se apaga, e para David foi isso que ocorreu. Um encontro casual numa locadora de vídeos, um bate-papo que levou a um almoço e, por fim, a hotéis nos subúrbios de Boston.

A injustiça de toda a situação era que às vezes ainda tinha saudade dele – ou melhor, das coisas boas dele. Ser casada com David era confortável como uma cama em que ela tivesse dormido durante anos. Estava acostumada a ter em casa outra pessoa com quem falar ou a quem escutar. Tinha se habituado a acordar com o cheiro de café fresco e sentia falta da presença de outro adulto por perto. Sentia falta de muitas coisas, mas sobretudo da intimidade inerente a abraçar alguém e sussurrar-lhe coisas a portas fechadas.

Kevin ainda não tinha idade para entender isso, e, embora o amasse muito, não era o tipo de amor que Theresa queria agora. Seu sentimento pelo filho era maternal, talvez o mais profundo e sagrado que existe. Mesmo agora ela gostava de entrar em seu quarto quando ele estava dormindo e sentar-se na beira da cama só para observá-lo. Kevin sempre parecia tão em paz, tão bonito, com a cabeça no travesseiro e as cobertas empilhadas à sua volta... Durante o dia dava a impressão de estar constantemente em movimento, mas à noite sua figura adormecida e imóvel trazia de volta os sentimentos que ela experimentara quando ele ainda era bebê. No entanto, mesmo esses sentimentos maravilhosos não mudavam o fato de que, ao sair do quarto dele, ela iria para o andar de baixo e tomaria uma taça de vinho com o gato Harvey como única companhia.

Ainda sonhava em se apaixonar, em ter alguém para abraçá-la e lhe dar a sensação de ser a única no mundo. Mas era difícil, se não impossível, encontrar uma pessoa decente hoje em dia – a maioria dos homens na casa dos 30 anos que ela conhecia já era casada, e os divorciados pareciam procurar uma mulher mais jovem, que pudessem moldar da forma que quisessem. Sobravam apenas os mais velhos, e mesmo achando que poderia se apaixonar por alguém assim, ela tinha que pensar no filho. Queria um homem que tratasse Kevin do modo como ele merecia, e não um simples subproduto de alguém que ele desejava. Mas a realidade era que os homens mais velhos em geral tinham filhos mais velhos, e poucos aceitavam com prazer os problemas de criar um adolescente. "Já fiz meu trabalho", um pretendente declarara certa vez. Isso fora o fim do relacionamento.

Ela admitia que sentia falta também da intimidade física que é consequência de amar uma pessoa, confiar nela e entregar-se. Não dormira com ninguém desde o divórcio. Houvera oportunidades, é claro – para uma mulher bonita não era difícil encontrar um homem com essa finalidade –, mas esse não era o seu estilo. Não fora educada assim e não pretendia mudar agora. O sexo era importante demais, especial demais, para ser compartilhado com qualquer pessoa. Na verdade, em toda a sua vida ela só fora para a cama com dois homens: David, naturalmente, e Chris, seu primeiro namorado sério. Não queria aumentar a lista só por uns poucos minutos de prazer.

Então, agora, nessa semana de férias em Cape Cod, sozinha no mundo e sem qualquer perspectiva de encontrar um namorado, ela queria fazer algo apenas para si mesma: ler, ficar com os pés para o alto, tomar uma taça de vinho sem a luz da TV sempre ligada, escrever para amigos de quem não tinha notícias havia algum tempo, deitar-se tarde, comer muito e correr de manhã, antes que as pessoas chegassem para atrapalhar. Queria sentir a liberdade outra vez, ainda que por pouco tempo.

Desejava também fazer compras durante esse período. Não na JCPenney, na Sears ou nesses lugares que anunciavam tênis Nike e camisetas dos Chicago Bulls, mas nas pequenas lojas de miudezas que Kevin não suportava. Queria experimentar vestidos novos e comprar alguns que lhe caíssem bem, só para se sentir viva e vibrante. Talvez até fosse a um cabeleireiro – fazia anos que não mudava de corte e estava cansada de ter sempre a mesma aparência. E se por acaso um cara legal a convidasse para sair, talvez ela aceitasse, só para ter uma oportunidade de usar as coisas novas que teria adquirido.

Com o otimismo de certa forma renovado, olhou para ver se o homem da calça jeans desbotada ainda estava lá, mas ele tinha partido tão silenciosamente quanto surgira. E ela também estava pronta para ir embora. Suas pernas tinham endurecido na água fria, e sentar-se para calçar os tênis foi um pouco mais difícil do que ela esperava. Como não tinha levado toalha, hesitou por um momento antes de colocar as meias, então resolveu que não precisava: estava de férias na praia e não havia necessidade de sapatos e meias.

Levou-os na mão enquanto andava para casa. Caminhava à beira-mar quando viu um grande seixo meio enterrado na areia a poucos centímetros de um lugar onde a maré cheia da manhã tinha atingido seu ponto mais alto. Aquilo lhe pareceu estranho, deslocado.

Ao se aproximar, percebeu algo diferente na aparência da pedra. Para início de conversa, era lisa e comprida, e ao chegar ainda mais perto Theresa percebeu que não era uma pedra, mas uma garrafa, provavelmente deixada por um turista descuidado ou um dos adolescentes locais que gostavam de ir ali à noite. Olhou por cima do ombro, avistou uma lata de lixo acorrentada à torre de salva-vidas e resolveu fazer a sua boa ação do dia. Ao chegar perto da garrafa, porém, surpreendeu-se ao ver que estava arrolhada. Pegou-a, ergueu-a à luz e viu no interior um canudo de papel enrolado e preso por um barbante.

Por um segundo sentiu o coração disparar quando uma lembrança lhe ocorreu. Aos 8 anos, de férias na Flórida com os pais, ela e outra menina tinham mandado uma carta pelo mar, mas a resposta nunca viera. A correspondência era simples, algo típico de uma criança, mas ela lembrava que, depois de voltar para casa, tinha corrido à caixa de correio durante várias semanas, na esperança de que alguém a tivesse encontrado e respondido. Aos poucos a decepção se estabelecera e a lembrança foi se apagando até desaparecer de vez. Mas agora tudo lhe voltava. Quem era a menina que estava com ela naquele dia? Uma garota da sua idade... Tracy? Não... Stacey? Sim, Stacey! O nome dela era Stacey! Tinha cabelos louros... estava passando o verão com os avós... e... e... a lembrança acabava aí. Nada mais lhe ocorria, por mais que se esforçasse.

Começou a tentar tirar a rolha, quase esperando que fosse a mesma garrafa, embora soubesse que isso não era possível. Era provável que fosse de outra criança, e se a mensagem pedisse uma resposta ela iria dar. Talvez mandasse também uma lembrancinha de Cape Cod e um cartão-postal.

A rolha estava encravada, e os dedos de Theresa escorregaram quando ela tentou puxá-la. Não conseguia segurá-la com firmeza. Enterrou as unhas curtas na cortiça e girou a garrafa devagar. Nada. Trocou de mão e tentou de novo. Segurou mais forte e colocou o recipiente entre as pernas para que ele ficasse mais seguro. Quando já ia desistir, a rolha moveu-se um pouco. Subitamente encorajada, tornou a trocar de mão... apertou, girando a garrafa devagar... a rolha saiu mais um pouco... e de repente ficou mais frouxa e acabou de sair com facilidade.

Ela virou o gargalo da garrafa para baixo e surpreendeu-se quando o canudo de papel caiu na areia aos seus pés quase de imediato. Quando se abaixou para pegá-lo, percebeu que o barbante que o envolvia estava bem apertado, por isso tinha deslizado para fora com tanta facilidade.

Theresa desatou o nó com cuidado e a primeira coisa que lhe chamou a atenção ao desenrolar a mensagem foi o papel. Não era um papel de carta infantil, mas um tipo caro, grosso e resistente, com a figura de um veleiro gravada no canto superior direito. E estava enrugado, aparentando ser antigo, como se tivesse ficado cem anos na água.

Ela percebeu que tinha prendido a respiração. Talvez fosse mesmo antigo. Era possível – havia histórias de garrafas que iam dar à praia depois de um século no mar, de modo que esse podia muito bem ser o caso agora. Talvez ela tivesse nas mãos uma verdadeira antiguidade. Mas, ao ler a mensagem propriamente dita, viu que estava enganada: havia uma data no canto superior esquerdo do papel.

Vinte e dois de julho de 1997.

Pouco mais de três semanas antes.

Três semanas? Só isso?

Voltou a ler. O texto era longo – cobria a frente e o verso da folha – e não parecia pedir uma resposta. À primeira vista, não trazia endereço ou número de telefone, mas isso poderia vir em algum lugar ao longo da mensagem.

Theresa teve um frêmito de curiosidade ao segurar a folha diante de si, e foi nesse momento, à luz do sol nascente de um dia quente de verão na Nova Inglaterra, que ela leu pela primeira vez a carta que mudaria para sempre a sua vida.

22 de julho de 1997
Minha adorada Catherine,

Sinto a sua falta, querida, como sempre, mas hoje está sendo especialmente difícil porque o oceano tem cantado para mim, e a canção é a da nossa vida juntos. Quase posso sentir você ao meu lado enquanto escrevo esta carta, assim como o perfume de flores silvestres que sempre me faz lembrar você. Mas neste momento essas coisas não me dão prazer. Suas visitas têm sido menos frequentes, e às vezes acho que grande parte de quem eu sou está aos poucos se afastando para longe.

Mas estou tentando. À noite, sozinho, chamo por você, e sempre que a minha dor parece maior você ainda encontra um meio de voltar para mim. Ontem à noite eu a vi em meus sonhos. Você estava no cais perto de Wrightsville Beach. O vento soprava em seus cabelos e seus olhos refletiam a luz do sol que se punha. Fiquei paralisado ao vê-la debruçada na amurada. "Você está linda", pensei ao avistá-la, uma visão que eu nunca consegui encontrar em mais ninguém. Comecei a andar devagar na sua direção, e quando você enfim se voltou para mim, percebi que outras pessoas também a estavam observando. "Você a conhece?", me perguntavam em sussurros ciumentos, e enquanto você sorria para mim, eu simplesmente disse a verdade: "Conheço-a melhor do que a mim mesmo."

Parei quando cheguei até você e a abracei. Estava ansioso por aquele instante, mais do que por qualquer outro. Era para ele que eu vivia, e quando você retribuiu meu abraço me entreguei ao momento, ficando mais uma vez em paz.

Ergui a mão e toquei seu rosto com delicadeza. Você inclinou a cabeça para trás e fechou os olhos. Minhas mãos estavam ásperas e a sua pele, macia, e por um momento me perguntei se você afastaria o rosto, mas é claro que não. Você nunca fez isso, e é em momentos como esse que meu propósito na vida fica claro.

Eu existo para amá-la, para tê-la em meus braços, para protegê-la. Existo para aprender com você e para receber o seu amor em troca. Estou aqui porque não há outro lugar para estar.

Mas então, como sempre, enquanto estávamos abraçados veio a neblina. Uma névoa distante que surgiu do horizonte, e à medida que ela se aproximava percebi que meu temor aumentava. Ela chegou devagar, envolvendo o mundo à nossa volta, cercando-nos como para impedir que escapássemos. Como uma nuvem, ela encobriu todas as coisas, chegando cada vez mais perto, até que nada mais restava além de nós dois.

Senti um nó na garganta e os olhos cheios de lágrimas, porque sabia que era hora de você partir. O olhar que me lançou nesse momento me persegue. Senti a sua tristeza e a minha própria solidão, e a dor no meu coração, que por um breve espaço de tempo se manteve silenciosa, ficou mais forte quando você se afastou de mim. E então você abriu os braços e recuou para dentro da névoa, porque lá era o seu lugar e não o meu. Ansiei por ir com você, mas a sua única resposta foi balançar a cabeça, porque nós dois sabíamos que isso era impossível.

E com o coração partido eu a vi desaparecer aos poucos. Esforcei-me para recordar tudo daquele momento, tudo de você. Mas logo, tão depressa, a sua imagem se desfez e a neblina recuou de volta ao seu lugar distante. Fiquei sozinho no cais, sem me importar com o que as outras pessoas pensavam enquanto arqueava a cabeça e me entregava a um pranto sem fim.

Garrett

2

— Você andou chorando? – perguntou Deanna quando Theresa apareceu na varanda dos fundos da casa com a garrafa e a mensagem.

Em sua confusão, ela se esquecera de jogar o recipiente fora. Envergonhada, Theresa enxugou os olhos enquanto a amiga pousava o jornal e se levantava da cadeira. Embora estivesse acima do peso – desde que as duas se conheceram –, ela deu a volta na mesa com agilidade, o rosto exprimindo preocupação.

– Está tudo bem? O que aconteceu? Você se machucou?

Ela esbarrou numa das cadeiras ao estender o braço e pegar a mão de Theresa, que balançou a cabeça.

– Não, não, nada disso. É que encontrei esta carta e... sei lá, depois que a li não consegui me conter.

– Carta? Que carta? Tem certeza de que está se sentindo bem? – insistiu Deanna, gesticulando de forma compulsiva com a mão livre enquanto disparava as perguntas.

– Estou bem, sério. A carta estava numa garrafa. O mar a jogou na areia e eu a encontrei. Quando abri e li a mensagem...

Ela parou de falar e o rosto de Deanna desanuviou-se um pouco.

– Ah, bom. Por um segundo pensei que tivesse acontecido alguma coisa horrível. Que alguém tivesse atacado você, ou algo parecido.

Theresa afastou uma mecha de cabelo do rosto e sorriu diante da preocupação da amiga.

– Não, é que a carta me comoveu, só isso. Sei que é bobagem, que eu não devia ser tão emotiva. E desculpe por ter lhe dado um susto.

– Ora, não foi nada – garantiu Deanna, dando de ombros. – Não precisa se desculpar. Ainda bem que está tudo certo. – Ela ficou em silêncio por um instante. – Você disse que a carta a fez chorar? Por quê? O que ela diz? – perguntou.

Theresa secou os olhos, estendeu a correspondência para a amiga e foi até a mesa de ferro. Sentindo-se ainda meio ridícula por ter chorado, fez o possível para recompor-se.

Deanna leu a carta devagar e ao terminar ergueu os olhos para Theresa. Eles também estavam marejados. Não eram só os de Theresa, afinal.

– É... É linda – disse ela finalmente. – Uma das coisas mais comoventes que já li.

– Foi o que eu senti também.

– E você encontrou a garrafa na areia quando estava correndo?

Theresa assentiu.

– Não sei como ela pode ter ido parar ali. A baía é protegida do resto do oceano, e nunca ouvi falar de Wrightsville Beach – observou Deanna.

– Também não faço ideia, mas pelo visto chegou à praia ontem à noite. Quase passei direto por ela antes de perceber o que era.

Deanna passou um dedo pela folha e ficou um instante em silêncio antes de falar:

– Fico imaginando quem serão eles. E por que será que a carta foi colocada numa garrafa?

– Também não sei.

– Não está curiosa?

De fato, Theresa queria saber mais sobre aquilo. Depois de ler a carta, ela a relera duas vezes. Ficou pensando como seria ter alguém que a amasse daquele modo...

– Um pouquinho – reconheceu. – Mas e daí? Não temos como descobrir.

– O que você vai fazer com ela?

– Guardar, eu acho. Ainda não pensei sobre isso.

– Hum – comentou Deanna com um sorriso indecifrável. – E como foi a corrida?

Theresa bebericou o suco que servira para si.

– Boa. O nascer do sol foi lindo. Parecia que o mundo inteiro brilhava.

– Isso porque você estava tonta pela falta de oxigênio. Correr deixa a gente assim.

Theresa sorriu, descontraída.

– Então quer dizer que você não vai comigo esta semana.

Deanna estendeu a mão para a xícara de café com uma expressão de dúvida.

– Impossível. Meu único exercício é passar o aspirador na casa todos os fins de semana. Você consegue me imaginar lá fora, bufando e reclamando? Acho que eu teria um enfarte.

– Depois que a gente se acostuma, é revitalizante.

– Pode ser, mas não sou jovem e esbelta como você. A única vez que me lembro de ter corrido foi quando era criança e o cachorro do vizinho fugiu do quintal. Corri tanto que quase fiz xixi nas calças.

Theresa riu.

– Bom, qual é a programação de hoje?

– Acho que podemos fazer umas comprinhas e almoçar na cidade. O que você acha?

– Era o que eu queria mesmo.

As duas falaram sobre os lugares aonde poderiam ir, então Deanna se levantou e entrou na casa para pegar outra xícara de café, enquanto Theresa a observava.

Deanna tinha 58 anos, o rosto redondo e os cabelos quase grisalhos. Ela os usava curtos, vestia-se com simplicidade e para Theresa era, de longe, a melhor pessoa que conhecia. Entendia de música e de arte, e no trabalho o som de Mozart ou Beethoven que saía da sua sala sempre se espalhava pelo caos da redação. Deanna era sempre otimista e bem-humorada, e todos a adoravam.

Quando ela voltou, sentou-se e olhou para o outro lado da baía.

– Este não é o lugar mais lindo que você já viu?

– É, sim. Que bom que você me convidou.

– Você precisava disso. Ia se sentir muito solitária naquele apartamento.

– Você parece a minha mãe falando.

– Vou tomar isso como um elogio.

Ela estendeu a mão por cima da mesa e tornou a pegar a carta. Enquanto a estudava, levantou as sobrancelhas, mas não falou nada. Para Theresa, parecia que a correspondência tinha despertado alguma coisa na memória da amiga.

– O que foi? – quis saber.

– Estou só pensando... – retrucou Deanna em voz baixa.

– Em quê?

– Bom, quando eu estava lá dentro, comecei a pensar na carta. Talvez devêssemos publicá-la na sua coluna esta semana.

– O que você está querendo dizer?

Deanna inclinou-se sobre a mesa.

– Exatamente o que eu falei: acho que deveríamos publicar a carta na sua coluna esta semana. Tenho certeza de que outras pessoas adorariam lê-la. É muito incomum. A gente precisa ler coisas assim de vez em quando. E é tão comovente, já consigo imaginar um monte de mulheres recortando o artigo e o colando na porta da geladeira para os maridos lerem quando chegarem do trabalho.

– Nem sabemos quem eles são. Não acha que deveríamos pedir permissão primeiro?

– A questão é que não temos como fazer isso. Posso conversar com o advogado do jornal, mas tenho certeza de que é legal. Não vamos usar os nomes verdadeiros, e desde que não fiquemos com o crédito da autoria e não divulguemos de onde ela pode ter vindo, tenho certeza de que não haverá problema.

– Sei que deve ser legal, mas não tenho certeza se é correto. Quero dizer, é uma carta muito pessoal. Não sei se deveria ser divulgada para todo mundo ler.

– É uma história de interesse humano, Theresa. As pessoas adoram esse tipo de coisa. Além disso, não existe nada na mensagem que possa constranger alguém. É uma carta linda! E, lembre-se, esse tal de Garrett jogou a carta no *mar* dentro de uma *garrafa*. Ele sabia que ela iria parar em algum lugar.

Theresa balançou a cabeça.

– Não sei, Deanna...

– Bom, então pense sobre isso. Resolva amanhã, se preferir. Eu acho uma ideia maravilhosa.

Theresa ficou pensando na carta enquanto se despia e entrava no banho. Imaginou o homem que a escrevera – Garrett, se aquele fosse mesmo o seu nome verdadeiro. E quem seria Catherine, se é que ela de fato existia? Amante ou esposa dele, é claro, mas ela não se encontrava mais por perto. Estaria morta, ou algo acontecera para separá-los? E por que a carta tinha sido jogada ao mar dentro de uma garrafa? Toda a história era estranha.

Seu instinto de repórter a dominou e de repente ela achou que a mensagem poderia não significar nada. Talvez alguém tivesse desejado escrever uma carta de amor mas não tivesse para quem enviá-la. Poderia até ter sido escrita por uma pessoa que gostava de emocionar mulheres solitárias em praias distantes. Mas, ao pensar nas palavras da correspondência, ela concluiu que essas possibilidades eram pouco prováveis. Era óbvio que o texto era sincero. E pensar que tinha sido escrita por um homem! Em toda a sua vida Theresa nunca recebera uma mensagem que chegasse sequer aos pés daquela. As manifestações de sentimentos que lhe enviavam eram sempre impressas em cartões fabricados em série. David – assim como todos os seus outros namorados – nunca gostara de escrever. Como seria aquele homem? Será que era tão carinhoso pessoalmente quanto por carta?

Ela lavou e enxaguou os cabelos, e enquanto a água fresca descia pelo seu corpo, essas perguntas lhe fugiam da mente. Esfregou-se com uma esponja e um sabonete hidratante, passando mais tempo no banho do que pretendia, e enfim saiu do boxe.

Ao se enxugar, estudou sua imagem no espelho. Nada mau para uma mulher de 36 anos com um filho adolescente. Sempre tivera seios pequenos, e, embora isso a tivesse incomodado quando mais nova, agora a deixava satisfeita, pois eles não tinham começado a cair como os de outras mulheres da sua idade. Tinha a barriga sequinha e as pernas longas e firmes pelos anos praticando exercícios. Até as ruguinhas nos cantos dos olhos apareciam menos, apesar de isso não fazer muito sentido. De modo geral, ficou feliz com sua aparência nessa manhã e atribuiu essa fácil aceitação de si mesma, bastante incomum, ao fato de estar de férias.

Depois de aplicar uma maquiagem leve, vestiu um short bege, uma blusa branca sem mangas e sandálias marrons. Dali a uma hora o dia estaria quente e úmido, e ela queria se sentir confortável ao andar por Provincetown. Ao olhar pela janela do banheiro, viu que o sol estava mais alto no horizonte e lembrou que precisava comprar um protetor solar. Caso contrário, sua pele ficaria vermelha, e ela aprendera por experiência própria que queimaduras de sol eram uma das maneiras mais rápidas de estragar férias na praia.

Lá fora, na varanda, Deanna tinha posto a mesa para o café da manhã. Havia melão e toranjas, além de pãezinhos. Após se sentar, ela passou nos pães um pouco de requeijão light – Deanna estava seguindo mais um de seus eternos regimes – e as duas ficaram conversando por um longo tempo. Brian fora jogar golfe, como fazia todos os dias da semana. Tinha que praticar o esporte de manhã bem cedo, pois usava um remédio que, segundo Deanna, "faz muito mal à pele se ele ficar muito tempo ao sol".

Brian e Deanna estavam juntos havia 36 anos. Namorados de faculdade, casaram-se no verão após a formatura, logo que Brian aceitou um emprego numa firma de contabilidade no centro de Boston. Oito anos depois, ele se tornou sócio da empresa e o casal comprou uma casa espaçosa em Brookline, onde viviam sozinhos fazia 28 anos.

Sempre quiseram ter filhos, mas depois de seis anos de casamento Deanna não engravidara. Ao procurarem um ginecologista, descobriram que as trompas dela tinham sido lesadas e que ter um bebê seria impossível. Durante muito tempo tentaram adotar uma criança, mas a lista parecia não ter fim, e eles enfim desistiram. Vieram então os anos negros, como ela certa vez confidenciou a Theresa, época em que o relacionamento deles quase foi por água abaixo. Mas a união, embora abalada, continuou sólida, e Deanna mergulhou no trabalho para preencher o vazio em sua vida. Começou no *Boston Times* quando eram raras as mulheres no jornalismo e aos poucos foi subindo dentro da empresa. Quando, dez anos antes, ela se tornara editora-chefe, passara a proteger as repórteres. Theresa tinha sido sua primeira pupila.

Depois que Deanna subiu para tomar banho, Theresa deu uma olhada rápida no jornal e consultou o relógio. Levantou-se, foi até o telefone e discou o número de David. Ainda seria cedo lá, apenas sete da manhã, mas ela sabia que a família inteira já estaria acordada. Kevin sempre se levantava aos primeiros raios da manhã e ela achava ótimo ter outra pessoa para compartilhar essa maravilhosa experiência. Ficou andando de um lado para outro enquanto o telefone chamava até que Annette atendeu. Theresa escutou o som da TV ao fundo e o choro de um bebê.

– Oi. É a Theresa. O Kevin está por aí?

– Ah, oi. Claro que está. Só um minutinho.

O fone fez um ruído ao ser colocado sobre o balcão e Theresa ouviu Annette chamar:

– Kevin, telefone para você. É a Theresa.

O fato de Annette não ter se referido a ela como mãe de Kevin doeu mais do que esperava, mas não havia tempo para pensar nisso.

O menino estava ofegante quando pegou o telefone.

– Oi, mãe! Tudo bem? Como estão as férias?

Ao ouvir a voz dele, ela sentiu uma pontada de solidão. Era uma voz ainda aguda e infantil, mas Theresa sabia que era apenas uma questão de tempo até que se modificasse.

– Tudo ótimo, mas só cheguei ontem à noite. Ainda não fiz muita coisa além de correr hoje mais cedo.

– Tinha muita gente na praia?

– Não, mas quando estava voltando vi algumas pessoas indo para lá. Ei, quando você vai viajar com o seu pai?

– Daqui a uns dias. As férias dele só começam na segunda, que é quando vamos viajar. Agora ele está se arrumando para ir ao escritório fazer umas coisas para ficar livre depois. Quer falar com ele?

– Não, não precisa. Só liguei para desejar boa viagem.

– Vai ser o máximo. Vi um folheto do percurso pelo rio e algumas corredeiras parecem muito legais.

– Bom, tenha cuidado.

– Mãe, eu não sou mais criança.

– Sei disso. Só tente deixar sua mãe antiquada mais tranquila.

– Está bem, prometo que vou usar o colete salva-vidas o tempo todo. – Ele ficou em silêncio por um instante. – Sabe, lá não vai ter telefone, então só vamos poder nos falar quando eu voltar.

– Eu já imaginava. Mas vai ser ótimo.

– Vai ser fantástico. Queria que você fosse também. A gente ia se divertir muito.

Ela fechou os olhos por um momento antes de responder – um truque que o terapeuta lhe ensinara. Sempre que Kevin mencionava algo sobre os três ficarem juntos de novo, ela tentava não dizer nada de que se arrependesse depois. Sua voz soou tão otimista quanto possível quando ela enfim falou:

– Você e seu pai precisam de um tempo juntos. Sei que ele sente muito a sua falta. Vocês têm coisas para botar em dia, e ele está tão ansioso por essa viagem quanto você.

Pronto, não foi tão difícil.

– Ele disse isso?

– Disse, sim. Algumas vezes.

Kevin ficou em silêncio.

– Vou ficar com saudade de você, mãe. Posso ligar assim que eu voltar, para contar da viagem?

– Claro, pode ligar quando quiser. Vou adorar saber de tudo. Eu amo você, Kevin – acrescentou.

– Também te amo, mãe.

Ela desligou o telefone sentindo-se ao mesmo tempo feliz e triste, como ficava sempre que falava com o filho ao telefone quando ele estava com o pai.

– Quem era? – perguntou Deanna, aparecendo atrás dela.

Tinha voltado do banho vestindo uma blusa amarela com estampa de pele de tigre, um short vermelho, meias brancas e um par de tênis Reebok. Seus trajes proclamavam "Sou turista!", e Theresa esforçou-se para não rir.

– Kevin. Liguei para ele.

– Ele está bem?

Deanna abriu o armário e pegou uma câmera fotográfica para completar o visual.

– Está ótimo. Vai viajar daqui a uns dias.

– Que bom. – Ela pendurou a máquina no pescoço. – E agora que isso já está resolvido, temos compras a fazer. Vamos transformar você em uma nova mulher.

Fazer compras com Deanna era uma experiência e tanto.

Em Provincetown, as duas passaram o restante da manhã e o início da tarde percorrendo várias lojas. Theresa comprou três conjuntos novos e um maiô antes que Deanna a arrastasse a uma loja de lingerie chamada Nightingales.

Lá dentro, Deanna enlouqueceu. Não pensava em si mesma, é claro, mas em Theresa. Pegava conjuntos de calcinha e sutiã de renda transparentes e os mostrava à amiga, com comentários como "Estes são bem sexy", ou "Você ainda não tem desta cor, não é?". Naturalmente, havia outras pessoas por perto quando ela dizia essas coisas, e Theresa não conseguia deixar de rir cada vez que ela fazia isso. A falta de inibição de Deanna era uma das coisas que Theresa mais adorava nela. Deanna de fato não se importava com o que as outras pessoas pensavam e Theresa muitas vezes desejava ser mais parecida com ela.

Depois que Theresa aceitou duas sugestões de Deanna – afinal, estava de férias –, elas passaram alguns minutos na loja de discos. A mais velha queria o último CD de Harry Connick Jr. – "Ele é uma graça", explicou – e Theresa comprou um de jazz, uma das primeiras gravações de John Coltrane. Quando chegaram em casa, encontraram Brian lendo o jornal na sala.

– Olá! Estava começando a ficar preocupado com vocês duas. Como foi o dia?

– Foi bom – respondeu Deanna. – Almoçamos em Provincetown, depois fizemos umas comprinhas. Como foi o jogo?

– Bem bom. Se eu não tivesse ultrapassado a média de tacadas nos dois últimos buracos, teria feito um oitenta.

– Bem, você vai ter que treinar um pouco mais até conseguir.

Brian riu.

– Você não se importa?

– Claro que não.

Ele sorriu, feliz em saber que poderia passar quanto tempo quisesse no campo de golfe durante semana, e aprumou o jornal. Reconhecendo o sinal de que ele queria voltar à leitura, Deanna cochichou ao ouvido de Theresa:

– Acredite: deixe um homem jogar golfe em paz e ele nunca irá criar nenhum tipo de problema.

Theresa deixou os dois a sós pelo resto da tarde. Como o dia ainda estava quente, vestiu o maiô novo que tinha comprado, pegou uma toalha, uma cadeirinha dobrável e a *People*, e foi à praia.

Lá, folheou ociosamente a revista, lendo alguns artigos aqui e ali, sem muito interesse em saber o que estava acontecendo com os ricos e famosos. À sua volta, ouvia risadas de crianças que brincavam na água rasa e enchiam seus baldinhos de areia. De um lado havia dois garotos e um homem, que parecia ser pai deles, construindo um castelo perto da linha d'água. O som das ondas era tranquilizante. Ela largou a revista, fechou os olhos e virou o rosto na direção do sol.

Queria estar bronzeada quando voltasse ao trabalho, pelo menos para mostrar que passara algum tempo sem fazer absolutamente nada. Mesmo na revista, era considerada uma pessoa que estava sempre no meio de alguma atividade. Se não estava escrevendo seu artigo semanal, estava trabalhando no texto para as edições de domingo, ou fazendo pesquisas na internet, ou estudando material técnico sobre o desenvolvimento infantil. Recebia na redação todas as boas publicações relacionadas a paternidade e infância, assim como outras dedicadas a mulheres que trabalham fora. Além disso, assinava revistas médicas, que folheava de tempos em tempos à procura de temas úteis.

Sua coluna era sempre imprevisível – talvez essa fosse uma das razões por que fazia tanto sucesso. Ela às vezes respondia a perguntas dos leitores, em outras compartilhava as informações mais recentes sobre desenvolvimento infantil e explicava o que elas significavam. Muitos artigos falavam sobre a alegria de criar filhos, ao passo que outros descreviam as armadilhas da educação. Theresa escrevia sobre a luta da mãe solteira, um assunto que parecia mexer com a vida das mulheres de Boston. Inesperadamente sua coluna fizera dela uma espécie de celebridade local. Mas, embora no início tivesse sido divertido ver seu retrato acima do artigo e receber convites para festas, ela sempre tinha tantas coisas para fazer que parecia não haver tempo disponível para aproveitar. Agora passara a considerar a fama apenas uma faceta do trabalho – algo bom, mas que na verdade não tinha muita importância.

Depois de uma hora ao sol, Theresa sentiu que estava com o corpo quente e andou em direção à água. Entrou até a altura dos quadris e então mergulhou sob uma onda pequena. Quando emergiu, a água fria deixou-a sem fôlego e um homem parado perto dela riu baixinho.

– Refrescante, não é? – comentou.

Ela assentiu e cruzou os braços.

Ele era alto e moreno, com os cabelos da mesma cor dos dela, e por um segundo Theresa se perguntou se ele estava flertando com ela. Mas as crianças ali perto logo desfizeram essa ilusão chamando-o de papai. Depois de mais alguns minutos dentro d'água ela saiu e voltou à sua cadeira. A praia estava ficando vazia, então ela recolheu suas coisas e iniciou o caminho de volta.

Em casa, Brian assistia a uma partida de golfe na TV e Deanna lia um romance com a foto de um advogado jovem e bonitão na capa. Ela ergueu os olhos do livro e perguntou:

– Como estava a praia?

– Ótima. O sol está maravilhoso, mas a água chega a dar um choque quando a gente mergulha.

– É sempre assim. Não entendo como as pessoas conseguem ficar dentro d'água por tanto tempo.

Theresa pendurou a toalha num cabide perto da porta. Por cima do ombro, perguntou:

– Que tal o livro?

Deanna virou o romance nas mãos e deu uma olhada na capa.

– Maravilhoso. Ele me lembra Brian há alguns anos.

– Hein? – resmungou o marido, sem tirar os olhos da TV.

– Nada, querido. Recordações – retrucou ela, depois voltou a atenção para Theresa. Seus olhos brilhavam. – Está com disposição para uma partidinha de Gin Rummy?

Deanna adorava todos os jogos de cartas. Era sócia de dois clubes de bridge, jogava buraco como ninguém e mantinha uma lista de todas as vezes que concluíra uma partida de paciência. Mas o Gin Rummy sempre fora a modalidade que as duas jogavam quando tinham tempo, porque era a única em que Theresa tinha alguma chance real de vencer.

– Claro.

Deanna fechou o livro alegremente, colocou-o sobre a mesinha e levantou-se da cadeira.

– Estava torcendo para você dizer isso. O baralho está na mesa lá fora.

Theresa se enrolou na toalha e foi para a varanda, até a mesa onde tinham tomado o café da manhã mais cedo. Deanna foi logo atrás, com duas latas de Coca-Cola light, e sentou-se diante dela. Theresa pegou o baralho, embaralhou-o e deu as cartas. A amiga ergueu os olhos de seu leque de cartas.

– Parece que você pegou uma corzinha no rosto. O sol devia estar forte.

Theresa começou a organizar as próprias cartas.

– A praia parecia um forno.

– Conheceu alguém interessante?

– Não. Fiquei lendo e relaxando ao sol. Quase todo mundo estava lá com a família.

– Que pena.

– Por quê?

– Bom, é que eu gostaria que você encontrasse alguém especial nestas férias.

– Você é especial.

– Sabe o que quero dizer. Eu gostaria que você encontrasse um homem. Um que a deixasse sem fôlego.

Theresa ergueu os olhos, surpresa.

– Por que isso agora?

– Por causa do sol, do mar, da brisa... Não sei. Talvez seja o excesso de radiação queimando o meu cérebro.

– Não fiquei procurando ninguém, Deanna.

– Nem um pouquinho?

– Bom, não muito.

– Arrá!

– Não fique muito empolgada. Não faz tanto tempo que me divorciei.

Theresa baixou o seis de ouros, que Deanna pegou antes de descartar o três de paus. Então ela falou, no mesmo tom que sua mãe usava quando conversavam sobre o assunto:

– Quase três anos. Tem certeza de que não tem alguém na mira e está escondendo de mim?

– Tenho certeza.

– Ninguém mesmo?

Deanna pegou uma carta da pilha e descartou um quatro de copas.

– Ninguém. Mas não é só comigo, sabe? É difícil conhecer pessoas interessantes hoje em dia. E eu não tenho tempo para sair.

– Sei disso, sei mesmo. É que você tem tanta coisa a oferecer... Sei que em algum lugar do mundo existe uma pessoa para você.

– Tenho certeza disso. Só que ainda não a conheci.

– Pelo menos está procurando?

– Quando posso. Mas a minha chefe é durona, você sabe. Não me dá um momento de descanso.

– Talvez eu devesse conversar com ela.

– É, talvez – concordou Theresa.

As duas riram. Deanna pegou uma carta da pilha e descartou um sete de espadas.

– Está saindo com alguém?

– Não. Desde que aquele Matt não sei das quantas me disse que não queria uma mulher com filhos.

Deanna fez uma careta.

– Os homens às vezes conseguem ser totalmente idiotas, e ele é um exemplo perfeito disso. É o tipo de cara que devia ter a cabeça empalhada, pendurada na parede, com a legenda "Homem Egocêntrico Típico". Mas não são todos assim. Existem muitos homens de verdade por aí, caras que poderiam muito bem se apaixonar por você.

Theresa pegou o sete e descartou um quatro de ouros.

– É por isso que gosto de você, Deanna. Sempre diz as coisas mais gentis.

Deanna pegou uma carta da pilha.

– Mas é verdade. Pode acreditar. Você é bonita, bem-sucedida, inteligente. Eu poderia encontrar um monte de homens que adorariam sair com você.

– Claro. Mas isso não significa que eu gostaria deles.

– Você não dá nem chance para que algo aconteça.

Theresa deu de ombros.

– É, talvez não. Mas isso não significa que vou morrer sozinha numa casa de repouso para velhinhas. Acredite, eu adoraria me apaixonar de novo. Adoraria conhecer um cara maravilhoso e viver feliz para sempre com ele. Só que agora, neste momento, não posso fazer disso uma prioridade. Kevin e o trabalho já tomam todo o meu tempo.

Deanna baixou um dois de espadas e ficou em silêncio por um instante.

– Acho que você está com medo – falou finalmente.

– Com medo?

– Isso mesmo. Não que haja algo de errado nisso.

– Por que você acha isso?

– Porque sei quanto David a magoou, e sei que se fosse comigo eu teria medo de que a mesma coisa acontecesse outra vez. É a natureza humana. Já diz o ditado: gato escaldado tem medo de água fria. E é verdade.

– Pode ser. Mas tenho certeza de que quando o homem certo aparecer eu vou saber. Tenho fé.

– Que tipo de homem você quer?

– Não sei...

– Claro que sabe. Todo mundo sabe alguma coisa sobre o que quer.

– Nem todo mundo.

– Sabe, sim. Comece com o óbvio, ou, se não conseguir, comece com o que não quer. Por exemplo, você se importa se ele fizer parte de uma turma de motoqueiros?

Theresa sorriu e pegou uma carta da pilha. Seu jogo estava se encaixando. Mais uma carta e ela estaria feita. Descartou o valete de copas.

– Por que está tão interessada?

– Ah, faça isso para agradar uma velha amiga, está bem?

– Certo. Nada de motoqueiro, com certeza – disse Theresa, balançando a cabeça. Pensou por um instante. – Hum... Acho que, acima de tudo, ele teria que ser fiel a mim, a nós, durante o relacionamento. Já tive um homem que não foi e não vou conseguir passar por tudo aquilo outra vez. E acho que gostaria de alguém da minha idade, ou perto disso, se possível.

Theresa parou de falar e franziu a testa.

– E...? – insistiu Deanna.

– Só um instante, estou pensando. Não é tão fácil quanto parece. Acho que também gostaria dos clichês: que ele fosse bonito, educado, inteligente e charmoso. Você sabe, todas as qualidades que uma mulher deseja num homem.

Ela voltou a ficar em silêncio. Deanna pegou o valete. Sua expressão mostrava o prazer que sentia em colocar Theresa na berlinda.

– E...?

– Ele teria que se dedicar a Kevin como se fosse seu próprio filho. Isto é realmente importante para mim. Ah, e teria que ser romântico, também. Eu adoraria receber flores de vez em quando. E atlético. Não consigo respeitar um homem que perca de mim na queda de braço.

– Só isso?

– É, só isso.

– Bom, deixe-me ver se entendi. Você quer um homem fiel, charmoso, bonito, de 30 e poucos anos, que seja também inteligente, romântico e atlético. E tem que ser bom para o Kevin, certo?

– É isso aí.

Deanna respirou fundo enquanto baixava suas cartas.

– Bem, pelo menos você não é exigente. Ganhei.

Depois de levar uma surra no Gin Rummy, Theresa entrou em casa para começar a ler um dos livros que levara. Sentou-se no sofá sob a janela, nos fundos da casa, enquanto Deanna voltava para seu romance. Brian encontrou outro torneio de golfe na TV e passou a tarde assistindo, fazendo comentários para ninguém em particular toda vez que algo lhe chamava atenção.

Às seis da tarde – e, mais importante, depois que a partida chegou ao fim –, Brian e Deanna saíram para um passeio pela praia. Theresa ficou em casa observando-os pela janela enquanto caminhavam de mãos dadas à beira-mar. Os dois tinham o relacionamento ideal, ela pensava ao contemplá-los. Seus interesses eram inteiramente diversos, mas isso parecia mantê-los juntos, em vez de afastá-los um do outro.

Depois que o sol baixou, os três foram de carro a Hyannis e jantaram no Sam's Crabhouse, um restaurante famoso que fazia jus à sua reputação. Estava lotado, e eles tiveram que aguardar uma hora por uma mesa, mas os caranguejos cozidos ao vapor e o molho de manteiga fizeram a espera valer a pena. A manteiga era temperada com alho, e os três juntos consumiram seis cervejas em duas horas. No fim do jantar, Brian perguntou pela carta na garrafa que o mar trouxera.

– Eu a li quando voltei do golfe – explicou. – Deanna colou na porta da geladeira.

Deanna deu de ombros e riu. Virou-se para Theresa com um olhar que dizia "Eu avisei que alguém ia fazer isso", mas não fez nenhum comentário.

– Ela apareceu na praia. Encontrei no fim da corrida.

Brian terminou a cerveja e continuou:

– É uma carta e tanto. Bem triste.

– Eu sei. Foi o que senti quando li.

– Sabe onde fica Wrightsville Beach?

– Não, nunca ouvi falar.

– É na Carolina do Norte. – Ele pegou o maço de cigarros no bolso. – Já estive lá, numa viagem de golfe. Ótimos campos. Meio planos demais, porém bons.

Deanna assentiu.

– Com Brian, tudo tem alguma relação com o golfe.

– Onde, na Carolina do Norte? – quis saber Theresa.

Ele acendeu o cigarro e deu uma tragada. Enquanto exalava, respondeu:

– Perto de Wilmington. Na verdade, pode até fazer parte de Wilmington, mas não tenho certeza. De carro, fica uma hora e meia ao norte de Myrtle Beach. Já ouviu falar no filme *Cabo do medo*?

– Claro.

– Bem, ele se passa no rio Cape Fear, que fica em Wilmington, e foi lá que rodaram os dois filmes. Aliás, muitos filmes são feitos lá. A maioria dos estúdios mais importantes tem locações na cidade. Wrightsville Beach fica numa ilha perto do litoral. É bastante evoluída, hoje em dia é quase uma comunidade fechada. Um monte de astros e estrelas costuma se hospedar lá quando está filmando nas redondezas.

– Como é que nunca ouvi falar desse lugar?

– Não sei. Acho que ele é ofuscado pela fama de Myrtle Beach, mas é popular no sul. As praias são lindas, com areia branca e água morna. É um destino fantástico para um fim de semana, se você tiver a oportunidade.

Theresa não respondeu e Deanna tornou a falar, com a voz bem-humorada:

– Então agora sabemos de onde é o nosso escritor misterioso.

Theresa deu de ombros.

– Pode ser, mas ainda não dá para ter certeza. Talvez eles tenham visitado ou passado férias lá. Não significa que ele more no lugar.

Deanna balançou a cabeça.

– Não acho. O modo como a carta foi escrita deu a impressão de que o sonho dele era real demais para se passar num lugar onde ele só esteve uma ou duas vezes.

– Você andou mesmo pensando nisso, não é?

– Instinto. A gente aprende a segui-lo, e eu poderia apostar que ele mora em Wrightsville Beach ou em Wilmington.

– E daí?

Deanna estendeu a mão na direção de Brian, pegou o cigarro dele, deu uma tragada e ficou com ele como se fosse seu. Fazia isso havia anos. Em sua cabeça, ela não era oficialmente viciada, pois nunca acendia um cigarro. Brian, parecendo não ter percebido, acendeu outro. Deanna inclinou-se para a frente.

– Já pensou melhor sobre publicar a carta?

– Na verdade, não. Ainda acho que não seria uma boa ideia.

– E se não usarmos os nomes deles, só as iniciais? Podemos até mudar o nome de Wrightsville Beach, se você quiser.

– Por que isso é tão importante para você?

– Porque sei reconhecer quando uma história é boa. Mais que isso, acho que essa carta seria importante para muita gente. Hoje em dia as pessoas são tão atarefadas que parece que o romantismo está morrendo aos poucos. A mensagem mostra que ele ainda está vivo.

Theresa pegou, distraída, uma mecha de cabelo e começou e enrolá-la entre os dedos. Era um hábito da infância, algo que ela fazia sempre que pensava sobre algo. Depois de um longo instante, enfim respondeu:

– Está bem.

– Vai publicar?

– Vou, mas vamos fazer como você disse: usar apenas as iniciais e omitir a parte sobre Wrightsville Beach. E vou escrever uma introdução.

– Que bom! – exclamou Deanna, com o entusiasmo de uma adolescente. – Sabia que você aceitaria. Vamos mandar por fax amanhã.

Mais tarde nessa mesma noite, Theresa escreveu à mão o início do artigo num papel de carta que achou na gaveta da escrivaninha do escritório. Quando terminou, foi para o quarto, colocou as duas páginas na mesa de cabeceira e se deitou. Não dormiu bem.

No dia seguinte, Theresa e Deanna foram a Chatham e digitaram a carta no computador de uma gráfica. Como nenhuma das duas tinha levado um notebook e Theresa insistiu que a coluna não incluísse certos dados, parecia a coisa mais lógica a fazer. Quando o artigo ficou pronto, elas o imprimiram e enviaram por fax. Ele sairia no jornal do dia seguinte.

O resto da manhã e a tarde transcorreram como na véspera: as duas fizeram compras, foram à praia, ficaram batendo papo e tiveram um jantar delicioso. Quando o jornal chegou, no dia seguinte bem cedo, Theresa foi a primeira a vê-lo. Tinha acordado cedo e voltara da corrida antes que Deanna e Brian se levantassem, então abriu o periódico e leu seu artigo:

> Há quatro dias, durante as férias, eu estava ouvindo algumas canções antigas no rádio e de repente Sting cantou "Message in a Bottle", ou seja, "mensagem em uma garrafa". Movida pela letra apaixonada, corri para a praia a fim de procurar minha própria garrafa. Logo a encontrei e,

como era de esperar, ela continha uma mensagem. (Na verdade, não ouvi primeiro a canção. Inventei isso para criar um efeito dramático. Mas encontrei mesmo uma garrafa contendo uma mensagem muito comovente.) Não consegui tirá-la da cabeça. Embora não seja algo sobre o que eu escreveria normalmente, tenho esperança, nesta época em que a dedicação e o amor eterno parecem escassos, de que vocês a achem tão importante quanto eu achei.

O resto do artigo era a carta. Quando Deanna se juntou a Theresa para o café da manhã, foi a primeira parte do jornal que leu.

– Sensacional – declarou, ao terminar. – Ficou ainda melhor do que eu pensei. Você vai receber muitas cartas por causa desta mensagem.

– Você acha?

– Claro que sim. Tenho certeza.

– Mais do que o normal?

– Toneladas. Eu sinto isso. Aliás, vou ligar para John hoje e pedir que ele divulgue isto na internet algumas vezes esta semana. Talvez você consiga até que ele saia na edição de domingo de algum jornal.

– Vamos ver – disse Theresa, dando uma mordida num pãozinho, sem saber se acreditava ou não em Deanna, mas ainda assim curiosa.

3

No sábado, oito dias depois de sua chegada a Cape Cod, Theresa voltou para Boston.

Destrancou a porta do apartamento e Harvey veio correndo do quarto dos fundos. Esfregou-se na perna dela, ronronando baixinho, até que Theresa o pegou no colo e o levou até a geladeira. Pegou um pedaço de queijo e deu-o a ele enquanto lhe acariciava a cabeça, grata à vizinha Ella por ter cuidado de seu bichinho enquanto ela estava fora. Quando terminou de comer, Harvey saltou dos braços dela e encaminhou-se para as portas corrediças de vidro que levavam à varanda. O apartamento estava abafado por ter passado aquele tempo todo fechado, então ela abriu as portas para arejá-lo.

Depois de desfazer as malas e pegar com Ella suas chaves extras e a correspondência, serviu-se de uma taça de vinho, foi até o aparelho de som e colocou o CD de John Coltrane que tinha comprado. Examinou as cartas enquanto o jazz tomava conta do ambiente. Como sempre, tratava-se principalmente de contas a pagar, e ela as colocou de lado para vê-las depois.

Quando verificou a secretária eletrônica, havia oito recados. Dois eram de homens com quem já tinha saído, pedindo que ela ligasse quando pudesse. Theresa pensou por um instante e decidiu não retornar – nenhum dos dois a atraía, e ela não se sentia inclinada a sair só porque estava com tempo livre na agenda. Havia também mensagens da mãe e da irmã, e ela escreveu um lembrete para telefonar para elas durante a semana. Não havia recado algum de Kevin. Àquela altura ele estaria fazendo *rafting* e acampando com o pai em algum lugar do Arizona.

Sem o filho, a casa parecia estranhamente silenciosa. Por outro lado, estava também arrumada, e isso de certa forma tornava as coisas mais fáceis. Era bacana só precisar limpar e colocar tudo em ordem de vez em quando.

Pensou sobre as duas semanas de férias que ainda tinha para tirar durante o ano. Tinha prometido a Kevin que passariam alguns dias na praia, e ainda sobraria uma semana. Poderia tirá-la perto do Natal, mas naquele ano Kevin estaria com o pai, de modo que isso não fazia muito sentido. Odiava passar o Natal – que sempre fora seu feriado favorito – sozinha, mas não tinha escolha, e concluiu que era inútil ficar pensando nisso. Talvez pudesse ir às Bermudas, à Jamaica ou qualquer outro lugar do Caribe, mas o problema era que na verdade não queria viajar sozinha e não conhecia ninguém que pudesse acompanhá-la. Janet talvez estivesse disponível, mas ela duvidava: os três filhos mantinham-na bastante ocupada e Edward dificilmente poderia se afastar do trabalho. Quem sabe ela poderia aproveitar o tempo livre para se dedicar às coisas que vinha pretendendo fazer na casa... mas isso parecia um desperdício: quem quer passar as férias pintando e trocando o papel de parede?

Por fim, desistiu e resolveu que, se nada empolgante lhe viesse à lembrança, ela deixaria para tirar essa última semana de férias no ano seguinte. Talvez fosse com Kevin passar algumas semanas no Havaí.

Deitou-se na cama e pegou um dos romances que tinha começado em Cape Cod. Leu rápido e sem interrupção, e devorou quase cem páginas antes de se sentir cansada. À meia-noite, apagou a luz. Durante a madrugada, sonhou que caminhava ao longo de uma praia deserta, embora não soubesse por quê.

Na segunda-feira de manhã, havia uma montanha de cartas em sua mesa. Quando ela chegou, havia quase duzentas, e outras cinquenta vieram pelo correio da tarde. Assim que Theresa entrou no escritório, Deanna apontou para a pilha com ar orgulhoso.

– Está vendo? Eu falei – comentou ela com um sorriso.

Theresa pediu que a recepcionista colocasse todos os seus telefonemas em espera e começou a abrir os envelopes no mesmo instante. Toda a correspondência, sem exceção, falava sobre a mensagem publicada na coluna. A maioria dos remetentes era do sexo feminino, embora alguns homens também tivessem escrito, e a unanimidade das opiniões a surpreendeu. Cada uma delas descrevia a emoção que a carta anônima suscitara. Muitas perguntavam se ela conhecia o autor, e algumas mulheres queriam, caso ele fosse solteiro, se casar com ele.

Theresa descobriu que quase todas as edições dominicais do país tinham publicado a coluna, e as cartas vinham de lugares tão distantes quanto Los Angeles. Seis homens afirmavam ter escrito o texto, e quatro deles queriam cobrar direitos autorais – um chegou a ameaçar processá-la. Mas, ao examinar as caligrafias, ela constatou que nenhuma se parecia nem um pouco com a da mensagem original.

Ao meio-dia, Theresa foi almoçar em seu restaurante japonês favorito e algumas pessoas em outras mesas mencionaram que também tinham lido o artigo.

– Minha mulher pregou a carta na porta da geladeira – comentou um homem, fazendo-a rir alto.

No final do dia, ela tinha lido quase toda a pilha e estava bem cansada. Não tinha trabalhado na crônica seguinte e, como sempre, sentia a pressão do prazo de entrega iminente crescer. Às cinco e meia, começou a esboçar um artigo sobre a ausência de Kevin e o que isso significava para ela. Estava se saindo melhor do que esperava e já tinha quase terminado quando o telefone tocou.

Era a recepcionista do jornal.

– Oi, Theresa, sei que você pediu para segurar as ligações, e é o que estou fazendo – começou ela. – Não está sendo fácil, aliás. Você recebeu uns sessenta telefonemas. O aparelho não para de tocar.

– Então, o que está havendo?

– Tem uma mulher que não para de ligar. É a quinta vez hoje, sem contar as duas vezes na semana passada. Não quer dar o nome, mas a esta altura já reconheço a voz. Ela diz que precisa falar com você.

– Você não pode simplesmente pegar o recado?

– Já tentei, mas ela é insistente. Fica pedindo que eu a mantenha na linha até que você esteja disponível. Diz que está ligando de outra cidade, mas que precisa falar com você.

Theresa pensou por um instante, com os olhos fixos na tela à sua frente. O artigo estava quase pronto, faltavam apenas uns dois parágrafos.

– Não pode pedir para ela deixar um número para onde eu possa ligar?

– Ela também não quer dar seu telefone. É muito evasiva.

– Você sabe o que ela quer?

– Não tenho a menor ideia. Mas ela parece ser coerente, ao contrário de muita gente que ligou hoje. Um cara me pediu em casamento.

Theresa riu.

– Está bem, diga a ela para esperar na linha. Vou atendê-la daqui a alguns minutos.

– Certo.

– Em que linha ela está?

– Na cinco.

– Obrigada.

Theresa terminou o artigo depressa. Iria revisá-lo assim que desligasse. Pegou o fone e apertou o botão para atender.

– Alô.

A linha ficou em silêncio por um instante. Então uma mulher perguntou, com a voz suave e melodiosa:

– Falo com Theresa Osborne?

– Sim, sou eu.

Theresa recostou-se e começou a enrolar uma mecha de cabelo.

– Foi você quem escreveu o artigo sobre a mensagem na garrafa?

– Fui eu. Em que posso ajudá-la?

A mulher tornou a ficar em silêncio. Theresa ouvia sua respiração – parecia que ela estava pensando no que diria a seguir. Depois de um momento, ela perguntou:

– Pode me dizer os nomes que havia na carta?

Theresa fechou os olhos e parou de mexer no cabelo. *Apenas outra mulher curiosa*, pensou. Voltou a fitar a tela do computador e começou a reler o artigo.

– Não, sinto muito, não posso. Não quero que essa informação se torne pública.

A mulher se calou mais uma vez e Theresa começou a ficar impaciente. Leu o primeiro parágrafo do texto. Então a mulher surpreendeu-a:

– Por favor, eu preciso saber.

Theresa desviou os olhos da tela. Sentiu uma transparência absoluta na voz de sua interlocutora. Havia outra coisa também, que ela não conseguiu identificar.

– Sinto muito, não posso mesmo – disse finalmente.

– Então pode responder a uma pergunta?

– Talvez.

– A carta foi endereçada a Catherine e assinada por um homem chamado Garrett?

Agora a mulher tinha toda a atenção de Theresa, que se empertigou na cadeira.

– Quem está falando? – quis saber com súbita urgência, e assim que terminou a frase teve consciência de que a mulher saberia a verdade.

– Foi, não foi?

– Quem está falando? – insistiu Theresa, dessa vez com mais delicadeza.

Ouviu a mulher dar um suspiro profundo antes de retrucar:

– Meu nome é Michelle Turner e moro em Norfolk, na Virgínia.

– Como ficou sabendo da carta?

– Meu marido é da Marinha e está alocado aqui. Há três anos eu estava caminhando pela praia e encontrei uma carta parecida com a que você achou nas férias. Depois de ler o artigo, vi que a mesma pessoa tinha escrito as duas. As iniciais eram as mesmas.

Theresa parou por um instante, pensando que aquilo era impossível. Três anos?

– Em que tipo de papel ela foi escrita?

– Era bege e tinha o desenho de um veleiro no canto superior direito.

Theresa sentiu o coração disparar. Aquilo ainda lhe parecia inacreditável.

– A sua carta também tinha o desenho de um veleiro, não tinha? – indagou a mulher.

– Tinha – admitiu Theresa num sussurro.

– Eu sabia. Soube assim que li o artigo – garantiu Michelle, como se um fardo tivesse sido tirado dos seus ombros.

– Ainda tem uma cópia da carta? – quis saber Theresa.

– Tenho. Meu marido nunca a viu, mas de vez em quando eu a pego só para ler mais uma vez. É um pouco diferente da mensagem que você divulgou no artigo, mas os sentimentos são os mesmos.

– Poderia me enviar uma cópia por fax?

– Claro – retrucou a mulher, antes de fazer uma pausa. – É espantoso, não é? Quero dizer, primeiro eu tê-la encontrado há tanto tempo, e agora você achar a outra.

– É – murmurou Theresa. – É mesmo.

Depois de dar o número do fax a Michelle, Theresa mal conseguiu revisar o artigo recém-escrito. A mulher teria que ir a uma agência dos correios para enviar o texto, e Theresa ficou andando da escrivaninha até a máquina de fax a cada cinco minutos enquanto esperava a carta chegar. Depois de 46 minutos, ouviu a máquina começar a funcionar. A primeira página a sair foi a capa da agência por onde o fax fora enviado, aos cuidados de Theresa Osborne no *Boston Times*.

Ela observou a folha cair na bandeja enquanto ouvia o som da máquina copiando a carta linha por linha. Foi rápido – cada página levava apenas dez segundos para ficar pronta –, mas mesmo essa espera pareceu uma eternidade. Então o fax começou a imprimir uma terceira página e ela compreendeu que, assim como a carta que tinha encontrado, essa outra também devia ter sido escrita em ambos os lados da folha.

Quando o bipe da máquina de fax sinalizou o fim da transmissão, Theresa pegou os papéis e levou-os para a mesa sem ler. Colocou-os virados para baixo por alguns minutos, tentando acalmar a respiração. É só uma carta, disse a si mesma.

Inspirou profundamente e ergueu a primeira página. Uma rápida olhada no desenho do veleiro provou que de fato se tratava do mesmo autor. Theresa colocou a página sob uma luz mais forte e pôs-se a ler.

6 de março de 1994
Minha querida Catherine,

Onde está você? Sentado solitário numa casa às escuras, eu me pergunto também: por que fomos forçados a nos separar?

Não sei a resposta a essas perguntas, por mais que me esforce para tentar entender. A razão é óbvia, mas minha mente me obriga a descartá-la e a ansiedade me corrói durante todo o tempo em que fico acordado. Estou perdido sem você. Sou uma pessoa sem alma, um errante sem lar, um pássaro solitário voando para lugar nenhum. Sou todas essas coisas e não sou nada. Esta, minha querida, é a vida sem sua presença. Anseio por você para me ensinar a viver de novo.

Tento lembrar o modo como ficávamos ao vento no convés do Happenstance. Você se recorda de como trabalhamos juntos nele? Nós nos tornamos uma parte do oceano enquanto o reconstruíamos, pois ambos sabíamos que tinha sido o mar que nos unira. Foi em ocasiões como aquelas que compreendi o significado da felicidade verdadeira. À noite velejávamos na água escura e eu contemplava o luar refletindo a sua beleza. Olhava para você com admiração, sabendo no fundo do meu coração que ficaríamos juntos para sempre. Será que é sempre assim quando duas pessoas se amam? Não sei, mas se a minha vida, desde que você foi tirada de mim, serve como exemplo, então acho que sei as respostas. De agora em diante, tenho consciência de que estarei sozinho.

Penso em você, sonho com você, imagino-a quando mais preciso de você. Isto é tudo o que posso fazer, mas para mim não é suficiente. E nunca será, sei disso. No entanto, o que mais posso fazer? Se você estivesse aqui, iria me dizer, mas até isso me foi roubado. Você sempre conhecia as palavras certas para acalmar a dor que eu sentia. Sempre sabia como fazer com que eu me sentisse bem.

Será possível que você saiba como fico sem você? Quando sonho, gosto de pensar que sim. Antes de nos conhecermos, eu andava pela vida sem sentido, sem razão. Sei que de alguma forma cada passo que dei desde o momento que aprendi a andar foi um passo na sua direção. Fomos destinados a ficar juntos.

Mas agora, sozinho em casa, acabei compreendendo que o destino pode ferir alguém, assim como pode abençoá-lo, e fico perguntando por que, entre todas as pessoas no mundo que poderia ter amado, tive que me apaixonar por uma que foi levada para longe de mim.

Garrett

Depois de ler a carta, Theresa recostou-se na cadeira e levou os dedos aos lábios. O barulho da redação parecia vir de algum lugar muito distante dali. Ela estendeu a mão para a bolsa, pegou a carta que tinha encontrado e colocou as duas lado a lado sobre a escrivaninha. Leu a primeira, depois a segunda, em seguida as releu em ordem inversa, sentindo-se quase como uma *voyeuse*, como se estivesse espionando um momento pessoal, secreto.

Ergueu-se da cadeira e afastou-se da escrivaninha, experimentando uma estranha perturbação. Foi até a máquina de refrigerantes e comprou uma latinha de suco de maçã, tentando compreender seus sentimentos. Quando voltou, suas pernas de repente pareceram fracas e ela arriou sobre a cadeira. Chegou a pensar que, se a cadeira não estivesse no lugar certo, ela teria desabado no chão.

Na esperança de clarear os pensamentos, começou a arrumar a bagunça em cima da escrivaninha. Colocou as canetas dentro da gaveta, os artigos que usara para pesquisa no arquivo, encheu o grampeador, apontou os lápis e os guardou numa xícara de café em cima da mesa. Quando terminou, nada estava fora do lugar, exceto as duas cartas, nas quais ela não tinha sequer tocado.

Havia pouco mais de uma semana que ela encontrara a primeira carta, cujas palavras tinham lhe impressionado profundamente, embora a sua parte pragmática a forçasse a tentar esquecer o assunto. Mas agora isso parecia impossível, depois de saber de uma segunda carta que talvez tivesse sido escrita pelo mesmo autor. Imaginou se haveria outras. E que tipo de homem mandaria cartas dentro de garrafas? Parecia um milagre que outra pessoa, três anos antes, tivesse encontrado uma delas e a guardado numa gaveta por ter se comovido com ela – mas isso tinha mesmo acontecido. E o que significava tudo aquilo?

Ela sabia que não devia ter muita importância para ela, mas tinha. Passou a mão pelos cabelos e olhou em volta. Por toda parte as pessoas estavam em movimento. Abriu a lata de suco de maçã e bebeu um gole, tentando entender o que se passava por sua cabeça. Não tinha certeza ainda, e seu único desejo era que ninguém fosse até sua mesa nos minutos seguintes, até que ela estivesse mais controlada. Guardou as duas cartas de volta na bolsa, enquanto a primeira frase da segunda delas não lhe saía da mente.

Onde está você?

Fechou o programa do computador que tinha usado para escrever o artigo e, apesar de suas apreensões, acessou a internet.

Depois de um momento de hesitação, digitou "Wrightsville Beach" na barra de busca e apertou o Enter. Em menos de cinco segundos, vários resultados apareceram, entre eles:

Wrightsville Beach – Mariposa Web Pages

Wrightsville Beach, Carolina do Norte, Estados Unidos

Ticar Real Estate Company – Imobiliária – Wilmington, Carolina do Norte.
Ver também agências em Wrightsville Beach e Carolina Beach

Wrightsville Beach, Carolina do Norte – Hospedagem – Cascade Beach Resort

Ali sentada, com os olhos pregados na tela, ela de repente se sentiu ridícula. Mesmo se Deanna tivesse razão e Garrett morasse em algum lugar na região de Wrightsville Beach, seria quase impossível localizá-lo. Por que, então, ela estava tentando fazer isso?

Sabia por quê, é claro. As cartas tinham sido escritas por um homem que amava profundamente uma mulher, um homem que agora estava só. Quando criança, ela acreditava no companheiro ideal – o príncipe ou o cavaleiro dos contos infantis. No mundo real, contudo, eles não existiam. As pessoas reais tinham rotinas reais, exigências reais, expectativas reais sobre como os outros deveriam se comportar. Sim, existiam homens bons, que amavam de verdade e permaneciam firmes diante de grandes obstáculos, o tipo que Theresa vinha querendo encontrar desde que ela e David se divorciaram. Mas como encontrá-lo?

Ali, naquele momento, ela tinha certeza de que esse homem existia – e estava sozinho. Saber disso mexia com ela. Parecia evidente que Catherine, fosse quem fosse, já tinha morrido, ou ao menos desaparecera sem explicação. No entanto, Garrett ainda a amava o suficiente para lhe mandar cartas de amor durante pelo menos três anos. Ele no mínimo provara que era capaz de amar muito uma pessoa e – mais importante – permanecer totalmente comprometido com a amada mesmo muito tempo depois de ela ter partido.

Onde está você?

Essa pergunta ecoava em sua cabeça como uma canção ouvida no rádio pela manhã e que ficava se repetindo durante toda a tarde.

Onde está você?

Ela não sabia onde Garrett estava, mas ele existia de verdade, e uma das coisas que ela aprendera bem cedo na vida fora que, quando uma pessoa encontra algo que mexe com ela, é melhor tentar descobrir mais sobre essa coisa. Se ela ignorar os próprios sentimentos, jamais descobrirá o que poderia acontecer, e por vários motivos isso é pior do que constatar que estava errada desde o início. Porque, ainda que esteja equivocada, ela será capaz de seguir sua vida sem olhar para trás e sem ficar imaginando o que poderia ter acontecido.

Mas aonde isso tudo levaria? E o que significava? A descoberta da carta teria sido, de alguma forma, um ato do destino ou apenas uma coincidência? Ou será que fora só um lembrete do que estava faltando em sua vida? Enquanto meditava sobre a questão, Theresa enrolava distraidamente uma mecha de cabelo até concluir que estava tudo bem, que poderia viver com isso.

No entanto, *estava* curiosa em relação ao misterioso escritor, e não fazia sentido negar esse sentimento, ao menos para si mesma. E como ninguém mais compreenderia – como alguém poderia compreender, se ela própria não conseguia? –, Theresa decidiu não revelar a ninguém o que estava sentindo.

Onde está você?

Bem no fundo, ela sabia que fazer buscas na internet e sentir-se fascinada por Garrett não levaria a nada. Aquilo iria aos poucos transformar-se numa história interessante que ela recontaria de vez em quando. Iria continuar com a vida: escrever sua coluna, ficar com Kevin, fazer todas as coisas que uma mãe solteira tinha que fazer.

E estava quase certa: sua vida iria prosseguir exatamente como ela imaginava. Mas três dias depois aconteceu algo que fez Theresa se lançar ao desconhecido levando apenas uma mala cheia de roupas e uma pilha de papéis que podiam ou não significar alguma coisa.

Ela descobriu uma terceira carta de Garrett.

4

No dia em que descobriu a terceira carta, é claro que Theresa não esperava que algo fora do comum fosse acontecer. Era um típico dia de verão em Boston – quente, úmido, com as mesmas notícias que em geral acompanhavam esse tipo de clima: algumas brigas provocadas por tensões agravadas pelo calor e, no início da tarde, dois assassinatos cometidos por pessoas que tinham se descontrolado.

Theresa estava na redação do jornal pesquisando sobre o autismo infantil. O *Boston Times* tinha um excelente banco de dados de artigos publicados nos anos anteriores em várias revistas. Pelo computador, ela podia acessar também a biblioteca da Universidade de Harvard ou da Universidade de Boston, e a soma de literalmente centenas de milhares de artigos à sua disposição tornava qualquer pesquisa mais fácil e menos demorada do que anos antes.

Em algumas horas ela tinha conseguido reunir quase trinta artigos dos últimos três anos e publicados em revistas especializadas das quais nunca ouvira falar, e seis dos títulos pareciam interessantes o bastante para uma possível utilização. Como ela iria passar por Harvard a caminho de casa, resolveu pegar os artigos quando fosse embora.

Quando estava prestes a desligar o computador, um pensamento cruzou sua mente de repente, fazendo-a parar e se perguntar: por que não? Era uma chance remota, mas o que tinha a perder? Tornou a se sentar, acessou o banco de dados de Harvard de novo e digitou "mensagem em uma garrafa".

Como os artigos no sistema da biblioteca eram listados por assunto ou título, ela resolveu procurar por títulos para abreviar a busca. Em geral, a pesquisa por assunto identificava um número maior de artigos, mas fazer a triagem era um processo trabalhoso e Theresa não tinha tempo para isso naquele momento. Depois de apertar o Enter, acomodou-se para esperar que o sistema buscasse a informação pedida.

O resultado a surpreendeu: nos últimos anos, tinha sido escrita uma dúzia de artigos sobre o assunto. A maioria fora publicada em revistas científicas, e os títulos pareciam sugerir que se usavam garrafas para várias tentativas de estudo sobre as correntes oceânicas.

No entanto, três deles pareceram interessantes e ela anotou os títulos, para pegá-los também.

O trânsito estava bastante engarrafado e ela levou mais tempo do que imaginava para ir até a biblioteca e pegar os nove artigos que queria. Chegou tarde em casa e, depois de pedir comida num restaurante chinês na vizinhança, sentou-se no sofá com os três textos sobre mensagens em garrafas.

O primeiro que leu tinha sido publicado na revista *Yankee* em março do ano anterior e falava sobre episódios de garrafas que tinham ido parar na costa da Nova Inglaterra. Algumas das cartas encontradas eram memoráveis. Theresa gostou especialmente de ler sobre Paolina e Ake Viking.

Segundo o artigo, o pai de Paolina encontrou uma mensagem numa garrafa jogada ao mar por Ake, um jovem marinheiro sueco. Ake, que estava entediado durante uma de suas muitas viagens marítimas, pedia a qualquer moça bonita que encontrasse a garrafa que escrevesse de volta. O pai deu a carta a Paolina, que por sua vez redigiu uma mensagem para Ake. Uma carta levou a outra, e quando o marinheiro enfim viajou à Sicília para conhecê-la pessoalmente, os dois descobriram que se amavam. Casaram-se logo depois.

Perto do final do texto, havia dois parágrafos que falavam de outra mensagem que fora parar nas praias de Long Island:

> A maioria das mensagens enviadas dentro de garrafas pede a quem encontre que responda logo, sem muita esperança de uma correspondência que dure a vida inteira. Às vezes, no entanto, os autores não desejam resposta. Uma dessas cartas, uma comovente homenagem ao amor perdido, chegou a uma praia em Long Island no ano passado. Um trecho dela dizia:
>
> *"Sem você em meus braços, sinto um vazio na alma. Esquadrinho as multidões em busca do seu rosto – sei que é impossível encontrá-la, mas não consigo evitar. Minha busca por você é uma procura sem fim destinada ao fracasso. Você e eu tínhamos conversado sobre o que aconteceria se as circunstâncias forçassem a nossa separação, mas*

não posso cumprir a promessa que lhe fiz naquela noite. Sinto muito, minha querida, mas jamais haverá quem a substitua. As palavras que lhe sussurrei foram bobagens, e eu devia ter sabido disso na hora. Você, e somente você, sempre foi a única coisa que eu quis, e agora que partiu não tenho desejo de encontrar outra pessoa. 'Até que a morte nos separe' foi o que juramos na igreja, e hoje acredito que essas palavras serão sempre verdadeiras, até que enfim chegue o dia em que eu também serei levado deste mundo."

Theresa parou de ler de repente e baixou o garfo. *Não pode ser!* Ficou com os olhos fixos nas palavras. *Não* é possível...

Mas...

Mas... quem mais poderia ser?

Ela enxugou a testa, consciente de que suas mãos de repente tinham ficado trêmulas. *Outra carta?* Voltou ao início do artigo e procurou o nome do autor. O texto tinha sido escrito por Arthur Shendakin, ph.D., professor de história na Universidade de Boston, e isso significava que...

... ele só podia morar perto dali.

Theresa ficou de pé num salto e pegou a lista telefônica na prateleira perto da mesa de jantar. Folheou-a, em busca daquele nome. Havia menos de uma dúzia de pessoas com o sobrenome Shendakin no catálogo, embora apenas duas parecessem possibilidades reais. Ambas tinham a letra A como inicial do primeiro nome, e ela consultou o relógio antes de ligar. Nove e meia. Era tarde, mas não tarde demais. Discou o primeiro número. O telefonema foi atendido por uma mulher que disse que era engano. Quando desligou, Theresa percebeu que estava com a garganta seca. Foi à cozinha e encheu um copo com água. Depois de dar um longo gole, respirou fundo e voltou ao telefone.

Discou com cuidado, para ter certeza de ter chamado o número correto, e esperou enquanto o telefone tocava.

Uma vez.

Duas vezes.

Três vezes.

No quarto toque, ela começou a perder a esperança, mas no quinto alguém atendeu.

– Alô – disse um homem.

Pelo tom da voz, calculou que ele tivesse uns 60 anos.

Ela pigarreou.

– Alô, meu nome é Theresa Osborne e eu trabalho no *Boston Times*. É Arthur Shendakin quem está falando?

– É ele – respondeu o homem, parecendo surpreso.

Fique calma, ela disse a si mesma.

– Ah, olá. Estou ligando para saber se o senhor é o mesmo Arthur Shendakin que publicou um artigo na *Yankee*, no ano passado, sobre mensagens em garrafas.

– Sou eu mesmo. Como posso ajudá-la?

Ela sentiu as mãos transpirando.

– Fiquei curiosa a respeito de uma das mensagens, que o senhor disse ter aparecido em Long Island. Sabe de que carta estou falando?

– Posso saber por que está interessada?

– Bem, o *Boston Times* tem a intenção de fazer um artigo sobre o mesmo assunto, e estamos interessados em obter uma cópia da carta.

Ela fez uma careta diante da própria mentira, mas dizer a verdade parecia pior. Que impressão isso daria? *Ah, olá, estou encantada com um homem misterioso que manda mensagens em garrafas e gostaria de saber se a carta que o senhor encontrou também foi escrita por ele...*

Ele respondeu bem devagar:

– Bem, não sei. Foi essa carta que me inspirou a escrever os artigos... Preciso de um tempo para pensar.

Theresa sentiu um nó na garganta.

– Então o senhor tem a carta?

– Tenho. Encontrei-a há uns dois anos.

– Sr. Shendakin, sei que é um pedido estranho, mas posso lhe garantir que, se nos deixar usá-la, ficaremos felizes em lhe pagar uma pequena quantia por isso. E não precisamos da carta em si. Uma cópia servirá, de modo que o senhor não estaria se desfazendo dela.

Ela percebeu que o pedido o surpreendeu.

– De quanto você está falando?

Não sei, estou inventando tudo isso agora. Quanto o senhor vai querer?

– Pensamos em lhe oferecer 300 dólares, e naturalmente o senhor terá o crédito de ter encontrado a carta.

Ele ficou em silêncio por um instante, pensando. Theresa tornou a falar, antes que ele pudesse formular uma recusa:

– Sr. Shendakin, tenho certeza de que o senhor deve estar preocupado com a semelhança entre o seu artigo e o texto que o jornal pretende publicar. Posso assegurar que nosso material será bem diferente. Nossa intenção é falar sobretudo sobre a direção que as garrafas tomam, considerando as correntes marítimas e tudo o mais. Só queremos algumas cartas autênticas para dar um toque humano aos nossos leitores.

De onde foi que tirei isso?

– Bom...

– Por favor, Sr. Shendakin. Significaria muito para mim.

Ele ficou em silêncio por um instante.

– É só para tirar uma cópia?

Sim!

– É, claro. Posso lhe dar um número de fax ou o senhor pode nos enviar a cópia. Devo fazer o cheque no seu nome?

Ele tornou a ficar em silêncio antes de responder:

– É... acho que sim.

Ele soava como se tivesse sido encurralado.

– Obrigada, Sr. Shendakin.

Antes que ele pudesse mudar de ideia, Theresa deu-lhe o número do fax, pegou o endereço dele e outros dados para enviar uma ordem de pagamento no dia seguinte. Achou que seria suspeito mandar um cheque no nome dela.

No dia seguinte, depois de ligar para o escritório do professor na Universidade de Boston para informar que o pagamento tinha sido pedido, Theresa foi para o trabalho com a cabeça girando. A possível existência de uma terceira carta impedia que pensasse em qualquer outra coisa. Era verdade que ainda não tinha certeza de que a carta fosse da mesma pessoa, mas, em caso positivo, ela não saberia o que fazer. Passara quase toda a noite pensando em Garrett, tentando imaginar como ele era e as coisas que devia gostar de fazer. Não entendia muito bem o que estava sentindo, mas, por fim, resolveu deixar a carta decidir tudo: se não fosse de Garrett, Theresa acabaria aquela história ali mesmo. Não tentaria descobrir mais nada sobre ele, não buscaria indícios de outras cartas. E, se a obsessão permanecesse, ela jogaria fora as duas correspondências. A curiosidade era uma coisa boa, desde que não dominasse a vida de uma pessoa – e ela não deixaria que isso acontecesse.

Mas, por outro lado, se a carta fosse mesmo de Garrett...

Ainda não sabia o que faria. Parte dela esperava que não fosse, para que não precisasse tomar a decisão.

Quando chegou à escrivaninha, forçou-se a aguardar um pouco antes de ir até a máquina de fax. Ligou o computador, telefonou para dois médicos que precisava consultar a respeito do artigo que estava escrevendo e fez algumas anotações sobre outros assuntos. Quando terminou, tinha quase conseguido convencer a si mesma de que a carta não era dele. Pensou que deviam existir milhares de cartas flutuando pelos mares. Todas as chances indicavam que era de outra pessoa.

Finalmente, quando já não tinha mais nada para fazer, foi até a máquina de fax e pôs-se a procurar na pilha. Os faxes ainda não tinham sido distribuídos, e havia algumas dúzias de páginas dirigidas a várias pessoas. No meio da pilha, encontrou uma página endereçada a ela, junto com outras duas. Ao olhá-las de perto, a primeira coisa que Theresa percebeu foi o veleiro estampado no canto superior direito – como acontecera com as outras duas cartas. Mas essa mensagem era mais curta do que as outras, e ela a leu inteira antes de chegar de novo à sua mesa. O parágrafo final era o que ela tinha visto no artigo de Arthur Shendakin.

25 de setembro de 1995
Querida Catherine,

Passou-se um mês desde que lhe escrevi, mas parece muito mais. A vida agora passa por mim como a paisagem do lado de fora da janela de um carro. Respiro, como e durmo como sempre fiz, mas parece que não há um grande propósito na vida que necessite de uma participação ativa da minha parte. Apenas vago por aí, à deriva como as mensagens que lhe escrevo: não sei aonde estou indo ou quando chegarei lá.

Nem o trabalho afasta minha dor. Posso mergulhar por prazer ou para ensinar aos outros como se faz, mas quando volto à loja ela parece vazia sem você. Cuido do estoque e faço as encomendas, como sempre, mas até mesmo agora, sem perceber, eu às vezes olho por cima do ombro e chamo seu nome. Enquanto lhe escrevo isto, pergunto-me quando, ou se, coisas desse tipo vão parar de acontecer.

Sem você em meus braços, sinto um vazio na alma. Esquadrinho as multidões em busca do seu rosto – sei que é impossível encontrá-la, mas não consigo evitar. Minha busca por você é uma procura sem fim destinada ao fracasso. Você e eu tínhamos conversado sobre o que aconteceria se as circunstâncias forçassem a nossa separação, mas não posso cumprir a promessa que lhe fiz naquela noite. Sinto muito, minha querida, mas jamais haverá quem a substitua. As palavras que lhe sussurrei foram bobagens, e eu devia ter sabido disso na hora. Você, e somente você, sempre foi a única coisa que eu quis, e agora que partiu não tenho desejo de encontrar outra pessoa. 'Até que a morte nos separe' foi o que juramos na igreja, e hoje acredito que essas palavras serão sempre verdadeiras, até que enfim chegue o dia em que eu também serei levado deste mundo.

Garrett

– Deanna, você tem um tempinho? Preciso falar com você.

Deanna ergueu os olhos do computador e tirou os óculos de leitura.

– Claro. O que foi?

Theresa colocou as três cartas na mesa dela, sem dizer nada. Deanna pegou uma por uma e arregalou os olhos, surpresa.

– Onde conseguiu estas outras duas?

Theresa explicou como as tinha encontrado. Depois que terminou sua história, Deanna leu as mensagens em silêncio. Theresa sentou-se na cadeira diante dela.

– Bem, pelo visto você andou trabalhando escondido, hein? – comentou, pousando a terceira carta na mesa.

Theresa deu de ombros e Deanna continuou:

– Mas existe mais alguma coisa nisso tudo do que simplesmente encontrar as cartas, não existe?

– Como assim?

– Quero dizer que você não veio aqui porque encontrou as cartas – retrucou Deanna com um sorriso malicioso –, mas porque está interessada nesse tal de Garrett.

Theresa ficou boquiaberta, e Deanna riu.

– Não faça essa cara de surpresa, Theresa. Não sou idiota. Sabia que alguma coisa estava acontecendo nos últimos dias. Você anda muito distraída, é como se estivesse a 100 quilômetros daqui. Eu ia lhe perguntar sobre isso, mas achei que viria me procurar quando se sentisse pronta.

– Pensei que estivesse sendo discreta.

– Talvez para os outros. Conheço você há bastante tempo para saber quando algo está acontecendo – falou ela, tornando a sorrir. – Então me diga: o que está havendo?

Theresa pensou por um momento.

– Tem sido muito estranho. Não consigo parar de pensar nele, e não sei por quê. É como se eu estivesse de volta à escola, apaixonada por alguém com quem nunca falei. Só que agora é pior: não apenas nunca conversamos, como eu jamais nem o vi. Pelo que sei, ele pode até ter 70 anos.

Deanna recostou-se na cadeira e assentiu com ar pensativo.

– Isso é verdade... Mas você não acha mesmo isso, acha?

Theresa balançou a cabeça devagar.

– Na verdade, não.

– Nem eu – concordou Deanna, tornando a pegar as cartas. – Ele fala como se os dois tivessem se apaixonado quando ainda eram jovens. Não mencionou filhos, é professor de mergulho e escreve sobre Catherine como se só tivessem sido casados por poucos anos. Duvido que seja tão velho assim.

– Foi o que pensei também.

– Quer saber o que eu acho?

– Claro.

Deanna escolheu as palavras com cuidado:

– Acho que você devia ir a Wilmington tentar encontrá-lo.

– Mas parece tão... ridículo, até mesmo para mim.

– Por quê?

– Porque não sei nada sobre ele.

– Theresa, você sabe muito mais sobre Garrett do que eu sabia sobre Brian antes de conhecê-lo. Além disso, não falei para você se casar com ele, só para ir procurá-lo. Você pode descobrir que não gosta nem um pouco dele, mas pelo menos vai ficar sabendo, não é? Quero dizer, que mal pode fazer?

– E se...

Não terminou a frase, e Deanna o fez:

– E se ele não for o que você imagina? Theresa, posso garantir desde já que ele não é o que você está imaginando. Ninguém é. Mas, na minha opinião, isso não devia interferir na sua decisão. Se acha que quer descobrir mais, simplesmente vá. O pior que pode acontecer é descobrir que ele não é o tipo de homem que está procurando. E aí o que você vai fazer? Vai voltar para Boston, mas voltará com sua resposta. Quão ruim isso pode ser? É provável que não seja pior do que o que você está passando agora.

– Não acha que essa história toda é maluquice?

Deanna balançou a cabeça com ar pensativo.

– Theresa, há muito tempo venho querendo que você comece a procurar outro homem. Como lhe disse nas férias, você merece encontrar outra pessoa para compartilhar a sua vida. Não sei se esse negócio com Garrett vai dar certo. Se eu tivesse que apostar, diria que não deve dar em nada. Mas isso não significa que você não deva tentar. Se todos os que achavam que poderiam fracassar nem chegassem a tentar, onde estaríamos hoje?

Theresa ficou em silêncio por um momento.

– Você está sendo lógica demais sobre tudo isso...

Deanna deu de ombros.

– Sou mais velha que você, e já passei por muita coisa. Se existe algo que aprendi é que às vezes a gente tem que se arriscar. E na minha opinião esse não é um risco tão grande assim. Você não está abandonando seu marido e sua família para ir procurar esse cara, nem está desistindo do seu emprego para ir viver do outro lado do país. Você está realmente numa situação maravilhosa. Não há consequências negativas, então é só não dar importância demais ao caso. Se acha que deve ir, vá. Se não quiser, não vá. É simples. Além disso, Kevin não está aqui e você ainda tem muito tempo de férias este ano.

Theresa começou a enrolar uma mecha de cabelo em volta do dedo.

– E a minha coluna?

– Não se preocupe. Ainda temos aquele artigo que você escreveu mas não publicamos porque colocamos a carta no lugar dele. Depois, podemos desencavar algumas crônicas antigas. No início a maioria dos jornais não publicava a sua coluna, então não devem nem perceber.

– Você faz tudo parecer tão fácil...

– E é fácil. A parte difícil vai ser encontrá-lo. Mas acho que aquelas cartas contêm algumas informações que vão ajudá-la. Que acha de darmos alguns telefonemas e fazermos uma pesquisa mais aprofundada na internet?

As duas ficaram em silêncio por um longo tempo.

– Está bem – falou Theresa, finalmente. – Mas espero que não acabe me arrependendo.

– Então, por onde começamos? – perguntou Theresa a Deanna.

Ela puxou sua cadeira para o outro lado da escrivaninha da chefe.

– Antes de mais nada, vamos pensar nas coisas de que temos certeza. Em primeiro lugar, acho razoável dizer que o nome dele é mesmo Garrett. Foi assim que ele assinou todas as cartas, e acho que não se daria ao trabalho de usar outro nome. Se fosse apenas uma carta, eu ficaria em dúvida, mas com três tenho quase certeza de que se trata de seu nome de batismo, ou talvez até um apelido. De qualquer maneira, é como ele é chamado.

– E é provável que ele more em Wilmington ou em Wrightsville Beach, ou em outro povoado próximo – acrescentou Theresa.

Deanna concordou.

– Todas as cartas falam no oceano ou em temas marítimos, e naturalmente é onde ele joga as garrafas. Pelo tom das cartas, parece que as escreve quando se sente solitário ou quando está pensando em Catherine.

– Foi o que achei. Ele não menciona qualquer ocasião especial nas mensagens. Elas falam da vida cotidiana dele e do sofrimento pelo qual estava passando.

– Certo, ótimo – disse Deanna, assentindo. Ficava mais entusiasmada a cada minuto. – Ele mencionou um barco...

– *Happenstance* – completou Theresa. – A carta diz que eles restauraram o barco e costumavam velejar juntos. Então, é provável que seja um veleiro.

– Anote esse nome – sugeriu Deanna. – Pode ser que a gente consiga descobrir mais sobre ele com alguns telefonemas. Talvez exista um lugar que registre os barcos pelo nome. Acho que posso ligar para o jornal de lá e tentar saber. Havia mais alguma coisa na segunda carta?

– Não que eu lembre. Mas a terceira tem um pouco mais de informações. Pelo menos duas coisas ficam claras.

– Uma, que Catherine realmente faleceu – afirmou Deanna.

– Duas, que ele possui uma loja de material de mergulho onde ele e Catherine trabalhavam juntos – completou Theresa.

– Isso é outra coisa para você anotar. Acho que podemos descobrir mais sobre isso aqui na redação, também. Mais alguma coisa?

– Acho que não.

– Bem, já é um bom ponto de partida. Isso talvez seja mais fácil do que imaginamos. Vamos começar dando alguns telefonemas.

A primeira ligação de Deanna foi para o *Wilmington Journal*, que circulava lá. Ela se identificou e pediu para falar com alguém familiarizado com embarcações. Depois que a ligação foi transferida algumas vezes, um sujeito chamado Zack Norton, que cobria esportes marítimos, veio atendê-la. Ao perguntar se havia algum lugar que mantivesse um registro de nomes de barcos, Deanna ficou sabendo que isso não existia.

– Os barcos são registrados com um número de identificação, como um automóvel – explicou ele, com um sotaque arrastado. – Mas se você souber o nome da pessoa, pode ser que consiga descobrir o nome da embarcação no arquivo, se tiver sido informado. Não é um dado obrigatório, mas muita gente o fornece.

Deanna rabiscou as palavras "Barcos não registrados pelo nome" no bloco à sua frente e mostrou-o a Theresa.

– Um beco sem saída – comentou Theresa em voz baixa.

Deanna tapou o fone com a mão e cochichou:

– Talvez sim, talvez não. Não desista tão fácil.

Depois de agradecer a Zack Norton pela atenção e desligar, Deanna tornou a estudar a lista de pistas. Pensou por um instante e resolveu ligar para o serviço de informações da companhia telefônica para pedir os números das lojas de material de mergulho em Wilmington. Theresa observou enquanto a amiga anotava os nomes e os números de telefone das onze lojas que constavam da lista.

– Posso ajudá-la em mais alguma coisa, senhora? – perguntou a telefonista.

– Não, você já foi bastante útil. Muito obrigada.

Deanna desligou e Theresa encarou-a com curiosidade.

– O que você vai dizer quando ligar? – quis saber.

– Vou perguntar por Garrett.

O coração de Theresa deu um salto.

– Assim, de cara?

– Assim, de cara – retrucou Deanna, sorrindo, enquanto discava.

Fez um gesto para que Theresa pegasse a extensão.

– Pode ser que ele atenda... – explicou.

Ficaram esperando em silêncio que alguém atendesse na loja Atlantic Adventures, o primeiro nome da lista. Quando isso enfim aconteceu, Deanna inspirou profundamente e perguntou, em tom simpático, se Garrett estava livre para dar aulas.

– Sinto muito, acho que a senhora ligou errado – disse a pessoa.

Deanna se desculpou e desligou. A resposta se repetiu nas cinco tentativas seguintes. Ela passou para o próximo nome e tornou a discar. Esperando o mesmo resultado, ficou surpresa quando a pessoa na linha hesitou por um instante.

– Está falando de Garrett Blake?

Garrett.

Ao som do nome dele, Theresa quase caiu da cadeira. Deanna disse que sim e o homem continuou:

– Ele trabalha na Island Diving. Tem certeza de que não podemos ajudá-la? Estamos começando um curso.

Ela logo deu uma desculpa:

– Não, sinto muito, só serve o Garrett. Prometi que faria essas aulas com ele.

Quando recolocou o fone no gancho, Deanna exibia um largo sorriso.

– Então, estamos chegando perto.

– Não consigo acreditar que tenha sido tão fácil...

– Se você pensar bem, não foi tão fácil, Theresa. Se tivesse encontrado apenas uma carta, teria sido impossível.

– Acha que é o mesmo Garrett?

Ela inclinou a cabeça para o lado e levantou uma sobrancelha.

– Você não acha?

– Ainda não sei. Talvez.

Deanna deu de ombros e disse:

– Bem, logo vamos descobrir. Isso está ficando divertido.

Deanna ligou mais uma vez para o serviço de informações e pegou o número do Registro de Embarcações de Wilmington. Quando atenderam, ela se identificou e pediu para falar com alguém que pudesse ajudá-la a confirmar uma informação.

– Meu marido e eu passamos as férias aí, e o nosso barco enguiçou – informou à mulher que atendeu o telefone. – Um cavalheiro muito gentil nos encontrou e nos ajudou a voltar para o porto. Ele se chamava Garrett Blake, e acho que o nome do barco era *Happenstance*, mas quero ter certeza quando escrever o artigo.

Deanna prosseguiu, passando por cima de todas as tentativas de interrupção da mulher. Contou que tinha ficado muito assustada e que o socorro prestado por Garrett tinha sido importantíssimo. Então, depois de deixar a atendente lisonjeada com seus elogios à simpatia das pessoas do sul e em particular de Wilmington e dizer que queria escrever um artigo sobre a hospitalidade dos sulistas e a bondade deles para com desconhecidos, a mulher estava mais do que disposta a ajudar.

– Já que a senhora quer só confirmar uma informação e não está pedindo que eu lhe diga nada que ainda não saiba, tenho certeza de que não haverá problemas. Aguarde um instante.

Deanna tamborilou os dedos na mesa enquanto ouvia a música de espera. Após um instante, escutou de novo a voz da mulher:

– Muito bem, vamos ver...

Em seguida, ouviu um ruído de digitação num teclado, depois um bipe estranho. Passado um momento, a atendente falou as palavras que tanto Deanna quanto Theresa esperavam:

– Sim, aqui está. Garrett Blake. Hum... A senhora acertou o nome, pelo menos segundo as informações que temos. Diz aqui que o barco se chama *Happenstance.*

Deanna agradeceu-lhe profusamente e perguntou como ela se chamava.

– Para que eu possa citar no meu artigo outra pessoa que simboliza a hospitalidade da região – explicou.

Depois de soletrar o nome da atendente para que ela o confirmasse, Deanna desligou, entusiasmada.

– Garrett Blake – disse, com um sorriso triunfante. – O nosso escritor misterioso se chama Garrett Blake.

– Não acredito que você o encontrou!

Deanna assentiu, como se tivesse conseguido uma façanha de que ela própria duvidasse.

– Pode acreditar. Esta velha senhora ainda sabe apurar uma informação.

– Sem dúvida.

– Algo mais que você queira saber?

Theresa pensou por um instante.

– Será que você consegue levantar algo sobre Catherine?

Deanna deu de ombros e preparou-se para a tarefa.

– Não sei, mas posso tentar. Vou ligar para o jornal e ver se há algo nos arquivos deles. Se a morte foi acidental, pode ter sido noticiada.

Deanna discou o número e pediu para falar com o departamento de notícias. Infelizmente, depois de falar com algumas pessoas, ela ficou sabendo que os exemplares dos anos anteriores eram guardados em microfilmes e não podiam ser localizados sem uma data específica. Anotou o nome da pessoa que Theresa deveria procurar quando estivesse lá, caso ela quisesse pesquisar a informação, e desligou.

– Acho que isso é tudo o que podemos fazer daqui. O resto é com você, Theresa, mas pelo menos sabe onde encontrá-lo.

Ela estendeu o papel com o nome a Theresa, que hesitou. Deanna encarou-a por um momento, em seguida colocou o papel sobre a escrivaninha e pegou o telefone mais uma vez.

– Para quem está ligando agora? – quis saber Theresa.

– Para minha agência de viagens. Você vai precisar de uma passagem aérea e um lugar para ficar.

– Ainda nem disse se vou...

– Ah, você vai, sim.

– Como pode ter tanta certeza?

– Porque não quero você sentada na redação durante o próximo ano perguntando-se o que teria acontecido se tivesse ido. Você não trabalha direito quando está distraída.

– Deanna...

– Não me venha com "Deanna". Você sabe que a curiosidade iria deixá-la maluca. Já está *me* deixando maluca...

– Mas...

– Mas nada. – Fez uma pausa e continuou, em tom mais suave: – Theresa, lembre-se: você não tem nada a perder. O pior que poderá acontecer é você voltar daqui a uns dias. Só isso. Não está partindo com a missão de encontrar uma tribo de canibais. Vai apenas verificar se sua curiosidade é justificada.

Ambas ficaram em silêncio enquanto se encaravam. Deanna tinha um ar ligeiramente malicioso e Theresa sentiu seus batimentos acelerarem quando percebeu que sua decisão estava tomada. *Meu Deus, eu vou mesmo fazer isso. Não consigo acreditar que estou concordando...*

Ainda assim, ela fez uma desanimada tentativa de recusar:

– Não sei nem o que diria quando enfim o encontrasse...

– Tenho certeza de que vai pensar em alguma coisa. Agora, deixe-me ligar para a agência. Vá pegar sua bolsa. Vou precisar do número do seu cartão de crédito.

Theresa estava com a cabeça a mil enquanto voltava à escrivaninha. *Garrett Blake. Wilmington. Island Diving. Happenstance.* Essas palavras ficavam rodando em sua mente, como se ela estivesse ensaiando uma peça teatral.

Destrancou a gaveta inferior, onde guardava a bolsa, e parou por um instante antes de voltar à sala de Deanna. Mas, no fim, acabou entregando o cartão de crédito a ela. Na noite seguinte partiria para Wilmington, na Carolina do Norte.

A amiga lhe disse que tirasse o resto do dia e o dia seguinte de folga. Ao sair do jornal, Theresa experimentou a sensação de ter sido encurralada, do mesmo modo que tinha feito com o velho Sr. Shendakin.

Mas, ao contrário dele, no fundo ela estava feliz com isso, e quando o avião pousou em Wilmington, no dia seguinte, Theresa Osborne registrou-se num hotel, perguntando-se aonde aquilo tudo iria levar.

5

Theresa acordou cedo, como de costume, e levantou-se da cama para olhar pela janela. O sol lançava prismas dourados através da névoa matinal, e ela abriu a porta da varanda, a fim de ventilar o quarto.

No banheiro, tirou o pijama e abriu o chuveiro. Ao entrar no boxe, pensou em como tinha sido fácil chegar até ali. Pouco menos de 48 horas antes ela estava sentada com Deanna, estudando as cartas, dando telefonemas e procurando Garrett. Ao chegar em casa, tinha falado com Ella, que mais uma vez concordara em tomar conta de Harvey e pegar a sua correspondência.

No dia seguinte, ela fora à biblioteca ler sobre mergulho. Parecia-lhe a coisa lógica a fazer. Seus anos como repórter ensinaram-lhe a não fazer pressuposições, mas criar um planejamento e preparar-se da melhor maneira possível para qualquer coisa.

O plano que Theresa enfim traçou era simples: iria até a Island Diving e ficaria olhando as mercadorias, na esperança de ver Garrett Blake. Se ele fosse um senhor de 70 anos ou um estudante de 20, ela simplesmente se viraria e voltaria para casa. Mas se seus instintos estivessem corretos e ele aparentasse ter mais ou menos a idade de Theresa, ela tentaria falar com ele. Fora por isso que se dera ao trabalho de se informar a respeito de mergulho – queria se expressar como alguém que conhecia algo sobre o assunto. E era provável que descobrisse mais coisas a respeito do sujeito se fosse capaz de conversar com ele sobre algo em que ele tivesse interesse, sem precisar revelar muito sobre si mesma. Então teria uma visão melhor das coisas.

Mas e depois? Essa era a parte da qual ela não tinha certeza. Não queria contar a Garrett toda a verdade sobre a razão da sua ida, porque soaria como loucura. *Olá, li as suas cartas para Catherine e, sabendo quanto você a amava, achei que poderia ser o homem que estou procurando.* Não, isso estava fora de questão, e a outra opção não era muito melhor: *Oi, trabalho no* Boston Times *e encontrei as suas cartas. Será que podemos publicar um artigo sobre você?* Isso também não parecia correto, assim como todas as outras ideias que lhe passaram pela cabeça.

No entanto, não tinha saído de tão longe para desistir naquele momento, apesar de não saber o que dizer. Além disso, como Deanna observara, se o plano não desse certo, ela simplesmente voltaria para Boston.

Saiu do chuveiro, enxugou-se, passou hidratante nos braços e nas pernas e vestiu uma blusa branca de mangas curtas, um short de brim e um par de sandálias brancas. Almejava uma aparência casual, e conseguiu. Não queria chamar atenção logo de início. Afinal, não sabia o que esperar, e seria bom ter a oportunidade de avaliar a situação sem ter que interagir com outra pessoa.

Quando enfim estava pronta para sair, procurou a lista telefônica, folheou-a e rabiscou o endereço da Island Diving num pedaço de papel. Respirou fundo duas vezes e percorreu o corredor. Repetiu o mantra de Deanna mais uma vez.

Sua primeira parada foi numa loja de conveniência, onde comprou um mapa de Wilmington. O funcionário ensinou-lhe como chegar e ela encontrou o caminho com facilidade, apesar de o lugar ser maior do que ela imaginara. As ruas estavam cheias de carros, sobretudo as pontes que levavam às ilhas perto da costa. Kure Beach, Carolina Beach e Wrightsville Beach ligavam-se à cidade por meio dessas pontes, e era para lá que a maior parte do trânsito parecia estar se dirigindo.

A Island Diving ficava perto da marina. Depois que Theresa atravessou a cidade, as vias ficaram um pouco menos congestionadas e, ao chegar à rua que queria, ela diminuiu a velocidade para procurar a loja.

Não era longe do lugar onde ela tinha virado. Exatamente como esperava, alguns carros estavam estacionados na lateral do prédio. Ela parou a poucos metros da entrada.

Era um prédio mais antigo, de madeira, desbotado pela maresia. Um dos lados da loja ficava de frente para o Canal Intracosteiro Atlântico. O cartaz pintado à mão pendia de duas correntes de metal enferrujadas e as janelas estavam totalmente empoeiradas.

Theresa saiu do carro, afastou o cabelo do rosto e encaminhou-se para a entrada. Parou antes de abrir a porta para respirar fundo e colocar os pensamentos em ordem, depois entrou, fazendo o possível para fingir que estava ali por motivos corriqueiros.

Ficou olhando os objetos expostos, caminhando pelos corredores, observando a clientela variada retirando e recolocando mercadorias nas prateleiras. Mantinha-se atenta a qualquer pessoa que aparentasse trabalhar ali. Lançou um olhar de esguelha para cada homem no interior da loja, pensando se seria Garrett. Quase todos, contudo, pareciam fregueses.

Ela chegou à parede dos fundos da loja e deparou com uma série de artigos de jornais e revistas, emoldurados e plastificados, pendurados acima das prateleiras. Depois de uma olhada breve, Theresa se inclinou para a frente a fim de ver melhor e de súbito tomou consciência de que tinha acabado de esbarrar na resposta à sua primeira pergunta a respeito do misterioso Garrett Blake.

Enfim sabia como ele era fisicamente.

O primeiro artigo, publicado num jornal, era sobre mergulho, e a legenda sob a foto dizia apenas "Garrett Blake, da Island Diving, preparando seus alunos para o primeiro mergulho oceânico".

Na imagem, ele ajeitava as tiras que seguravam o tanque nas costas de um aluno, e dava para perceber que Deanna estava certa a respeito dele: Garrett parecia estar na casa dos 30 anos, tinha o rosto magro e cabelos castanhos curtos um pouco descoloridos pelas horas passadas ao sol. Era uns 5 centímetros mais alto do que os alunos, e a camiseta sem mangas que usava mostrava braços com músculos bem definidos.

Como a resolução da foto estava um pouco comprometida, ela não conseguia distinguir a cor dos olhos, embora pudesse perceber que o rosto também era marcado pelo sol e pela ação dos ventos. Achou que havia pequenas rugas em volta do canto dos olhos, embora pudessem ser de tanto estreitá-los ao sol.

Leu o artigo com atenção, memorizando os horários das aulas e alguns requisitos para obter o diploma. O segundo artigo não trazia fotografias, mas falava sobre o mergulho em locais de naufrágios, muito popular na Carolina do Norte. Pelo que parecia, o estado tinha mais de quinhentos navios afundados registrados nos mapas de seu litoral, chamado de Cemitério do Atlântico. Por causa dos recifes externos e outras ilhas ao longo da costa, durante séculos os navios tinham naufragado ali.

O terceiro artigo, também sem fotos, contava sobre o *Monitor*, o primeiro navio federal blindado da Guerra Civil. Rumando para a Carolina do Sul, ele tinha afundado em frente ao cabo Hatteras em 1862, enquanto era rebocado por um navio a vapor. A embarcação afundada tinha por fim sido descoberta e Garrett Blake, junto com outros mergulhadores do Duke Marine Institute, fora chamado para mergulhar até o fundo do oceano e explorar a possibilidade de levá-lo à tona.

O quarto artigo era sobre o *Happenstance*. Oito fotos do barco tinham sido tiradas de vários ângulos, no interior e no exterior, todas detalhando a restauração. Theresa leu que a embarcação era única, pois era feita toda de madeira e fora fabricada em Lisboa, em 1927. Desenhado por Herreshoff, um dos mais notáveis engenheiros marítimos da época, o barco tivera uma longa e aventuresca história (inclusive sendo usado na Segunda Guerra Mundial para espionar as guarnições alemãs que pontilhavam o litoral da França). Finalmente, o *Happenstance* acabara indo parar em Nantucket, onde fora comprado por um empresário local. Quando Garrett Blake o adquirira, quatro anos antes, estava bastante deteriorado, e o artigo dizia que ele e a mulher, Catherine, o tinham reformado.

Catherine...

Theresa procurou a data do artigo: abril de 1992. O texto não mencionava a morte de Catherine, e como uma das cartas tinha sido encontrada três anos antes em Norfolk, isso queria dizer que ela devia ter morrido em 1993.

– Posso ajudá-la?

Quando Theresa se virou, deu de cara com um rapaz sorrindo às suas costas e sentiu um súbito alívio por ter visto um retrato de Garrett momentos antes. Aquele obviamente não era ele.

– Eu a assustei? – perguntou o rapaz.

Theresa apressou-se a negar com a cabeça.

– Não... Eu só estava olhando as fotos.

Ele assentiu na direção dos recortes.

– É uma beleza, não é?

– Quem?

– O *Happenstance*. Garrett, o dono da loja, reconstruiu o barco. É um veleiro maravilhoso. Um dos mais bonitos que já vi, agora que está pronto.

– Ele está aqui? Garrett?

– Não, está lá nas docas. Só vai voltar no final da manhã.

– Ah...

– Posso ajudá-la a encontrar alguma coisa? Sei que a loja é meio bagunçada, mas tudo o que você precisar para mergulhar, vai encontrar aqui.

Ela balançou a cabeça.

– Não, eu só estava dando uma olhada, na verdade.

– Está bem, mas, se precisar de ajuda, é só me chamar.

– Certo.

O rapaz assentiu com simpatia, depois se virou e foi para o balcão na frente da loja. Antes que conseguisse conter as palavras, Theresa perguntou:

– Você disse que Garrett está nas docas?

Ele tornou a se virar e continuou andando de costas enquanto falava.

– Sim, nesta mesma rua, a alguns quarteirões daqui. Na marina. Sabe onde fica?

– Acho que passei por lá a caminho daqui.

– Ele deve ficar lá por mais uma hora, mais ou menos, mas, como eu disse, se quiser voltar mais tarde, ele estará aqui. Quer que eu dê algum recado a ele?

– Não, não precisa. Não é nada importante.

Theresa passou os três minutos seguintes fingindo que examinava alguns itens nas prateleiras e então saiu da loja, depois de acenar em despedida ao rapaz.

Mas, em vez de ir para o carro, ela tomou a direção da marina.

Quando chegou lá, olhou em volta, na esperança de avistar o *Happenstance*. Como a maioria dos barcos era da cor branca e o que ela procurava era de madeira natural, ela conseguiu encontrá-lo com facilidade e encaminhou-se para a rampa de acesso.

Embora estivesse nervosa ao começar a descer a rampa, os artigos na loja tinham-lhe dado algumas ideias sobre o que conversar. Quando conhecesse Garrett, explicaria que, depois de ler o artigo sobre o *Happenstance*, queria ver o barco de perto. Era uma história plausível, e ela esperava conseguir transformá-la numa conversa mais longa. Aí, é claro, teria alguma ideia de como ele era pessoalmente. E depois disso... bem, depois disso ela veria.

Ao se aproximar do barco, no entanto, a primeira coisa que percebeu foi que o lugar aparentava estar deserto. Não havia ninguém a bordo, nem nos atracadouros, e pelo visto ninguém estivera ali naquela manhã. O *Happenstance* estava trancado, a vela coberta, e nada parecia estar fora de lugar. Depois de olhar em volta à procura dele, Theresa olhou para o nome na popa para ver se era o barco correto, e era. Ficou pensando sobre a situação enquanto afastava alguns fios de cabelo que o vento lhe jogara no rosto. Achava aquilo estranho, pois o rapaz na loja dissera que Garrett estaria ali.

Em vez de voltar direto para a loja, ela parou um momento para admirar a embarcação. Era linda – bela e imponente, ao contrário das outras que a cercavam. Tinha muito mais personalidade do que o restante dos veleiros, e ela entendeu por que o jornal lhe dedicara uma reportagem. De certo modo, o *Happenstance* lhe fazia lembrar uma versão bem menor dos navios piratas que ela vira nos filmes. Theresa ficou alguns minutos andando de um lado para outro, estudando-o de diferentes ângulos, e teve curiosidade de saber quão arruinado o barco estava antes da restauração. A maior parte parecia nova, embora ela imaginasse que não tivessem substituído todo o madeirame. Provavelmente o barco fora lixado. Ao olhar mais de perto, ela viu marcas no casco que confirmavam sua teoria.

Enfim, resolveu tentar de novo a Island Diving um pouco mais tarde. Era óbvio que o rapaz da loja tinha se enganado. Depois de olhar de relance a embarcação uma última vez, ela virou-se para ir embora.

Um homem estava parado no alto da rampa, observando-a com atenção.

Garrett...

Ele suava por causa do calor da manhã e sua camisa estava molhada em alguns lugares. As mangas tinham sido cortadas, revelando os braços musculosos. As mãos estavam pretas de algo que aparentava ser graxa e o relógio de mergulhador que ele usava no pulso parecia arranhado pelo uso contínuo durante anos. Ele estava com um short bege e mocassins sem meias, e dava a impressão de passar a maior parte do tempo – senão todo ele – perto do mar.

Theresa deu um passo involuntário para trás.

– Posso ajudá-la em alguma coisa? – perguntou Garrett.

Sorriu para ela, mas não se aproximou, como se temesse que ela se sentisse encurralada.

E foi essa a sensação que ela experimentou quando os olhos deles se encontraram.

Por um instante, tudo o que ela conseguiu fazer foi encará-lo. Apesar de já tê-lo visto nas fotos na loja, Garrett era mais atraente do que Theresa esperava, embora ela não soubesse por quê. Era alto e tinha os ombros largos. Apesar de não ser notavelmente bonito, tinha o rosto bronzeado e marcante, como se o sol e o mar o tivessem esculpido. Os olhos não eram tão hipnóticos quanto os de David, mas sem dúvida havia algo irresistível nele. Era algo masculino no modo como ele se postava diante dela.

Lembrando-se do plano, ela respirou fundo. Fez um gesto indicando o *Happenstance*.

– Eu só estava admirando o seu barco. É lindo.

Esfregando as mãos para remover o excesso de graxa, ele disse, em tom educado:

– Obrigado, é muita gentileza sua.

O olhar firme dele parecia expor a realidade da situação, e de repente tudo a assaltou de uma vez – a descoberta da garrafa, sua curiosidade crescente, a pesquisa que tinha feito, a viagem a Wilmington e, por fim, aquele encontro cara a cara. Perturbada, ela fechou os olhos e esforçou-se para se controlar. Não tinha imaginado que aquilo aconteceria tão depressa. De repente, passou por um momento de puro pavor.

Garrett deu um pequeno passo à frente.

– Você está bem? – perguntou, preocupado.

Tornando a respirar fundo e forçando-se a relaxar, ela disse:

– É, acho que sim. Só fiquei um pouco tonta por um momento.

– Tem certeza?

Ela passou a mão pelos cabelos, envergonhada.

– Sim, estou bem agora. Sério.

– Ótimo – retrucou ele, como se esperando para ver se Theresa dissera a verdade. Então, depois de se certificar de que ela estava bem, perguntou, curioso: – Já nos conhecemos?

Ela balançou a cabeça devagar.

– Acho que não.

– Então como sabia que o barco era meu?

Aliviada, ela respondeu:

– Ah... Vi seu retrato na loja, nos recortes na parede, junto com as fotos do barco. O rapaz de lá falou que você estaria aqui e eu pensei que poderia vir conhecer o barco.

– Ele disse que eu estava aqui?

Theresa ficou em silêncio enquanto relembrava as palavras exatas.

– Na verdade, ele disse que você estaria nas docas. Imaginei que isso queria dizer que estaria aqui.

Ele assentiu.

– Eu estava no outro barco. No que usamos para mergulhos.

Um barquinho de pesca tocou uma sirene, e Garrett virou-se e acenou para o homem de pé no convés. Depois que ele passou, Garrett tornou a voltar-se e ficou perplexo com a beleza de Theresa. Ela era ainda mais bonita de perto do que de longe, quando ele a avistara do outro lado da marina. Num impulso, baixou os olhos e pegou o lenço vermelho que trazia no bolso traseiro. Enxugou o suor da testa.

– Você fez um belo trabalho de restauração – comentou ela.

Ele sorriu de leve enquanto guardava o lenço.

– Obrigado, é muita gentileza sua.

Enquanto ele falava, Theresa relanceou o *Happenstance*, depois tornou a olhar para ele e perguntou, em tom casual:

– Sei que não é da minha conta, mas, já que está aqui, se importaria se eu lhe perguntasse algumas coisas sobre ele?

A expressão de Garrett indicava que não era a primeira vez que lhe pediam para falar sobre o barco.

– O que gostaria de saber?

Ela fez o possível para soar natural:

– Bem, quando você o encontrou, ele estava mesmo em condições tão precárias quanto o artigo dizia?

– Na verdade, estava pior. – Ele deu um passo à frente e apontou para várias partes do barco, à medida que as mencionava. – Grandes trechos da madeira perto da proa estavam podres e havia uma série de vazamentos ao longo da lateral. Era um milagre que ele ainda flutuasse. Nós acabamos substituindo uma boa parte do casco e do convés, e o que sobrou teve que ser totalmente lixado, depois vedado e em seguida envernizado de novo. E isso só no lado externo. Tivemos que mexer na parte interna também, e isso levou muito mais tempo.

Embora Theresa tivesse notado o uso do "nós" na resposta dele, resolveu não fazer nenhum comentário a respeito.

– Deve ter sido muito trabalhoso.

Ela disse isso sorrindo e Garrett sentiu alguma coisa contrair-se em seu íntimo. *Droga, ela é bonita.*

– Foi, sim, mas valeu a pena. É mais divertido velejar nele do que em outros barcos.

– Por quê?

– Porque ele foi construído por pessoas que o usavam para ganhar a vida. Elas fizeram a planta com muito cuidado, e isso torna muito mais fácil velejar.

– Pelo jeito, você veleja há muito tempo.

– Desde criança.

Ela assentiu. Depois de uma pausa curta, deu um pequeno passo na direção do barco.

– Posso?

Ele assentiu.

– Claro, vá em frente.

Theresa se aproximou do veleiro e deslizou as mãos na lateral do casco. Garrett notou que ela não usava aliança, embora isso não devesse ter a menor importância para ele. Sem se virar, ela perguntou:

– Que tipo de madeira é esta?

– Mogno.

– O barco inteiro?

– A maior parte. Exceto os mastros e algumas coisas no interior.

Ela tornou a assentir e Garrett observou-a caminhar ao longo do *Happenstance*. Enquanto Theresa se afastava, ele não pôde deixar de notar o corpo dela e os cabelos escuros e lisos roçando os ombros. Mas não era apenas a beleza dela que atraía a sua atenção – havia confiança no modo como ela se movimentava. Ele se deu conta de repente de que era como se ela soubesse exatamente o que os homens à sua volta estavam pensando. Balançou a cabeça.

– Usaram mesmo este barco para espionar os alemães na Segunda Guerra? – perguntou ela, virando-se para encará-lo.

Ele riu baixinho, esforçando-se para se concentrar.

– Foi o que o antigo dono me contou, embora eu não saiba se é verdade ou se ele disse isso para conseguir um preço mais alto.

– Bem, mesmo que não seja verdade, é um lindo barco. Quanto tempo levou para reformá-lo?

– Quase um ano.

Ela espiou por uma das janelas redondas, mas o interior estava escuro demais para que enxergasse muita coisa.

– Em que barco você velejava enquanto estava reformando este?

– Não velejávamos. Não havia tempo, por causa da loja, das aulas e do trabalho neste aqui.

– Você teve alguma síndrome de abstinência pela falta de velejar? – perguntou Theresa com um sorriso.

Pela primeira vez Garrett notou que estava gostando da conversa.

– Claro que sim. Mas voltou ao normal assim que nós terminamos e colocamos o barco na água.

Mais uma vez a palavra "nós".

– Imagino.

Depois de admirar o barco por mais alguns segundos, ela voltou para o lado dele. Por um momento, nenhum dos dois falou. Garrett se perguntou se ela sabia que ele a estava observando de soslaio.

– Bem, acho que já tomei muito do seu tempo – comentou Theresa finalmente, cruzando os braços.

– Não tem problema – protestou ele, e sentiu a testa molhada de suor mais uma vez. – Adoro falar sobre velejar.

– Eu também. Sempre tive a impressão de ser muito divertido.

– Do jeito que você fala, parece que nunca velejou.

Ela deu de ombros.

– E é verdade. Sempre tive vontade, mas nunca tive oportunidade.

Theresa o fitou ao falar, e, quando seus olhos se encontraram, Garrett inconscientemente pegou o lenço pela segunda vez em poucos minutos. *Droga, está quente aqui.* Enxugou a testa e ouviu as palavras saírem de sua boca antes que pudesse impedi-las:

– Bom, se quiser velejar, eu costumo sair com ele depois do trabalho. Você será bem-vinda para um passeio hoje à noite.

Ele não tinha muita certeza do motivo que o levara a dizer aquilo. Pensou que talvez fosse o desejo de uma companhia feminina depois de todos aqueles anos, mesmo que apenas por um breve tempo. Ou talvez tivesse algo a ver com o modo como os olhos dela se iluminavam toda vez que ela falava. Mas não importava o motivo, o fato era que Garrett tinha acabado de convidá-la para velejar e não havia nada que ele pudesse fazer para mudar isso.

Theresa também estava um pouco surpresa, mas logo resolveu aceitar. Afinal, essa era a razão pela qual fora a Wilmington.

– Eu adoraria – respondeu. – A que horas?

Ele guardou o lenço, sentindo-se um pouco inseguro a respeito do que acabara de fazer.

– Que tal às sete? O sol começa a baixar a essa hora, e é o momento ideal para sair.

– Está ótimo para mim. Vou trazer alguma coisa para comermos.

Para surpresa de Garrett, ela parecia feliz e entusiasmada com o passeio.

– Não é preciso.

– Eu sei, mas é o mínimo que posso fazer. Afinal, você não precisava se oferecer para me levar. Que tal sanduíches?

Garrett deu um pequeno passo para trás, sentindo uma súbita necessidade de espaço para respirar.

– É, está ótimo, não sou exigente.

– Combinado – disse Theresa, e logo depois fez uma pausa. Mudou o peso do corpo de um pé para o outro, esperando para ver se ele acrescentava alguma coisa. Diante do silêncio de Garrett, ela ajeitou distraidamente a alça da bolsa no ombro. – Bom, então acho que nos vemos à noite. Aqui no barco, certo?

– Aqui mesmo – retrucou ele, e percebeu como sua voz soava tensa. Pigarreou e sorriu de leve. – Vai ser divertido. Você vai gostar.

– Tenho certeza disso. Vejo você mais tarde.

Theresa virou-se e saiu andando, com os cabelos ao vento. Enquanto ela se afastava, Garrett deu-se conta de algo que esquecera.

– Ei! – gritou.

Ela parou e virou-se para ele, usando a mão para proteger os olhos do sol.

– Sim?

Mesmo a distância, ela era bonita.

Garrett deu alguns passos na direção dela.

– Esqueci de perguntar: qual é o seu nome?

– Theresa. Theresa Osborne.

– O meu é Garrett Blake.

– Certo, Garrett, nos vemos às sete.

Com isso ela se virou e se afastou a passos rápidos. Garrett observou-a se distanciar, tentando entender suas emoções conflitantes. Embora parte de si achasse aquilo tudo empolgante, outra parte imaginava que havia algo errado naquela história toda. Ele sabia que não tinha motivo para se sentir culpado, mas esse sentimento decididamente estava presente, e ele desejou que houvesse alguma coisa que pudesse fazer a respeito.

Mas não havia, é claro. Nunca havia.

6

Os ponteiros do relógio corriam em direção às sete horas, mas para Garrett Blake o tempo tinha parado três anos antes, quando Catherine descera da calçada e fora morta por um homem idoso que perdera o controle do carro, mudando para sempre a vida de duas famílias.

Nas semanas que se seguiram, a raiva em relação ao motorista fora substituída por planos de vingança que continuavam irrealizados, simplesmente porque a dor o deixara incapaz de qualquer ação. Não conseguia dormir mais que três horas por noite, chorava toda vez que via as roupas dela no armário e perdera quase 10 quilos por conta de uma dieta que se resumia a café e bolachas. No mês seguinte, começara a fumar pela primeira vez na vida, e recorria ao álcool quando o sofrimento era forte demais para que ele o enfrentasse sóbrio. O pai de Garrett encarregara-se por algum tempo de tomar conta da loja, enquanto o filho ficava sentado em silêncio nos fundos da casa, tentando imaginar um mundo sem a mulher. Não tinha forças nem vontade de continuar existindo e às vezes, ali sentado, rezava para que a maresia o engolisse, para que ele não precisasse enfrentar o futuro sozinho.

O que tornava tudo tão difícil era que, para Garrett, parecia não ter existido uma época em que ela não estivesse por perto. Os dois se conheciam desde sempre e tinham estudado nos mesmos colégios durante toda a infância. No terceiro ano, eram melhores amigos e ele chegara a lhe dar dois cartões no Dia dos Namorados, mas depois disso afastaram-se aos poucos e ficaram algum tempo sendo apenas conhecidos, enquanto passavam de uma série para outra. Catherine era magra e desajeitada, sempre a menor da turma, e, embora Garrett tivesse um lugar cativo no coração para ela, nunca percebeu que aos poucos ela se transformava numa jovem atraente. Nunca foram a uma festa juntos, nem sequer ao cinema, mas depois de quatro anos na Chapel Hill, onde Garrett se formara em biologia marinha, os dois se esbarraram em Wrightsville Beach e ele de repente percebeu como tinha sido tolo. Ela não era mais a garota ossuda que ele recordava. Numa palavra, era linda, com curvas maravilhosas que faziam tanto os homens quanto as mulheres virarem a cabeça sempre que ela passava. Tinha os cabelos louros e os olhos guardavam mistérios infinitos. E quando seu ar de espanto enfim se desfez e ele lhe perguntou o que ela andava fazendo, eles iniciaram um relacionamento que levara ao casamento e a seis anos maravilhosos juntos.

Na noite de núpcias, sozinhos num quarto de hotel iluminado apenas por velas, ela entregara a Garrett os dois cartões de Dia dos Namorados que ele lhe dera um dia e rira alto ao ver a expressão no rosto dele quando compreendeu o que eram.

– Claro que os guardei – sussurrara ela, envolvendo-o com os braços. – Foi a primeira vez que amei alguém. Amor é amor, não importa a idade, e eu sabia que, se desse tempo ao tempo, você voltaria para mim.

Sempre que Garrett se pegava pensando em Catherine, recordava a imagem dela nessa noite ou então a última vez que saíram para velejar. Mesmo agora se lembrava daquela noite com nitidez: Catherine rindo alto, os cabelos louros ao vento, o rosto radiante de felicidade.

– Sinta os borrifos do mar! – exclamou ela, exultante, de pé na proa do barco.

Segurando-se numa corda, Catherine se inclinou na direção do vento, seu perfil se destacando contra o céu cintilante.

– Tome cuidado! – gritou Garrett de volta, mantendo o timão firme.

Ela inclinou-se ainda mais, relanceando o olhar para ele, atrás dela, com um sorriso maroto.

– Estou falando sério! – insistiu ele.

Por um momento parecia que a mão dela segurava a corda com menos força. Garrett afastou-se depressa do timão, apenas para ouvi-la rir de novo enquanto se empertigava. Sempre com os passos leves, ela voltou com facilidade para o timão e envolveu-o com os braços. Beijou-lhe a orelha e cochichou em tom brincalhão:

– Deixei você nervoso?

– Você sempre me deixa nervoso quando faz essas coisas.

– Não seja tão rabugento – brincou ela. – Principalmente agora, que o tenho todo para mim.

– Você me tem todo para si todas as noites.

– Não assim – disse ela, beijando-o de novo. Depois de olhar em volta, ela sorriu. – Por que não baixamos as velas e jogamos a âncora?

– Agora?

Ela assentiu.

– A não ser, é claro, que você prefira velejar a noite toda.

Com um olhar sutil que não revelava nada, ela abriu a porta para a cabine e desapareceu de vista. Quatro minutos depois, o barco já estava ancorado e ele abria a porta para juntar-se a ela...

Garrett expirou com força, dispersando as recordações como se fossem fumaça. Embora conservasse na lembrança os acontecimentos daquela noite, constatou que, à medida que o tempo passava, ficava cada vez mais difícil visualizar com exatidão a aparência de Catherine. Aos poucos as feições dela começavam a esfumar-se diante de seus olhos, e, embora ele soubesse que o esquecimento ajuda a amortecer a dor, o que mais queria era voltar a vê-la. Em três anos, folheara o álbum de fotos apenas uma vez, e fora tão doloroso que ele jurara que seria a última vez. Agora só a via com clareza à noite, depois de adormecer. Adorava sonhar com ela, pois parecia ainda estar viva. Ela falava e se movimentava, e ele a segurava nos braços, e por um momento tinha a impressão de que tudo estava certo no mundo. No entanto, os sonhos também cobravam seu preço, pois ao acordar ele sempre se sentia exausto ou deprimido. Às vezes ia para a loja e trancava-se no escritório, onde ficava a manhã inteira, para não ter que falar com ninguém.

O pai ajudava-o como podia. Ele também tinha perdido a esposa, e sabia o que o filho estava passando. Garrett ainda o visitava pelo menos uma vez por semana, e sempre apreciava sua companhia. Era a única pessoa que ele compreendia realmente, e esse sentimento era retribuído pelo pai. No ano anterior, este lhe dissera que ele devia recomeçar a sair com garotas. "Não está certo ficar sempre sozinho. É quase como se você tivesse desistido de viver." Garrett sabia que havia alguma verdade nisso. Mas o fato era que ele não tinha vontade alguma de encontrar outra pessoa. Não dormira com nenhuma outra mulher depois da morte de Catherine e – pior ainda – não sentia o menor desejo. Era como se uma parte dele tivesse morrido. Quando Garrett perguntara ao pai por que deveria aceitar esse conselho se ele próprio jamais tornara a se casar, o velho senhor desviara o olhar. Mas logo falara outra coisa que os assombraria, algo que depois se arrependera de ter dito: "Acha mesmo que é possível que eu encontre alguém digno de tomar o lugar dela?"

Com o tempo, Garrett recomeçara a trabalhar, fazendo o possível para continuar sua vida de forma normal. Sempre ficava até tarde na loja para organizar os arquivos e colocar o escritório em ordem, simplesmente porque era menos doloroso do que ir para casa. Descobrira que, se já estivesse escuro na hora em que chegasse em casa e se ele acendesse poucas luzes, não perceberia tanto as coisas dela, sua presença não seria tão forte. Acostumara-se a viver sozinho outra vez: cozinhar, limpar e lavar a própria roupa, e até trabalhava no jardim como Catherine costumava fazer, embora não apreciasse isso tanto quanto ela.

Pensara que estivesse melhorando, mas, quando chegara a hora de empacotar as coisas da esposa, não conseguira fazê-lo. O pai acabara encarregando-se de tudo. Depois de uma semana fora, mergulhando, Garrett voltara para uma casa despida dos pertences dela. Sem eles, a casa parecia vazia e ele não via mais motivo para continuar ali. Vendera-a em um mês e mudara-se para uma construção menor em Carolina Beach, achando que assim conseguiria finalmente prosseguir seu caminho. E estava fazendo isso, de certa forma, já havia três anos.

Mas o pai não tinha achado todas as coisas na hora de se desfazer delas. Numa caixinha que ficava na mesa ao lado do sofá, Garrett guardava alguns objetos dos quais não tinha suportado se separar: os cartões do Dia dos Namorados que ele lhe dera certa vez, a aliança dela e algumas outras coisas que as pessoas não compreenderiam. Tarde da noite, ele gostava de pegá-las, e, embora seu pai de vez em quando comentasse que ele parecia ter melhorado, Garrett ficava ali deitado pensando que isso não era verdade. Para ele, nada jamais seria o mesmo outra vez.

Garrett foi para a marina com alguns minutos de antecedência para aprontar o *Happenstance*. Removeu a capa da vela, destrancou a cabine e fez uma verificação geral.

O pai lhe telefonara no exato momento em que ele saía de casa a caminho das docas, e Garrett agora recordava a conversa:

– Quer vir jantar comigo? – perguntara o pai.

Garrett respondera que não podia.

– Vou velejar com alguém hoje à noite – explicou.

O pai ficou em silêncio por um instante, depois quis saber:

– Uma mulher?

Garrett contou de forma resumida como ele e Theresa tinham se conhecido.

– Parece que você está um pouco nervoso com esse encontro – comentara o pai.

– Não, pai, não estou nervoso. E não é um encontro. Como eu falei, só vamos velejar. Ela disse que nunca velejou antes.

– Ela é bonita?

– Isso faz diferença?

– Não. Mas ainda acho que é um encontro.

– Não é um encontro.

– Se você está dizendo...

Garrett viu-a chegar pouco depois das sete, usando um short e uma blusa vermelha sem mangas, carregando uma cestinha de piquenique numa das mãos e um pulôver e um casaco leve na outra. Não parecia estar tão nervosa quanto ele e sua expressão não revelou o que ela pensava enquanto se aproximava. No momento em que Theresa acenou, ele experimentou a familiar onda de sentimento de culpa e retribuiu rapidamente o cumprimento, antes de terminar de desatar as cordas. Resmungava consigo mesmo e fazia o possível para se acalmar quando ela chegou ao barco.

– Oi! Espero que não esteja esperando há muito tempo.

Ele tirou as luvas que estava usando e disse:

– Ah, oi. Não estou, não. Cheguei um pouco mais cedo para preparar as coisas.

– Terminou de fazer tudo o que precisava?

Ele deu uma olhada em volta para se certificar.

– É, acho que sim. Quer ajuda para subir?

Ele colocou as luvas de lado e estendeu-lhe o braço. Theresa entregou-lhe as coisas que levava e ele as colocou sobre um dos bancos que acompanhavam as laterais do convés. Quando Garrett segurou as mãos dela a fim de puxá-la para cima, ela sentiu os calos na palma dele. Depois que Theresa já estava a bordo e em segurança, ele indicou o timão com um gesto, dando um pequeno passo para trás.

– Está pronta para partir?

– Quando quiser.

– Então pode se sentar. Vou colocar o barco na água. Quer beber alguma coisa antes de partirmos? Tenho refrigerantes na geladeira.

– Não, obrigada, estou bem – retrucou ela, fazendo um gesto negativo com a cabeça.

Olhou em volta do barco antes de se acomodar no canto. Observou enquanto Garrett girava uma chave e o motor começava a funcionar. Depois ele se afastou do timão e soltou as duas cordas que prendiam o barco no lugar. Lentamente o *Happenstance* começou a recuar para fora da rampa. Um pouco surpresa, Theresa comentou:

– Eu não sabia que havia um motor.

Ele virou-se e respondeu por cima do ombro, falando alto para que ela conseguisse ouvir:

– É um motor pequeno, só o suficiente para conseguirmos subir e descer da rampa. Colocamos um motor novo quando o restauramos.

O *Happenstance* afastou-se da rampa, depois da marina. Uma vez em segurança nas águas do canal, Garrett virou o barco na direção do vento e desligou o motor. Calçou as luvas e levantou a vela a toda a velocidade. O veleiro começou a se mover ao sabor do vento, e um instante depois Garrett estava junto a Theresa, inclinando-se na direção dela.

– Cuidado com a cabeça, a retranca vai passar por cima de você.

Em seguida, as ações se sucederam com surpreendente rapidez. Ela baixou a cabeça e observou tudo acontecer como ele dissera. A retranca moveu-se acima dela, levando consigo a vela para capturar o vento. Quando chegou à posição correta, Garrett usou as cordas para tornar a prendê-la. Antes que Theresa tivesse tempo de piscar, ele já estava de volta ao timão, fazendo ajustes e observando a vela por cima dos ombros, como para se certificar de ter feito tudo certo. Tudo isso levou menos de trinta segundos.

– Não sabia que era preciso fazer tudo tão depressa. Pensava que velejar fosse um esporte tranquilo.

Ele tornou a olhar por cima do ombro. Catherine costumava sentar-se no mesmo lugar, e, com o sol poente cortando as sombras, houve um breve momento em que ele imaginou que estivesse com ela. Afastou o pensamento e pigarreou.

– E é, quando estamos no mar, sem outras pessoas por perto. Mas agora estamos no canal, e temos que fazer o possível para ficar fora do caminho dos outros barcos.

Ele segurava o timão quase imóvel, e Theresa sentiu o *Happenstance* ganhar velocidade aos poucos. Levantou-se, aproximou-se de Garrett e parou ao lado dele. A brisa soprava e, embora Theresa a sentisse no rosto, ela não lhe parecia forte o suficiente para encher uma vela.

– Certo, acho que conseguimos – disse ele com um sorriso tranquilo, olhando-a de relance. – Acho que não vamos precisar nos mover em zigue-zague. A não ser que o vento mude, é claro.

Seguiam na direção da entrada do canal. Como sabia que Garrett estava concentrado, Theresa ficou em silêncio, parada ao lado dele. Pelo canto dos olhos, observava-o: as mãos fortes no timão, as pernas compridas sustentando alternadamente o peso dele enquanto o barco disparava ao vento.

No silêncio que se seguiu, Theresa olhou em volta. Como a maioria dos veleiros, o *Happenstance* tinha dois níveis: o convés inferior externo, onde estavam, e o convés da proa, pouco mais de um metro mais alto, que se estendia até a frente do barco. Era ali que ficava a cabine, onde havia duas janelinhas cobertas por uma fina camada de sal marinho que tornava impossível ver lá dentro. Uma portinha levava ao interior, e era baixa o suficiente para obrigar as pessoas a baixar a cabeça ao passar.

Virando-se de novo para ele, perguntou-se quantos anos Garrett teria. Aparentava 30 e poucos – Theresa não conseguia ser mais precisa que isso. Fitá-lo de perto não ajudava muito – o rosto era um pouco marcado, como se desgastado pelo vento, o que sem dúvida o fazia parecer mais velho do que era na realidade.

Theresa tornou a pensar que ele não era o homem mais bonito que já vira, mas havia nele algo de atraente – algo indefinível.

Mais cedo, quando falara com Deanna pelo telefone, tentara descrevê-lo, mas, como ele não se parecia com a maioria dos homens que ela conhecia em Boston, tivera alguma dificuldade. Dissera que ele tinha mais ou menos a sua idade, era bonito a seu modo e conservado, mas que parecia natural, como se os músculos fossem simplesmente o resultado da vida que ele escolhera. Essa foi a caracterização mais aproximada que ela conseguira fazer, embora depois de vê-lo outra vez de perto, agora, achasse que não tinha se afastado muito da realidade.

Deanna ficara entusiasmada quando a amiga lhe contara que iam velejar aquela noite, apesar de Theresa ter sido tomada por diversas dúvidas logo depois. Por um momento, tivera medo de ficar sozinha com um desconhecido – sobretudo no meio do mar –, mas convencera-se de que seus temores eram infundados. *Será como qualquer outro encontro*, dissera a si mesma durante a maior parte da tarde. *Não leve isso muito a sério*. Quando chegou a hora de ir para as docas, contudo, ela quase desistiu. Por fim, decidiu que aquilo era algo que precisava fazer, principalmente por si mesma, mas também por causa da bronca que Deanna lhe daria se ela não fosse.

Ao se aproximarem da entrada do canal, Garrett girou o timão, fazendo o veleiro se afastar da margem e tomar a direção das águas profundas. Ele olhava de um lado para outro, atento à aproximação de outros barcos enquanto firmava o timão. Apesar do vento instável, ele parecia ter controle absoluto da embarcação, dando a Theresa a impressão de saber exatamente o que estava fazendo.

Enquanto o *Happenstance* cortava a água, as andorinhas-do-mar voavam em círculos acima deles. As velas fremiam ruidosamente. A água passava depressa ao longo da lateral do barco. Tudo parecia estar em movimento ao mesmo tempo que eles deslizavam sob o céu cada vez mais cinzento da Carolina do Norte.

Theresa cruzou os braços e pegou seu pulôver. Vestiu-o, contente por tê-lo levado: o ar já parecia bem mais frio do que quando tinham partido. O sol se punha mais depressa do que ela imaginara, e a luz cada vez mais fraca refletia-se nas velas, lançando sombras no convés.

Atrás do barco, a água sibilava e formava redemoinhos. Theresa se aproximou para enxergar melhor. A visão da água espumando era hipnótica. Mantendo o equilíbrio, ela colocou a mão na amurada e sentiu um pedaço que ficara por lixar. Ao olhar com atenção, notou uma inscrição entalhada ali: *Construído em 1934 – Restaurado em 1991.*

As ondas provocadas por uma embarcação maior que passou ao largo fizeram com que o barco balançasse, e Theresa voltou para perto de Garrett. Ele estava mais uma vez girando o timão, agora num ângulo menor, e ela percebeu um sorriso fugaz quando ele gesticulou na direção do mar aberto. Observou-o até que ele estabilizasse o veleiro.

Pela primeira vez no que parecia uma eternidade, ela fizera algo completamente espontâneo, uma coisa que uma semana antes jamais imaginara fazer. E agora que estava ali, ela não sabia o que esperar. E se Garrett acabasse sendo muito diferente do que tinha imaginado? Sem dúvida ela voltaria para Boston sabendo a verdade... Mas no momento esperava não ter que ir embora logo. Coisas demais já tinham acontecido...

Depois que se distanciou bastante dos outros barcos, Garrett pediu a Theresa que segurasse o timão.

– É só mantê-lo firme – ensinou.

Mais uma vez ajustou as velas, aparentemente em menos tempo do que antes. Ao voltar ao timão, ele se certificou de que o barco estava na direção do vento, então fez um pequeno laço na corda da bujarrona e passou-o em volta do cabrestante do timão, deixando uma folga de cerca de 3 centímetros.

– Certo, não teremos problemas – afirmou, dando um tapinha no timão, certificando-se de que ele manteria a posição. – Podemos nos sentar, se quiser.

– Você não precisa ficar segurando o timão?

– É para isso que serve o laço. Às vezes, quando o vento está muito instável, é preciso segurar o tempo todo. Mas hoje tivemos sorte. Poderíamos velejar nessa direção durante horas.

Com o sol baixando bem devagar atrás deles, Garrett conduziu Theresa ao lugar onde ela estivera sentada antes. Depois de checarem se não havia nada atrás dela que pudesse rasgar-lhe a roupa, os dois se acomodaram no canto – ela de lado, ele na popa, de modo a ficarem de frente um para o outro. Sentindo o vento no rosto, Theresa puxou os cabelos para trás e ficou contemplando a água.

Garrett a observou enquanto ela fazia isso. Era mais baixa que ele (cerca de 1,70 metro, calculou), tinha um rosto lindo e um corpo que lembrava as modelos das revistas. No entanto, embora fosse atraente, havia nela algo mais que lhe atraíra o olhar. Era inteligente, isso ele logo sentira, e confiante também, como se fosse capaz de viver fazendo apenas o que queria. Para ele, essas coisas eram as que realmente importavam. Sem elas, a beleza não valia nada.

De certo modo, quando olhava para ela lembrava-se de Catherine. Sobretudo a expressão. A esposa parecia sonhar acordada enquanto contemplava a água, e ele sentiu os pensamentos voltarem para a última ocasião em que tinham velejado juntos. Mais uma vez sentiu-se culpado, embora tivesse feito o possível para afastar esses sentimentos. Balançou a cabeça e ajeitou a pulseira do relógio distraidamente, primeiro folgando-a, depois tornando a apertá-la até a posição original.

– Aqui é muito lindo – disse Theresa, afinal. – Obrigada por ter me convidado.

Ele ficou feliz quando ela rompeu o silêncio.

– De nada. É bom ter companhia de vez em quando.

Ela sorriu ao ouvir isso, perguntando-se se ele falava a sério.

– Você costuma velejar sozinho?

Garrett inclinou-se para trás enquanto falava, estendendo as pernas diante de si.

– Em geral, sim. É uma boa maneira de relaxar depois do trabalho. Por mais que o dia seja tenso, depois que chego aqui parece que o vento leva tudo para longe.

– Mergulhar é tão difícil assim?

– Não, não é o mergulho em si. Essa é a parte divertida. Todo o resto é que é duro. A burocracia, as pessoas que cancelam as aulas na última hora, ter que deixar a loja sempre bem abastecida... Isso tudo faz o dia ser cansativo.

– Imagino. Mas você gosta, não é?

– É, gosto. Não trocaria o que faço por nada. – Fez uma pausa e ajeitou o relógio no pulso. – Então, Theresa, o que você faz?

Essa era uma das poucas perguntas seguras que ocorreram a ele durante o dia.

– Sou jornalista do *Boston Times*.

– Está de férias?

Ela fez uma pausa curta antes de retrucar:

– Pode-se dizer que sim.

Ele assentiu. Já esperava essa resposta.

– Sobre o que você escreve?

Theresa sorriu.

– Sobre a criação de filhos.

Percebeu o ar de surpresa no rosto dele, o mesmo que via sempre que saía com alguém pela primeira vez. *É melhor passar logo por isto*, pensou.

– Tenho um filho de 12 anos – continuou.

Ele ergueu as sobrancelhas.

– Doze anos? – repetiu.

– Você parece chocado.

– E estou. Você não aparenta ter idade para ser mãe de um menino de 12 anos.

– Vou tomar isso como um elogio – falou Theresa com uma careta, sem morder a isca. Não estava preparada para revelar sua idade. – Mas ele tem 12 anos, sim. Quer ver uma foto dele?

– Claro – disse ele.

Ela pegou a carteira, tirou a fotografia e a entregou a ele. Garrett estudou-a por um momento, depois olhou para Theresa de relance.

– Mesma cor de cabelo – comentou, devolvendo a foto. – É um menino bonito.

– Obrigada. – Enquanto guardava a fotografia, ela perguntou: – E você? Não tem filhos?

– Não – retrucou ele balançando a cabeça. – Nenhum filho. Pelo menos que eu saiba.

Diante dessa resposta, ela deu uma risadinha, e ele continuou:

– Qual é o nome dele?

– Kevin.

– Ele veio com você?

– Não, está com o pai na Califórnia. Nós nos divorciamos há alguns anos.

Garrett assentiu, sem dizer nada, depois olhou por cima do ombro para outro veleiro passando a distância. Theresa também ficou por um instante contemplando o outro barco, e no silêncio ela se deu conta de como o mar aberto era tranquilo comparado ao canal. Os únicos sons agora eram os do vento balançando a vela e do *Happenstance* abrindo caminho através das ondas. Nas docas, ela tinha achado esses mesmos ruídos diferentes – agora eles soavam quase livres, como se a amplidão do oceano pudesse levá-los ao infinito.

– Gostaria de ver o resto do barco? – perguntou Garrett.

Ela assentiu.

– Adoraria.

Ele se levantou e tornou a verificar as velas antes de entrar, com Theresa um passo atrás de si. Quando Garrett abriu a porta, parou de repente, dominado de súbito por uma recordação enterrada havia muito tempo, mas que agora aflorava, talvez por causa da novidade de uma presença feminina.

Catherine estava sentada diante da pequena mesa, com uma garrafa de vinho já aberta. À sua frente, um vaso com uma única flor recebia a luz de uma pequena vela acesa. A chama oscilava com o movimento do barco, lançando longas sombras pelo interior do casco. Na penumbra, ele conseguia distinguir o esboço de um sorriso.

– Achei que seria uma boa surpresa – disse ela. – Já faz um tempo que não comemos à luz de velas.

Garrett olhou para o fogareiro. Havia dois pratos embrulhados em papel-alumínio ao lado dele.

– Quando você trouxe isto tudo para o barco?

– Enquanto você estava trabalhando.

Theresa ficou em silêncio, deixando-o em paz com seus pensamentos. Se percebeu a hesitação dele, não demonstrou, e Garrett sentiu-se grato por isso.

À esquerda de Theresa, havia um banco que acompanhava um dos lados do barco e era largo o suficiente para que uma pessoa dormisse nele confortavelmente. Logo em frente ao banco ficava uma mesinha para dois. Perto da porta havia uma pia e um fogareiro com uma geladeira pequena embaixo, e próximo dali havia a porta que levava ao quarto de dormir.

Garrett ficou parado com todo o peso do corpo em um só pé e as mãos nos quadris enquanto ela explorava o interior, observando tudo. Não ficou colado nela, como alguns homens fariam, mas, ao contrário, deu-lhe bastante espaço. Mesmo assim, ela sentia o olhar dele pousado nela, embora ele estivesse sendo discreto. Depois de um momento, Theresa comentou:

– Pelo lado de fora não dá para imaginar como aqui é espaçoso.

– Eu sei. – Garrett pigarreou, um pouco sem graça. – É surpreendente, não é?

– É, sim. Mas parece que você tem tudo de que precisa.

– Tenho mesmo. Se quisesse, poderia velejar até a Europa, embora não recomende isso. Mas para mim é ótimo.

Ele foi até a geladeira, inclinou-se e tirou lá de dentro uma lata de Coca-Cola.

– E agora? Quer beber alguma coisa?

– Claro – disse ela.

Deslizou as mãos pelas paredes, sentindo a textura da madeira.

– Tenho SevenUp e Coca-Cola. O que prefere?

– SevenUp está ótimo – respondeu ela.

Ele estendeu-lhe a lata e os dedos de ambos se tocaram de leve quando ela a pegou.

– Não tenho gelo a bordo, mas está fresca.

– Tudo bem, também sei ser rústica – retrucou Theresa, e ele sorriu.

Ela abriu a lata e tomou um gole antes de colocá-la sobre a mesa. Enquanto ele abria sua Coca-Cola, olhava para ela, pensando sobre o que ela tinha dito antes. Um filho de 12 anos... E, sendo jornalista, isso queria dizer que devia ter cursado faculdade. Se tinha esperado até se formar antes de se casar e ter um filho... isso significava que teria uns quatro ou cinco anos a mais que ele. Não parecia tão mais velha, com certeza, mas não agia como a maioria das garotas de 20 anos que ele conhecia na cidade. Suas atitudes eram maduras, algo que só as pessoas que passaram por altos e baixos na vida tinham.

Não que isso tivesse importância.

Theresa voltou a atenção para uma fotografia emoldurada pendurada na parede. Nela, Garrett estava de pé num cais, com um marlim que pescara, parecendo muito mais jovem do que agora. Tinha um sorriso largo, e sua expressão alegre a fez se lembrar de Kevin sempre que ele fazia um gol no futebol.

Os dois ficaram em silêncio por um momento e então Theresa disse, apontando para a foto:

– Vejo que gosta de pescar.

Ele deu um passo em direção a ela e com a proximidade Theresa sentiu o calor que emanava dele. Ele cheirava a sal e vento.

– É, gosto – retrucou ele baixinho. – Meu pai era camaroneiro e eu fui criado praticamente dentro d'água.

– Quanto tempo tem essa foto?

– Deve ter uns dez anos. Foi logo antes de eu voltar para a faculdade no último ano. Houve um concurso de pesca e meu pai e eu resolvemos passar umas noites na corrente do Golfo. Pegamos esse marlim a uns 100 quilômetros da costa. Levamos quase sete horas para levá-lo para dentro do barco, porque papai queria que eu aprendesse do modo tradicional.

– Como é isso?

Ele riu baixinho.

– Basicamente significa que quando terminei estava com vários cortes nas mãos, e no dia seguinte mal conseguia mexer os ombros. A linha que usávamos não era forte o suficiente para um peixe daquele tamanho, então tivemos que deixá-lo nadar até o fim da linha e ir recolhendo-a devagar, esperando até que ele ficasse exausto demais e parasse de lutar.

– Mais ou menos como em *O velho e o mar*, de Hemingway.

– Mais ou menos, só que eu não me sentia um velho até o dia seguinte. Papai, por outro lado, podia ter feito o papel do velho no filme.

Ela tornou a olhar a foto.

– Esse a seu lado é o seu pai?

– É ele, sim.

– Parece com você.

Garrett deu um sorriso de leve, perguntando-se se aquilo seria um elogio. Fez um gesto para que ela se sentasse e Theresa se acomodou diante dele. Depois, perguntou:

– Você disse que fez faculdade?

Ele olhou-a nos olhos.

– É, fui para a Universidade da Carolina do Norte e me formei em biologia marinha. Nenhuma outra coisa me interessava muito, e como meu pai tinha dito que eu não poderia voltar para casa sem um diploma, achei que seria melhor aprender algo que pudesse ser útil mais tarde.

– Então comprou a loja...

Ele balançou a cabeça em negativa.

– A princípio, não. Depois que me formei, trabalhei no Duke Maritime Institute como especialista em mergulho, mas isso não dava muito dinheiro. Então, consegui um certificado de instrutor e comecei a dar aulas nos fins de semana. A loja veio alguns anos depois. – Ele ergueu uma sobrancelha. – E você?

Theresa bebeu outro gole de SevenUp antes de responder:

– Minha vida não é tão empolgante quanto a sua. Cresci em Omaha, em

Nebraska, e estudei na Brown. Depois de formada, trabalhei num monte de lugares, tentei coisas diferentes e finalmente me estabeleci em Boston. Estou no *Boston Times* há nove anos, mas só há alguns anos como colunista. Antes, era repórter.

– E você gosta de escrever colunas?

Ela considerou a pergunta por um instante, como se pensasse sobre o assunto pela primeira vez.

– É um bom trabalho – respondeu por fim. – Muito melhor agora do que quando comecei. Posso pegar Kevin na escola e tenho liberdade para escrever sobre o que quiser, contanto que esteja dentro do assunto da coluna. O salário é bom, também, então não posso me queixar, mas...

Ela fez outra pausa.

– Não é mais tão emocionante. Não me entenda mal, gosto do que faço, mas às vezes sinto que escrevo sempre as mesmas coisas. Isso não seria tão ruim se eu não tivesse tantas outras coisas para fazer com Kevin. Acho que neste momento sou uma típica mãe solteira que trabalha demais, se é que entende o que quero dizer.

Ele assentiu e perguntou com delicadeza:

– A vida nem sempre acontece como achamos que vai acontecer, não é?

– É, acho que não – concordou ela.

Mais uma vez os olhares deles se encontraram. A expressão de Garrett fez Theresa se perguntar se ele tinha dito algo que raramente dizia a alguém. Sorriu e inclinou-se na direção dele.

– Quer comer alguma coisa? Trouxe um lanche para nós na cesta.

– Quando você quiser.

– Espero que goste de sanduíche e salada. Foram as únicas coisas que achei que não estragariam.

– Parece melhor do que o que eu poderia arrumar. Se fosse só eu, é provável que tivesse parado para comprar um hambúrguer antes. Prefere comer aqui dentro ou lá fora?

– Lá fora, com certeza.

Pegaram as latas de refrigerante e se encaminharam para a porta da cabine. Garrett parou para pegar uma capa de chuva de um cabide e fez um gesto indicando que ela fosse sem ele.

– Me dê um minuto para soltar a âncora – falou. – Assim poderemos comer sem que eu precise verificar o barco a cada cinco minutos.

Theresa se sentou e abriu a cesta que levara. No horizonte, o sol baixava em meio a nuvens que pareciam algodão. Tirou alguns sanduíches enrolados em papel celofane, assim como algumas embalagens de isopor com salada de repolho e salada de batata.

Observou enquanto Garrett deixava a capa de chuva a seu lado e baixava as velas, fazendo o barco diminuir a velocidade quase de imediato. Estava de costas para Theresa, e ela mais uma vez reparou no físico dele. De sua posição, os músculos dos ombros dele, ampliados em contraste com a cintura fina, pareciam maiores do que ela julgara a princípio. Não conseguia acreditar que estava mesmo velejando com aquele homem, quando dois dias antes se encontrava em Boston. A situação toda parecia irreal.

Enquanto Garrett trabalhava, Theresa olhou para cima. A brisa tinha aumentado, agora que a temperatura baixara, e o céu escurecia aos poucos.

Quando o barco parou por completo, Garrett baixou a âncora. Esperou mais ou menos um minuto, para certificar-se de que a âncora estava firme, e assim que ficou satisfeito foi sentar-se ao lado de Theresa.

– Queria que houvesse algo que eu pudesse fazer para ajudar – disse Theresa com um sorriso.

Jogou os cabelos para trás dos ombros do mesmo modo que Catherine costumava fazer e por um instante ele ficou em silêncio.

– Está tudo bem? – perguntou ela.

Ele assentiu, de súbito constrangido outra vez.

– Estamos bem situados aqui. Mas eu estava pensando que se o vento continuar aumentando vamos ter que voltar em zigue-zague.

Ela colocou um pouco de salada de batata e de repolho ao lado do sanduíche no prato de Garrett e lhe entregou, consciente de que ele tinha se sentado mais perto dela do que antes.

– Então a volta vai demorar mais?

Ele pegou um dos garfos de plástico branco e provou a salada. Levou um momento para responder:

– Um pouco, mas isso não será problema, a não ser que o vento pare por completo. Se isso acontecer, ficamos parados.

– Imagino que você já tenha passado por isso antes.

Ele confirmou.

– Uma ou duas vezes. É raro, mas acontece.

Ela parecia confusa.

– Por que é tão raro? O vento não sopra o tempo todo, não é?

– No mar, geralmente sopra.

– Por quê?

Ele achou graça e pousou o sanduíche no prato.

– Bem, os ventos são impulsionados pelas diferenças de temperatura, quando o ar quente corre para o ar mais frio. Para o vento parar de soprar em mar aberto, é preciso que a temperatura do ar seja igual à temperatura da água num trecho de muitos quilômetros. Nesta região o ar costuma ser quente durante o dia, mas, assim que o sol começa a descer, a temperatura cai bem rápido. É por isso que a melhor hora para sair é ao crepúsculo, quando a temperatura muda constantemente, o que é ótimo para velejar.

– O que acontece quando o vento para?

– As velas murcham e o barco acaba parando. Não há jeito de fazê-lo se mover.

– E você disse que isso já lhe aconteceu antes?

Ele assentiu.

– O que você fez?

– Na verdade, nada. Relaxei e aproveitei a tranquilidade. Não estava em perigo, e sabia que depois de algum tempo a temperatura do ar cairia. Então apenas esperei. Depois de mais ou menos uma hora, começou a ventar e voltei para o porto.

– Parece que acabou sendo um dia agradável.

– Foi mesmo. – Ele desviou os olhos da intensidade do olhar dela. Depois de um instante acrescentou, quase para si mesmo: – Um dos melhores.

Catherine acomodou-se no banco.

– Venha sentar-se perto de mim.

Garrett fechou a porta da cabine e foi até ela.

– É o melhor dia que passamos juntos em muito tempo – disse ela, baixinho. – Parece que andamos ocupados demais nos últimos tempos e... não sei... – Ela não completou a frase. – Eu só queria fazer alguma coisa especial para nós.

Enquanto ela falava, Garrett teve a impressão de que sua mulher tinha a mesma expressão de ternura que ele vira na noite de núpcias.

Acomodou-se ao lado dela e serviu o vinho.

– Me desculpe por ter andado tão ocupado na loja ultimamente – murmurou ele. – Eu te amo, você sabe.

– Eu sei.

Ela sorriu e cobriu a mão dele com a sua.

– Vai melhorar logo, prometo – continuou ele.

Catherine assentiu, estendendo a mão para o vinho.

– Não vamos falar disso agora. Só quero aproveitar o momento. Sem qualquer interrupção.

– Garrett?

Assustado, ele olhou para Theresa.

– Ah, desculpe...

– Está tudo bem?

Ela o olhava com uma mistura de espanto e preocupação.

– Tudo ótimo... Estava só me lembrando de uma coisa que tenho que fazer – improvisou Garrett. – De qualquer maneira, chega de falar de mim – acrescentou, endireitando-se e apoiando as mãos sobre um dos joelhos. – Se você não se importar, Theresa, conte algo sobre você.

Confusa e um pouco insegura sobre o que exatamente ele queria saber, ela começou do princípio, mencionando todos os fatos básicos de forma um pouco mais detalhada: sua infância e juventude, o trabalho, os hobbies. Porém o assunto de que mais falou foi Kevin, comentando que filho maravilhoso ele era e como lamentava não poder passar mais tempo com ele.

Garrett escutava sem dizer muita coisa. Quando ela terminou, ele indagou:

– E você disse que já foi casada?

Ela assentiu.

– Durante oito anos. Mas acho que David, meu ex-marido, foi perdendo o gosto pelo nosso relacionamento... Acabou tendo um caso, e eu não consegui perdoar.

– Eu também não conseguiria – comentou Garrett em voz baixa. – Mas isso não torna a situação mais fácil.

– É, não tornou. – Ela fez uma pausa e tomou um gole do refrigerante. – Mas nos damos bem, apesar de tudo. Ele é um bom pai para Kevin, e é só isso que quero dele agora.

Uma onda mais alta passou sob o casco e Garrett olhou para o outro lado a fim de se assegurar de que a âncora aguentaria. Quando tornou a olhar para Theresa, ela disse:

– Certo, é a sua vez. Fale de você.

Garrett também começou do início, da sua infância como filho único em Wilmington. Contou que a mãe tinha morrido quando ele tinha 12 anos e que, como o pai passava a maior parte do tempo no barco, ele praticamente crescera no mar. Falou dos tempos de faculdade, omitindo algumas histórias mais escabrosas que poderiam dar uma impressão errada, descreveu o período inicial com a loja e sua rotina nos últimos tempos. Estranhamente, não mencionou Catherine – uma omissão sobre a qual Theresa só podia especular.

Enquanto conversavam, o céu ficou escuro e a neblina começou a descer em volta deles. Com o barco balançando de leve ao sabor das ondas, uma espécie de intimidade recaiu sobre eles. O ar fresco, a brisa no rosto e o suave movimento do veleiro, tudo isso conspirava para acalmar o nervosismo inicial dos dois.

Mais tarde Theresa tentou lembrar-se da última vez que tivera um encontro como aquele. Não sentira qualquer pressão da parte de Garrett para que saísse com ele de novo, e ele também não parecia esperar nada a mais dela naquela noite. A maioria dos homens com quem Theresa saía em Boston tinha a mesma atitude: se eles se esforçavam para ter uma noite agradável, tinham direito a alguma coisa em troca. Era uma postura adolescente – mas mesmo assim comum –, e ela estava gostando da diferença.

Quando ficaram em silêncio, Garrett inclinou-se para trás e passou a mão pelos cabelos. Fechou os olhos, pelo jeito saboreando um momento quieto consigo mesmo. Enquanto isso, Theresa, tentando não fazer barulho, tornou a guardar os pratos e guardanapos usados dentro da cesta, para que o vento não os lançasse ao mar.

Ao despertar do transe, Garrett levantou-se do banco.

– Acho que é hora de voltarmos – falou, quase como se lamentasse o fato de o passeio estar chegando ao fim.

Poucos minutos depois, o barco encontrava-se outra vez em movimento e ela percebeu que o vento estava muito mais forte do que antes. Garrett postou-se ao timão, mantendo o *Happenstance* no rumo. Theresa ficou de pé ao lado dele com a mão na amurada, repassando na cabeça a conversa entre eles uma vez após outra. Por um longo tempo nenhum dos dois falou, e Garrett perguntou-se por que se sentia tão perturbado.

Na última vez que velejaram, Catherine e Garrett conversaram tranquilamente durante horas, saboreando o vinho e o jantar. O mar estava calmo, e o movimento suave das ondas era reconfortante em sua familiaridade.

Mais tarde, depois de fazerem amor, Catherine ficou deitada ao lado de Garrett, deslizando os dedos pelo peito dele, em silêncio.

– No que está pensando? – perguntou ele por fim.

– Que não achava ser possível amar alguém tanto quanto amo você – sussurrou ela.

Garrett passou o dedo pelo rosto dela. Catherine não desviou os olhos dos dele.

– Eu também pensava que fosse impossível – respondeu ele com delicadeza. – Não sei o que faria sem você.

– Me promete uma coisa?

– Qualquer coisa.

– Se algo me acontecer, promete que vai encontrar outra pessoa?

– Acho que não poderia amar ninguém além de você.

– Apenas prometa, está bem?

Ele levou algum tempo para responder:

– Tudo bem. Se é para deixá-la feliz, eu prometo.

Sorriu com ternura, e Catherine aconchegou-se a ele.

– Eu estou feliz, Garrett.

Quando essa lembrança enfim se dissipou, Garrett pigarreou e tocou no braço de Theresa para chamar-lhe a atenção. Apontou para o céu.

– Olhe isto tudo – falou enfim, fazendo o possível para manter a conversa em terreno neutro. – Antes de existirem sextantes e bússolas, usavam-se as estrelas para navegar pelos mares. Naquele lado você vê Polaris. Ela sempre aponta para o norte.

Theresa ergueu os olhos para o céu.

– Como consegue saber que estrela é?

– Usamos estrelas-guias. Está vendo a Ursa Maior?

– Claro.

– Se você traçar uma linha reta das duas estrelas que formam o cabo da colher, ela vai apontar para a Estrela do Norte.

Theresa observou enquanto ele apontava para as estrelas sobre as quais falava, refletindo sobre ele e as coisas que lhe interessavam: velejar, mergulhar, pescar, navegar pelas estrelas... qualquer coisa relacionada ao mar. Ou qualquer coisa, ao que parecia, que lhe permitisse ficar sozinho por horas.

Garrett pegou a capa de chuva azul-marinho que tinha deixado perto do timão mais cedo e vestiu-a.

– Provavelmente os fenícios foram os maiores exploradores marítimos da história. Em 600 a.C. eles afirmaram ter velejado em volta de toda a África, mas ninguém acreditou, porque eles juraram que a Estrela do Norte tinha desaparecido na metade da viagem. E tinha mesmo.

– Por quê?

– Porque eles entraram no hemisfério sul. É por isso que os historiadores sabem que eles de fato fizeram isso. Antes deles, ninguém tinha visto algo do tipo acontecer, ou, se tinha, o evento nunca foi registrado. Passaram-se quase dois mil anos até que ficasse provado que eles estavam corretos.

Ela assentiu, imaginando essa longa viagem. Perguntou-se por que nunca aprendera essas coisas na escola e ficou curiosa a respeito daquele homem. De súbito, Theresa entendeu por que Catherine tinha se apaixonado por ele. Não era porque ele fosse extraordinariamente atraente, ou ambicioso, ou até mesmo simpático. Garrett era tudo isso, porém o mais importante era que parecia levar a vida do jeito que queria. Havia algo de misterioso e diferente no modo como ele agia – algo bem masculino. E isso fazia dele uma pessoa diferente de qualquer outra que ela já tivesse conhecido.

Como ela não tinha respondido, Garrett olhou-a de relance e mais uma vez constatou como era linda. Na escuridão, Theresa tinha a pele clara, etérea, e ele imaginou como seria traçar o contorno da face dela com o dedo. Então balançou a cabeça, tentando afastar o pensamento.

Mas não conseguiu. A brisa balançava os cabelos dela, e essa visão lhe causou um frio na barriga. Quanto tempo fazia que não se sentia assim? Tempo demais, sem dúvida. Mas não havia nada que ele pudesse, ou quisesse, fazer a respeito. Tinha consciência disso também, enquanto a contemplava. Não era a hora certa, nem o lugar certo... nem a pessoa certa. No fundo ele se perguntou se algo voltaria a ser certo um dia.

– Espero não estar deixando você entediada – comentou ele por fim, com uma calma forçada. – Sempre me interessei por esse tipo de coisa.

Ela encarou-o e sorriu.

– Não, não é isso. De jeito nenhum. Gostei da história. Só estava imaginando o que esses homens devem ter passado. Não é fácil encarar algo completamente desconhecido.

– Não é, não – concordou ele, sentindo que de alguma forma ela tinha lido seus pensamentos.

As luzes das construções ao longo da costa pareciam tremeluzir na neblina que se adensava. Ao se aproximar da boca do canal, o *Happenstance* se balançou de leve nas ondas maiores e Theresa olhou por cima do ombro para as coisas que tinha levado. Seu casaco tinha ido parar num canto próximo à cabine. Ela fez uma anotação mental para não esquecê-lo quando chegassem à marina.

Mesmo Garrett tendo dito que em geral velejava sozinho, ela teve curiosidade de saber se ele já tinha levado no barco outra pessoa além de Catherine e dela própria. E se nunca tivesse, o que isso significava? Theresa sabia que ele a observara a todo instante durante a noite, embora nunca de maneira óbvia. Ainda que curioso a respeito dela, ele mantivera seus sentimentos bem escondidos, sem insistir que ela falasse de coisas que não queria, e não perguntara se estava envolvida com outra pessoa. Não tinha feito nada que pudesse ser interpretado como algo mais que um interesse casual.

Garrett ligou um interruptor e várias luzinhas acenderam-se pelo barco – não o suficiente para enxergarem bem um ao outro, mas o bastante para que outros barcos percebessem sua aproximação. Ele apontou para a escuridão da costa e falou:

– A boca do canal é bem ali, entre as luzes.

Nesse momento, virou o timão naquela direção. As velas balançaram e o barco inclinou-se por um instante, depois voltou à posição original.

– Então, gostou de velejar?

– Gostei. Foi maravilhoso.

– Que bom. Não foi uma viagem para o hemisfério sul, mas é o melhor que posso oferecer.

Estavam lado a lado, ambos aparentemente perdidos nos próprios pensamentos. Outro veleiro apareceu na escuridão a uns 400 metros de distância, também no caminho de volta para a marina. Garrett deu-lhe espaço suficiente para passar e depois olhou para um lado e outro, a fim de se certificar de que nenhuma outra embarcação surgiria. Theresa percebeu que a neblina tornara o horizonte invisível.

Virou-se para Garrett e viu que os cabelos dele estavam jogados para trás pelo vento. O casaco que ele vestia ia até o meio das coxas e se encontrava aberto. Era velho e gasto, aparentando anos de uso. Fazia com que Garrett parecesse maior do que era de fato, e esta seria a imagem dele que Theresa guardaria para sempre. Essa e a primeira vez que o vira.

Enquanto se aproximavam da costa, ela duvidou que fossem se ver de novo. Em alguns minutos estariam de volta às docas e se despediriam. Theresa não achava que ele a convidaria para velejar outra vez, e ela não ia pedir – por algum motivo, isso não parecia certo.

Adentraram no canal e viraram na direção da marina. Mais uma vez Garrett manteve o barco no centro do canal e Theresa avistou uma série de placas triangulares que demarcavam seus limites. Ele manteve as velas altas até se aproximar do mesmo lugar onde as erguera mais cedo, então as baixou com a mesma atenção com que conduzira o barco durante todo o passeio. Ligou o motor e, poucos minutos depois, eles passaram pelos barcos ancorados para pernoitarem ali. Quando chegaram ao lugar do *Happenstance*, ela ficou de pé no convés enquanto Garrett saltava para o cais e prendia o veleiro com as cordas.

Theresa caminhou até a popa para pegar a cesta e o casaco, então estacou. Depois de pensar por um instante, pegou a cesta, mas não o casaco. Em vez disso, empurrou-o com a mão livre para que ele ficasse semioculto sob uma almofada do banco. Quando Garrett lhe perguntou se estava tudo bem, ela pigarreou e disse:

– Estou só pegando as minhas coisas.

Foi para a lateral do barco e ele ofereceu-lhe a mão. Mais uma vez Theresa sentiu a força dele quando a aceitou e então saltou do *Happenstance* para o cais.

Encararam-se por um momento apenas, como se pensando no que viria em seguida, até que Garrett por fim fez um gesto na direção do veleiro.

– Tenho que preparar o barco para o pernoite, e isso vai demorar um pouco.

Ela assentiu.

– Achei que você fosse dizer isso.

– Posso acompanhá-la até seu carro primeiro?

– Claro.

Ele começou a caminhar pelo cais, com Theresa a seu lado. Quando chegaram ao automóvel que ela alugara, Garrett observou enquanto ela procurava as chaves dentro da cesta. Depois de encontrá-las, Theresa destrancou a porta do carro e abriu-a.

– Como eu disse, foi um passeio maravilhoso – afirmou.

– Também achei – retrucou ele.

– Você devia levar mais pessoas para velejar. Tenho certeza de que elas iriam adorar.

Sorrindo, ele respondeu:

– Vou pensar no caso.

Por um momento, os olhos deles se encontraram, e nesse instante ele viu Catherine na escuridão.

– É melhor eu voltar – falou depressa, um pouco constrangido. – Tenho que acordar cedo amanhã.

Ela assentiu e, sem saber o que mais fazer, Garrett estendeu-lhe a mão.

– Foi um prazer conhecê-la, Theresa. Espero que aproveite bastante o resto das férias.

Apertar a mão dele parecia um pouco estranho depois das horas que tinham passado juntos, mas ela teria ficado surpresa se ele tivesse feito outra coisa.

– Obrigada por tudo, Garrett. Também gostei muito de conhecê-lo.

Ela sentou-se atrás do volante e ligou o motor. Garrett fechou a porta para ela e ficou parado enquanto Theresa engrenava a marcha. Sorriu para ele uma última vez, depois olhou de relance para o retrovisor e deu marcha a ré devagar. Garrett acenou quando ela começou a se afastar e ficou observando até que o carro saísse da marina. Depois que ela se foi, ele voltou pelas docas, perguntando-se por que estava tão perturbado.

Vinte minutos mais tarde, exatamente quando Garrett terminava de arrumar o *Happenstance*, Theresa abriu a porta do quarto de hotel e entrou. Jogou suas coisas em cima da cama e foi direto para o banheiro. Lavou o rosto com água fria e escovou os dentes antes de trocar de roupa. Então, depois de se deitar na cama com apenas a luz da cabeceira acesa, ela fechou os olhos e começou a pensar em Garrett.

Se quem estivesse velejando fosse David, ele teria feito as coisas de maneira muito diferente: teria planejado o passeio de acordo com a imagem encantadora que tentaria passar – "Por acaso tenho uma garrafa de vinho. Gostaria de uma taça?" – e sem dúvida teria falado um pouco mais de si mesmo. Mas seria algo sutil – ele sabia muito bem o limite entre autoconfiança e arrogância, e tomaria todo o cuidado para não cruzar essa linha logo no início. Até que a pessoa o conhecesse melhor, não percebia que aquilo era um plano cuidadosamente orquestrado para causar a melhor das impressões. Com Garrett, entretanto, Theresa soubera desde o início que ele não estava representando – havia sinceridade nele – e ficou intrigada pelo seu jeito. Mas será que ela tinha agido do jeito certo? Ainda não sabia. Seus atos tinham parecido meio manipuladores, e ela não gostava de se ver nesse papel.

Mas já estava feito. Theresa tinha tomado sua decisão e agora não havia mais volta. Apagou a luz. Quando se acostumou à escuridão, olhou para o espaço entre as cortinas entreabertas. A lua crescente enfim se erguera no céu e o luar entrou pela fresta e se derramou sobre a cama. Fixou os olhos nele, totalmente incapaz de desviar, até que seu corpo relaxou e ela dormiu.

7

– E aí, o que aconteceu?

Jeb Blake inclinou-se sobre a xícara de café, falando com a voz rouca. Com quase 70 anos, era alto e magro – quase esquelético – e tinha rugas profundas no rosto. Os poucos cabelos que lhe restavam eram quase brancos, e sua glote saltava do pescoço como uma pequena ameixa. Tinha tatuagens e cicatrizes nos braços cobertos de manchas de sol e os nós dos dedos eram permanentemente inchados pelos anos em que ele trabalhara como camaroneiro. Se não fossem os olhos, quem o visse pensaria que era frágil e doente, mas a verdade estava longe disso: ele ainda trabalhava quase todos os dias, embora agora em meio expediente, saindo de casa antes do amanhecer e voltando por volta de meio-dia.

– Nada. Ela entrou no carro e foi embora.

Enrolando o primeiro da dúzia de cigarros que fumava por dia, Jeb encarou o filho. Durante anos seu médico lhe dissera que o cigarro iria matá-lo, mas, como o próprio médico tinha morrido de enfarte aos 60 anos, Jeb não levava muita fé em conselhos do tipo. Garrett acreditava que o pai provavelmente iria viver mais que ele.

– Bom, foi um desperdício, não foi?

Garrett ficou surpreso com sua maneira de falar.

– Não, pai, não foi um desperdício. Eu me diverti bastante. Foi agradável conversar com ela, e apreciei sua companhia.

– Mas não vai sair com ela de novo.

Garrett deu um gole no café e balançou a cabeça.

– Acho que não. Como eu disse, ela está aqui de férias.

– Por quanto tempo?

– Não sei. Não perguntei.

– Por que não?

Garrett estendeu a mão para outro potinho de creme e derramou o conteúdo em seu café.

– Por que está tão interessado, afinal? Fui velejar com uma pessoa e me diverti. Não há mais nada a dizer sobre isso.

– Claro que há.

– O quê, por exemplo?

– Por exemplo, se você se divertiu o suficiente para começar a sair com outras pessoas novamente.

Garrett mexeu o café com ar pensativo. Então era isso. Embora ao longo dos anos tivesse se acostumado com os interrogatórios do pai, naquela manhã ele não estava no clima para discutir o assunto de novo.

– Pai, já falamos sobre isso outras vezes.

– Eu sei, mas estou preocupado com você. Tem passado muito tempo sozinho.

– Não tenho, não.

– Tem, sim – insistiu o pai, com surpreendente ternura.

– Não quero discutir, pai.

– Nem eu. Já tentei, e não deu certo. – Jeb sorriu e, depois de um instante de silêncio, tentou uma nova abordagem: – Então, como ela era?

Garrett considerou a pergunta por um momento. Contra a própria vontade, ficara pensando nela por um longo tempo antes de ir se deitar na noite anterior.

– Theresa? É atraente e inteligente. Muito simpática, também, a seu modo.

– Solteira?

– Acho que sim. É divorciada, e imagino que não teria saído comigo se fosse comprometida com alguém.

Enquanto o filho falava, Jeb estudou cuidadosamente a expressão dele. Quando Garrett ficou em silêncio, o pai tornou a se inclinar sobre a xícara de café.

– Você gostou dela, não foi?

Olhando dentro dos olhos do pai, Garrett viu que não conseguiria esconder a verdade.

– É, gostei. Mas, como eu disse, não devo vê-la de novo. Não faço ideia de onde está hospedada e, pelo que sei, ela pode até ir embora hoje mesmo.

Jeb observou-o em silêncio por um instante antes de fazer a pergunta seguinte, com toda a cautela:

– Mas se ela ainda estivesse aqui e você soubesse onde, acha que iria procurá-la?

Garrett afastou o olhar sem responder. Jeb estendeu a mão por cima da mesa e segurou o braço do filho. Mesmo aos 70 anos, ele tinha mãos fortes, e Garrett sentiu-o fazer pressão suficiente apenas para chamar a sua atenção.

– Meu filho, já se passaram três anos. Sei que você a amava, mas agora o certo é deixar o passado para trás. Você sabe disso, não sabe? Tem que conseguir retomar a sua vida.

Garrett levou um momento para responder:

– Eu sei, pai, mas não é tão fácil assim.

– Nada que valha a pena é fácil. Lembre-se disso.

Terminaram o café poucos minutos depois. Garrett jogou alguns dólares sobre a mesa e seguiu o pai para fora da lanchonete, em direção ao seu furgão no estacionamento. Quando enfim chegou à loja, dezenas de coisas lhe passavam pela cabeça. Incapaz de se concentrar no trabalho burocrático que o esperava, resolveu voltar às docas e terminar o conserto do motor que tinha começado na véspera. Embora definitivamente precisasse passar algum tempo na loja, naquele momento sentia a necessidade de ficar sozinho.

Garrett puxou a caixa de ferramentas da caçamba do furgão e levou-a para o barco que utilizava quando dava aulas de mergulho. Era uma velha baleeira que comportava até dez alunos mais o equipamento.

Consertar o motor era um trabalho demorado, mas não difícil, e ele já tinha adiantado bastante na véspera. Enquanto removia a caixa do motor, pensava na conversa que tivera com o pai. Jeb tinha razão, é claro. Não havia motivo para continuar sentindo o que sentia, mas Deus era testemunha que não conseguia mudar. Catherine tinha sido tudo para ele. Bastava que ela o olhasse para Garrett saber que tudo estava certo no mundo. E quando ela sorria... Por Deus, aquele sorriso era algo que ele nunca conseguira encontrar em outra pessoa. E ter uma felicidade como essa arrancada de si... não era justo. Mais do que isso, parecia *errado*. Por que logo ela? E por que ele? Durante meses ficara acordado à noite, perguntando-se como seria sua vida se as coisas tivessem acontecido de forma diferente. E se ela tivesse esperado um segundo antes de atravessar a rua? E se os dois tivessem demorado mais alguns minutos tomando o café da manhã? E se ele tivesse ido com ela naquela manhã em vez de ir direto para a loja? Depois de mil conjeturas, ele não estava mais perto de compreender do que estivera logo depois que aconteceu.

Tentando clarear a mente, concentrou-se na tarefa à sua frente. Removeu os parafusos que prendiam o carburador no lugar e removeu-o do motor. Pôs-se a desmontá-lo com todo o cuidado, para verificar se havia dentro dele alguma peça gasta. Não acreditava que fosse essa a causa do problema, mas queria dar uma olhada, só para se certificar.

O sol se erguia no céu enquanto Garrett trabalhava num ritmo regular, e ele logo começou a enxugar o suor que passou a se formar em sua testa. Lembrou que àquela mesma hora, na véspera, observava Theresa descer as docas na direção do *Happenstance*. Notara a presença dela logo de início, talvez porque ela estivesse sozinha. Mulheres com a aparência dela quase nunca iam às docas sozinhas: em geral estavam acompanhadas por cavalheiros ricos e mais velhos, proprietários dos iates atracados no outro lado da marina. Quando ela parara junto ao *Happenstance*, ele ficara surpreso, embora tivesse imaginado que Theresa faria apenas uma pausa ali por um instante antes de seguir seu caminho – o que a maioria das pessoas normalmente fazia. Mas, depois de observá-la por algum tempo, percebera que ela fora às docas para ver o seu barco, e o modo como ela o estudava de vários ângulos dava a impressão de que estava ali para algo mais além disso.

Garrett ficara curioso e fora até lá para falar com ela. Na ocasião ele não tinha percebido, mas depois, quando estava preparando o barco para o pernoite, tinha se dado conta de que havia algo estranho no modo como Theresa olhara para ele pela primeira vez. Era quase como se *reconhecesse* nele alguma coisa que Garrett costumava manter em segredo. Mais do que isso, era como se soubesse mais sobre ele do que estava disposta a admitir.

Então balançou a cabeça, consciente de que aquilo não fazia sentido. Ela dissera que lera os artigos na loja – talvez viesse daí aquele olhar estranho. Ele pensou sobre o assunto e por fim concluiu que devia ser isso mesmo. Sabia que nunca falara com ela antes, pois teria se lembrado. Além disso, ela morava em Boston e estava em viagem de férias. Foi a única explicação plausível que lhe ocorreu, mas mesmo assim havia algo na situação toda que não se encaixava muito bem.

Mas isso não tinha importância.

Os dois tinham velejado juntos, tinham apreciado a companhia um do outro e depois se despediram. Fim da história. Como afirmara ao pai, não conseguiria encontrá-la mesmo se quisesse. Naquele momento ela já devia estar voltando para Boston, ou estaria dentro de alguns dias, e ele tinha mil coisas a fazer naquela semana. O verão era a principal estação de procura por aulas de mergulho, e ele tinha alunos marcados para todos os fins de semana até o final de agosto. Não tinha tempo ou disposição para ligar para todos os hotéis de Wilmington para encontrá-la – e, mesmo que tivesse, o que diria? O que *poderia* dizer que não soasse ridículo?

Com essas perguntas em mente, continuou trabalhando no motor. Depois de achar e substituir uma junta que vazava, tornou a instalar o carburador e fechou o motor. Em seguida, ligou-o. Como o barulho estava normal, soltou as cordas que prendiam a baleeira e circulou com ela durante quarenta minutos. Testou diversas velocidades, ligando e desligando o motor várias vezes, e quando ficou satisfeito levou o barco de volta à doca. Feliz por ter demorado menos tempo do que pensara, recolheu as ferramentas, levou-as de volta para o furgão e dirigiu por alguns quarteirões até a Island Diving.

Como sempre, havia papéis empilhados sobre a escrivaninha, e Garrett passou algum tempo analisando-os. A maioria era de formulários já preenchidos, encomendando mercadorias de que a loja precisava. Havia também algumas contas. Ele se acomodou na cadeira e logo acabou com a burocracia.

Pouco antes das onze, Garrett terminou tudo o que precisava ser feito e dirigiu-se à frente da loja. Ian, um dos empregados de verão, falava ao telefone e estendeu três pedaços de papel a Garrett quando este se aproximou. Os dois primeiros eram de fornecedores e, pelas curtas mensagens rabiscadas, parecia que houvera uma confusão com algumas das encomendas que tinham feito recentemente. *Mais uma coisa para resolver*, pensou, voltando ao escritório nos fundos.

No caminho, leu a terceira mensagem e estacou quando percebeu de quem era. Leu o nome de novo para se certificar de que não tinha se enganado, entrou no escritório e fechou a porta. Discou o número e falou o número do quarto.

Theresa Osborne estava lendo o jornal quando o telefone tocou e atendeu no segundo toque.

– Oi, Theresa, é o Garrett. Recebi aqui um recado de que você ligou.

– Ah, oi, Garrett. Obrigada por ligar de volta. Como vai? – disse ela, parecendo feliz em ouvi-lo.

A voz de Theresa lhe trouxe lembranças da noite anterior. Ele sorriu ao imaginá-la sentada no quarto de hotel.

– Bem, obrigado. Estava cuidando da papelada da loja e recebi o seu recado. O que posso fazer por você?

– Bom, esqueci meu casaco no seu barco ontem à noite e queria saber se você encontrou.

– Não, mas também não procurei. Você deixou na cabine?

– Não tenho certeza.

Garrett ficou em silêncio por um instante.

– Bom, vou até lá dar uma olhada. Depois ligo para você e digo se encontrei.

– Não é trabalho demais?

– Claro que não. Não vai levar mais que alguns minutos. Você vai ficar aí por mais algum tempo?

– Vou, sim.

– Está bem, eu ligo daqui a pouco.

Garrett despediu-se e saiu da loja, caminhando em passos rápidos até a marina. Depois de subir a bordo do *Happenstance*, destrancou a cabine e desceu. Não encontrou o casaco, então se virou e deu uma olhada no convés. Avistou-o perto da popa, parcialmente escondido sob uma das almofadas do banco. Pegou-o, certificou-se de que não estava manchado e voltou à loja.

Foi para o escritório e ligou para o número escrito no pedaço de papel. Dessa vez Theresa atendeu no primeiro toque.

– É o Garrett outra vez. Encontrei o seu casaco.

Ela soou aliviada.

– Muito obrigada por ter ido procurá-lo.

– Não foi trabalho nenhum.

Ela ficou um instante em silêncio, como se decidindo o que fazer. Finalmente, pediu:

– Será que você pode guardá-lo para mim? Posso chegar à sua loja em vinte minutos para pegá-lo.

– Será um prazer.

Depois de desligar, ele se recostou na cadeira, pensando no que tinha acabado de acontecer. Então Theresa ainda não tinha ido embora da cidade e ele iria vê-la outra vez. Embora não conseguisse entender como ela poderia ter esquecido o casaco, pois tinha levado poucas coisas, uma coisa estava clara: ele tinha ficado muito satisfeito por aquilo ter acontecido.

Não que isso tivesse importância, naturalmente.

Theresa chegou cerca de vinte minutos depois, usando um short e uma blusa decotada e sem mangas que valorizava maravilhosamente as suas curvas. Quando entrou na loja, tanto Ian quanto Garrett a observaram enquanto ela olhava em volta. Quando enfim o avistou, ela sorriu e cumprimentou-o de longe. Ian olhou para Garrett de sobrancelha erguida, como se perguntasse: "O que você anda me escondendo?"

Garrett ignorou a expressão do funcionário e encaminhou-se para Theresa com o casaco dela na mão. Sabia que Ian iria prestar atenção em tudo o que fizesse e interrogá-lo depois, embora ele planejasse não contar nada.

– Está como novo – disse, estendendo o casaco quando ela se aproximou.

Enquanto Theresa não chegava, Garrett limpara a graxa das mãos e vestira uma das novas camisetas à venda na loja. Não era maravilhosa, mas dava-lhe uma aparência melhor que a de antes – pelo menos agora ele parecia limpo.

– Obrigada por ter ido buscá-lo – falou ela.

Havia em seus olhos algo que o fez sentir a mesma atração por ela que experimentara na véspera. Ele coçou o rosto distraidamente.

– Foi um prazer. Acho que o vento deve tê-lo empurrado para fora de vista.

– Imagino que sim – respondeu ela, com um ligeiro dar de ombros.

Garrett observou enquanto ela ajeitava a alça da blusa. Não sabia se Theresa estava com pressa e não tinha certeza se queria que ela fosse embora logo. Disse as primeiras palavras que lhe vieram à cabeça:

– Eu me diverti muito ontem à noite.

– Eu também.

Theresa olhou-o nos olhos enquanto falava e Garrett deu um leve sorriso. Não sabia mais o que dizer – havia muito tempo não passava por uma situação assim. Embora sempre fosse expansivo com clientes e pessoas em geral, aquilo era completamente diferente. Ficou passando o peso do corpo de uma perna para outra, sentindo-se com 16 anos de novo. Por fim, foi ela quem quebrou o silêncio:

– Acho que lhe devo alguma coisa por ter tido esse trabalho.

– Não seja boba, você não me deve nada.

– Talvez não por ir buscar meu casaco, mas também por ontem à noite.

Ele balançou a cabeça.

– Também não. Fiquei feliz por você ter ido.

Fiquei feliz por você ter ido. As palavras ficaram ecoando na mente de Garrett a partir do momento em que ele as pronunciou. Dois dias antes, ele não teria conseguido imaginar-se dizendo-as a alguém.

O telefone tocou ao fundo e o som arrancou-o de seus pensamentos. Para ganhar tempo, ele perguntou:

– Você veio de tão longe só para pegar o casaco ou estava planejando dar um passeio também?

– Na verdade, não planejei nada. Está quase na hora do almoço, então eu ia comer alguma coisa. – Ela o encarou. – Tem alguma recomendação?

Ele pensou por um momento antes de responder:

– Gosto do Hank's, que fica no cais. A comida é fresca e a vista é esplêndida.

– Onde fica exatamente?

Ele fez um gesto por cima do ombro.

– Em Wrightsville Beach. Pegue a ponte para a ilha e vire à direita. É fácil, basta só seguir as placas para o cais. O restaurante fica lá.

– É especializado em que tipo de comida?

– Principalmente frutos do mar. Eles têm camarões e ostras sensacionais, mas se você preferir outro tipo de comida eles também têm hambúrgueres e coisas assim.

Theresa esperou para ver se Garrett diria mais alguma coisa, e como ele ficou quieto, ela desviou os olhos, dirigindo-os para as vitrines. Ficou ali parada e pela segunda vez em poucos minutos Garrett ficou sem jeito na presença dela. O que havia nela que o fazia sentir-se assim? Enfim, após se controlar, ele falou:

– Se quiser, posso levá-la até lá. Estou ficando com fome também, e se você aceitar companhia, será um prazer.

Ela sorriu.

– Acho uma ótima ideia, Garrett.

Ele pareceu aliviado.

– Meu furgão está nos fundos. Quer que eu dirija?

– Você conhece o lugar melhor do que eu – respondeu ela.

Garrett indicou o caminho por dentro da loja até a porta dos fundos. Caminhando pouco atrás para que ele não visse sua expressão, Theresa não conseguiu deixar de sorrir.

O Hank's funcionava desde que o cais tinha sido construído e era frequentado tanto pelos moradores quanto por turistas. Com um ambiente discreto, mas com muita personalidade, era parecido com os restaurantes do cais de Cape Cod – piso de madeira gasta por anos de sapatos sujos de areia, amplas janelas com vista para o oceano Atlântico e fotos de pescadores com seus troféus nas paredes. A um lado ficava uma porta que levava à cozinha, e Theresa viu garçons e garçonetes de shorts e camisetas azuis com o nome do restaurante estampado carregando bandejas com pratos de frutos do mar. As mesas e cadeiras eram de madeira, de aparência resistente, decoradas com entalhes de centenas de frequentadores. Não era um lugar formal, e Theresa percebeu que a maioria das pessoas parecia ter passado boa parte da manhã deitada ao sol e depois ido direto para lá.

– Confie em mim – disse ele, enquanto se encaminhavam a uma mesa. – A comida é maravilhosa, apesar da aparência do lugar.

Sentaram-se a uma mesa perto do canto e Garrett empurrou para o lado duas garrafas de cerveja vazias que ainda não tinham sido recolhidas. Os cardápios estavam apoiados num conjunto de frascos de plástico com condimentos como ketchup, molho de pimenta, molho tártaro, molho rosé e outro intitulado apenas "Hank's". Com uma plastificação barata, os cardápios pareciam não ser trocados há anos. Ao olhar em volta, Theresa observou que quase todas as mesas estavam ocupadas.

– Está lotado – comentou, acomodando-se.

– Sempre está. Mesmo antes de Wrightsville Beach ficar popular entre os turistas, este restaurante era uma espécie de lenda. Nos fins de semana é difícil conseguir lugar sem esperar algumas horas.

– Por que enche tanto?

– Pela comida e pelos preços. Todas as manhãs Hank recebe uma carga de peixes e camarões frescos, e é possível fazer uma refeição completa sem gastar mais que 10 dólares, incluindo a gorjeta. E algumas cervejas.

– Como é que ele consegue manter os preços tão baixos?

– Acho que é pelo volume da clientela. Como eu disse, o restaurante está sempre lotado.

– Então tivemos sorte de conseguir uma mesa.

– Tivemos. Mas chegamos antes dos moradores locais, e os turistas nunca ficam muito tempo. Entram correndo para comer alguma coisa rápida e voltam para debaixo do sol.

Ela olhou ao redor mais uma vez, antes de examinar o cardápio.

– E aí, o que você recomenda?

– Gosta de frutos do mar?

– Adoro.

– Então, o atum ou o golfinho. Os dois são deliciosos.

– Golfinho? – estranhou ela.

Ele riu baixinho.

– Não é o Flipper. É o peixe-golfinho. É assim que ele se chama por aqui.

– Acho que vou querer o atum – disse ela, com uma piscadela. – Só por via das dúvidas.

– Acha que eu ia inventar uma coisa dessas?

– Não sei – respondeu ela em tom brincalhão. – Lembre-se de que só nos conhecemos ontem. Ainda não sei o suficiente sobre você para ter total certeza do que é capaz de fazer.

– Estou magoado – retrucou Garrett no mesmo tom.

Os dois riram e, depois de um momento, ela o surpreendeu ao estender a mão e tocar por um instante o braço dele. Garrett lembrou de repente que Catherine costumava fazer a mesma coisa para chamar sua atenção.

– Olhe ali – disse Theresa, indicando as janelas com um gesto de cabeça.

Garrett virou-se para ver. No cais, um homem de idade avançada carregava seu equipamento de pesca, uma figura totalmente corriqueira não fosse pelo enorme papagaio empoleirado no ombro.

Garrett balançou a cabeça e sorriu, ainda sentindo os resquícios do toque dela em seu braço.

– Temos todo tipo de gente aqui. Não chega a ser como a Califórnia, mas espere só alguns anos.

Theresa ficou observando o homem descer o cais.

– Você devia arranjar um daqueles para lhe fazer companhia quando estiver velejando.

– E acabar com a paz e o silêncio? Conhecendo a minha sorte, provavelmente o bicho não falaria. Ia ficar só cacarejando o tempo todo, arrancando um pedaço da minha orelha com o bico cada vez que o vento mudasse.

– Mas você ia ficar parecendo um pirata.

– Ia ficar parecendo um idiota.

– Ah, você não tem senso de humor – comentou Theresa com uma careta de brincadeira. Depois de uma breve pausa, ela olhou em volta. – Então, eles têm alguém para servir ou temos que pescar e preparar nosso peixe?

– Malditos ianques... – resmungou ele, balançando a cabeça.

Ela tornou a rir, perguntando-se se ele estaria se divertindo tanto quanto ela e sabendo, de algum modo, que sim.

Instantes depois, a garçonete apareceu e anotou os pedidos. Tanto Theresa quanto Garrett quiseram cerveja. Depois de algum tempo, a jovem retornou com duas garrafas.

– Sem copos? – perguntou Theresa, com uma sobrancelha erguida, depois que a garçonete se afastou.

– É. Este lugar tem muita classe.

– Estou entendendo por que você gosta tanto daqui.

– Está insinuando que não tenho bom gosto?

– Só se o assunto deixar você inseguro.

– Agora você está parecendo uma psiquiatra.

– Não sou psiquiatra, mas sou mãe, e isso me torna uma especialista em natureza humana.

– Ah, é mesmo?

– É o que eu digo ao Kevin.

Garrett bebeu um gole da cerveja.

– Falou com ele hoje?

Ela assentiu e também bebeu um gole.

– Só rapidinho. Ele estava indo para a Disneylândia quando liguei. Eles queriam chegar bem cedo, então não deu para conversar muito. Kevin queria ser um dos primeiros da fila para o Indiana Jones.

– Ele está se divertindo com o pai?

– Está adorando. David sempre teve jeito com ele, e acho que tenta compensar o fato de não vê-lo com frequência. Sempre que Kevin vai para lá, sabe que será divertido e interessante.

Garrett encarou-a com curiosidade.

– Você fala como se não tivesse muita certeza disso.

Ela hesitou antes de responder:

– Bem, eu só espero que ele não tenha uma decepção mais tarde. David e a nova esposa estão com um bebê e, assim que o menino estiver maior, acho que vai ser muito mais difícil para David e Kevin saírem juntos.

– É impossível proteger os filhos das decepções da vida – comentou Garrett, inclinando-se para a frente enquanto falava.

– Sei disso, sei mesmo. É só que...

Ela parou, e Garrett gentilmente terminou a frase para ela:

– Ele é seu filho e você não quer vê-lo magoado.

– Isso mesmo.

No lado externo da garrafa tinham se acumulado gotas de condensação, e Theresa começou a arrancar o rótulo. Mais uma vez, era algo que Catherine costumava fazer. Garrett bebeu outro gole da cerveja e forçou a mente a voltar para a conversa.

– Não sei o que dizer, a não ser que tenho certeza de que, se Kevin for parecido com você, vai se sair bem.

– Como assim?

Ele deu de ombros.

– A vida não é fácil para ninguém, inclusive para você, que também já passou por épocas difíceis. Acho que, vendo a mãe vencer as adversidades, ele vai aprender a fazer a mesma coisa.

– Agora é você que está parecendo um psiquiatra.

– Só estou lhe dizendo o que aprendi. Eu tinha mais ou menos a idade do Kevin quando minha mãe morreu de câncer. O exemplo do meu pai me ensinou que eu tinha que seguir com a vida, não importava o que acontecesse.

– Seu pai se casou de novo?

– Não – retrucou Garrett, balançando a cabeça. – Acho que houve ocasiões em que ele gostaria de ter se casado, mas isso nunca aconteceu.

Então é isso, ela pensou. *Tal pai, tal filho.*

– Ele ainda mora aqui?

– Mora. Nós estamos sempre juntos. Tentamos nos ver pelo menos uma vez por semana. Ele gosta de me manter na linha.

Ela sorriu.

– A maioria dos pais é assim.

Os pratos chegaram minutos depois, e eles continuaram a conversar enquanto comiam. Dessa vez Garrett falou mais do que Theresa, contando-lhe como era crescer no sul e por que ele nunca sairia dali, mesmo se tivesse chance. Falou também sobre algumas aventuras que vivera enquanto velejava ou mergulhava. Ela escutava, fascinada. Comparadas aos casos que os homens de Boston contavam – e que em geral tinham a ver com sucesso nos negócios –, as histórias dele eram algo inédito. Garrett falou sobre os milhares de criaturas marinhas que vira em seus mergulhos e descreveu a experiência de velejar durante uma tempestade inesperada que quase virara o barco. Contou que certa vez chegou até a ser perseguido por um tubarão-martelo e foi forçado a se abrigar no navio naufragado que estava explorando.

– Quase fiquei sem ar antes de poder subir – concluiu, balançando a cabeça.

Enquanto ele falava, Theresa ouvia com atenção, feliz por Garrett estar mais extrovertido do que na noite anterior. Ainda notava nele as características da véspera: o rosto magro, os olhos azul-claros e a maneira relaxada de se mover. No entanto, agora ele se expressava de forma mais enérgica, e ela achou essa mudança muito atraente. Ele não parecia mais pesar tudo o que dizia.

Terminaram o almoço – ele tinha razão, a comida era deliciosa – e beberam uma segunda cerveja cada um, enquanto os ventiladores de teto giravam acima deles. Com o sol cada vez mais alto, o restaurante foi ficando quente, porém não menos apinhado. Depois que a conta chegou, Garrett colocou algumas notas na mesa e fez um gesto em direção à porta.

– Está pronta para ir?

– Quando quiser. E obrigada pelo almoço. Estava ótimo.

Enquanto saíam do restaurante, ela imaginava que Garrett iria querer voltar imediatamente para a loja, mas ele a surpreendeu sugerindo algo diferente:

– Que tal um passeio pela praia? Costuma ser um pouco mais fresco à beira-mar.

Quando Theresa aceitou, Garrett a conduziu para a lateral do cais e os dois começaram a descer as escadas lado a lado. Os degraus eram meio empenados e cobertos por uma fina camada de areia, o que os obrigava a segurar no corrimão enquanto desciam. Ao chegarem à praia, tomaram a direção do mar, caminhando sob o píer. A sombra era refrescante no calor do meio do dia, e quando colocaram os pés na areia batida à beira d'água, ambos pararam um instante para tirar os sapatos. À volta deles, famílias inteiras apinhavam-se nas toalhas estendidas ou brincavam no mar.

Puseram-se a caminhar em silêncio, lado a lado, enquanto Theresa olhava ao redor, apreciando a paisagem.

– Já foi a muitas praias desde que está aqui? – perguntou Garrett.

Theresa fez um gesto negativo com a cabeça.

– Não. Só cheguei anteontem. Esta é a primeira praia daqui que conheço.

– Está gostando?

– É linda.

– É parecida com as praias lá do norte?

– Com algumas, mas a água aqui é bem mais quente. Você nunca foi à Costa Norte?

– Nunca saí da Carolina do Norte.

Ela sorriu.

– Um verdadeiro viajante internacional, hein? – brincou.

Ele riu baixinho.

– É, mas acho que não estou perdendo muita coisa. Gosto daqui, e não consigo imaginar um local mais bonito. Não existe outro lugar onde eu preferisse estar. – Depois de mais alguns passos, ele olhou-a de relance e mudou de assunto: – Então, quanto tempo vai ficar em Wilmington?

– Até domingo. Tenho que voltar ao trabalho na segunda.

Mais cinco dias, ele pensou.

– Conhece mais alguém na cidade?

– Não. Vim sozinha.

– Por quê?

– Porque queria conhecer. Ouvi vários elogios, e quis ver com meus próprios olhos.

Ele considerou a resposta dela por um instante.

– Você costuma viajar de férias sozinha?

– Na verdade, é a primeira vez.

Uma mulher fazendo cooper apareceu e aproximou-se rapidamente deles, com um labrador preto ao lado. O cão parecia exausto por causa do calor, com a língua pendurada para fora. Alheia ao estado do animal, a mulher continuou correndo e por fim se desviou de Theresa. Garrett quase disse alguma coisa a ela quando passou por eles, mas achou que não era da sua conta.

Alguns minutos depois, ele tornou a falar:

– Posso lhe fazer uma pergunta pessoal?

– Depende da pergunta.

Garrett parou de caminhar e se abaixou para pegar algumas conchas que tinham atraído a sua atenção. Virou-as nas mãos algumas vezes e estendeu-as a ela.

– Você está saindo com alguém especial em Boston?

Enquanto pegava as conchas, Theresa respondeu:

– Não.

As ondas lambiam os pés dos dois, parados na água rasa. Embora Garrett esperasse essa resposta, não conseguia entender por que alguém como ela estava sozinha.

– Por que não? Uma mulher como você deve ter muitos homens para escolher.

Ela sorriu e ambos recomeçaram a andar devagar.

– Obrigada, é muito gentil da sua parte. Mas não é fácil, especialmente para quem tem um filho. Há muitas coisas em que tenho que pensar quando conheço alguém. – Fez uma pausa. – Mas e você? Está namorando alguém?

Ele balançou a cabeça.

– Não.

– Então é a minha vez de perguntar: por que não?

Garrett deu de ombros.

– Acho que não conheci alguém que eu quisesse namorar.

– Só isso?

Era o momento da verdade, e ele percebeu isso. Tudo o que tinha a fazer era confirmar o que já dissera e ponto final. Mas ficou em silêncio por alguns metros.

A multidão na praia ia diminuindo à medida que eles se afastavam do píer e só se ouvia o som das ondas se quebrando. Garrett viu um grupo de andorinhas-do-mar perto da linha da água, já se afastando do caminho dos dois. O sol, que agora batia quase diretamente acima deles, refletia-se na areia, obrigando-os a estreitar os olhos por causa da claridade. Garrett não olhou para ela enquanto falava, e Theresa aproximou-se dele para ouvi-lo acima do ruído das ondas.

– Mas não é só isso. Isso é mais uma desculpa que qualquer outra coisa. Para ser franco, nem cheguei a tentar encontrar alguém.

Theresa observou-o com atenção enquanto ele falava. Garrett olhava direto para a frente, como se organizasse os pensamentos, mas ela sentiu sua relutância.

– Há uma coisa que não lhe contei ontem.

Ela sentiu um aperto no peito, porque sabia exatamente o que estava por vir.

– Ah, é? – comentou Theresa mantendo a expressão neutra.

– Também já fui casado – contou Garrett por fim. – Durante seis anos. – Virou-se para ela com uma expressão que a fez se retrair. – Mas ela faleceu.

– Sinto muito – retrucou Theresa baixinho.

Mais uma vez ele estacou e recolheu algumas conchas, porém dessa vez não as entregou a ela: depois de examiná-las distraidamente, jogou uma delas no mar. Theresa observou a concha desaparecer no oceano.

– Aconteceu há três anos. Desde então não me interessei em namorar, nem sequer em procurar uma namorada.

Garrett ficou em silêncio, pouco à vontade.

– Você deve se sentir solitário, às vezes.

– Sim, mas tento não pensar muito sobre isso. Me mantenho ocupado com a loja, há sempre alguma coisa para fazer lá, e isso ajuda a passar o tempo. Antes que eu perceba, é hora de ir para a cama, e no dia seguinte começo tudo outra vez.

Quando terminou de falar, Garrett olhou para ela de relance, com um sorriso fraco. Pronto, tinha contado. Durante anos tivera vontade de conversar sobre isso com outra pessoa além do pai, e acabara contando a uma mulher de Boston que mal conhecia – uma mulher que, de algum modo, conseguira abrir portas que ele próprio tinha trancado.

Ela ficou em silêncio. Como ele também não disse nada, Theresa por fim perguntou:

– Como era ela?

– Catherine? – Garrett sentiu a garganta ficar seca. – Quer mesmo saber?

– Quero – afirmou ela com delicadeza.

Ele jogou outra concha no mar, colocando os pensamentos em ordem. Como conseguiria descrevê-la com palavras? No entanto, parte dele queria tentar – queria que Theresa, entre todas as pessoas, compreendesse. Sem poder evitar, mais uma vez Garrett foi atraído para o passado.

– Oi, querido – cumprimentou Catherine, erguendo os olhos do jardim. – Não esperava você tão cedo em casa.

– As coisas estão muito devagar na loja hoje, então pensei em vir almoçar em casa e ver como você está.

– Estou bem melhor.

– Acha que foi a gripe?

– Não sei. Provavelmente alguma coisa que comi. Mais ou menos uma hora depois que você saiu eu estava me sentindo bem e resolvi trabalhar um pouco no jardim.

– É, estou vendo.

– Que tal minhas flores? – perguntou ela, apontando para um canteiro cuja terra tinha sido revolvida.

Garrett examinou os amores-perfeitos recém-plantados que bordejavam a varanda e sorriu.

– São lindas, mas não acha que devia ter deixado um pouco de terra no canteiro?

Ela enxugou a testa com as costas da mão e o fitou, estreitando os olhos à forte luz do sol.

– Estou tão suja assim?

Seus joelhos estavam pretos por ter se ajoelhado na terra e o rosto tinha uma mancha escura. Os cabelos escapavam do rabo de cavalo, e a pele estava vermelha e suada pelo esforço.

– Você está linda.

Catherine tirou as luvas e jogou-as na varanda.

– Não estou não, Garrett, mas obrigada. Venha, vou preparar seu almoço. Sei que você tem que voltar para a loja.

Ele suspirou e finalmente virou a cabeça para Theresa. Ela o encarou e esperou. Ele falou baixinho:

– Ela era tudo o que eu sempre quis. Linda, encantadora, com um senso de humor inteligente, e me apoiava em tudo o que eu fazia. Nos conhecíamos desde sempre: estudamos na mesma escola, nos casamos um ano depois de me formar na faculdade. Ficamos casados por seis anos, até o acidente, e foi a melhor época da minha vida. Quando ela foi levada... – Ele fez uma pausa, como se as palavras lhe fugissem. – Não sei se algum dia vou me acostumar a ficar sem ela.

O modo como ele falou de Catherine fez Theresa lamentar por ele mais do que esperara. Não era apenas a voz, mas a expressão dele quando a descrevia – como se estivesse dividido entre a beleza e a dor das próprias lembranças. Embora as cartas fossem comoventes, não a tinham preparado para aquilo. *Eu não devia ter tocado no assunto*, pensou ela. *Eu sempre soube o que ele sente por ela. Não havia motivo para obrigá-lo a falar sobre isso.*

Havia, sim, disse outra voz dentro da sua mente. *Você tinha que ver a reação dele com os próprios olhos. Precisava descobrir se ele estava pronto para deixar o passado para trás.*

Depois de alguns instantes, Garrett jogou distraidamente o restante das conchas no mar.

– Desculpe – disse ele.

– Pelo quê?

– Eu não devia ter lhe falado dela. Ou falado tanto de mim.

– Não tem importância, Garrett. Eu queria saber. Eu mesma perguntei, lembra?

– Eu não pretendia falar como falei – continuou ele, como se tivesse feito algo errado.

A reação de Theresa foi quase instintiva: aproximou-se dele, estendeu a mão, pegou a dele e apertou-a de leve. Quando o encarou, viu surpresa em seus olhos, embora ele não tivesse tentado retirar a mão.

– Você perdeu a esposa, e isso é algo que a maioria das pessoas da nossa idade não sabe o que é.

Ele baixou os olhos, enquanto ela procurava as palavras certas.

– Seus sentimentos dizem muito sobre você – continuou ela. – Você é o tipo de pessoa que ama para sempre... Não há do que se envergonhar.

– Eu sei. É que já se passaram três anos...

– Algum dia você vai encontrar alguém especial. Isso costuma acontecer com as pessoas que já amaram. Faz parte da natureza delas.

Theresa tornou a apertar a mão dele, e Garrett sentiu que aquele toque o aquecia. Por algum motivo, não queria que aquela sensação terminasse.

– Espero que tenha razão – disse, por fim.

– Eu tenho. Conheço essas coisas. Sou mãe, esqueceu?

Ele riu baixinho, tentando liberar a tensão.

– Não esqueci, não. E deve ser uma ótima mãe.

Deram meia-volta e começaram a se dirigir outra vez para o píer, conversando tranquilamente sobre os últimos três anos, ainda de mãos dadas. Quando chegaram ao furgão dele, e durante o caminho de volta à loja, Garrett estava mais confuso que nunca. Os acontecimentos dos dois últimos dias tinham sido totalmente inesperados. Theresa já não era uma desconhecida, tampouco era apenas uma amiga. Não havia dúvida de que se sentia atraído por ela. Por outro lado, ela iria embora dentro de poucos dias, e ele sabia que provavelmente era melhor assim.

– Em que está pensando? – quis saber ela.

Garrett passou a marcha enquanto atravessavam a ponte em direção a Wilmington e à Island Diving. *Vá em frente*, disse a si mesmo. *Conte a ela o que está passando pela sua cabeça.*

– Eu estava pensando que se você não tiver planos para hoje à noite eu gostaria que viesse jantar na minha casa – disse ele finalmente, surpreendendo a si próprio.

– Eu estava esperando que você me convidasse – retrucou Theresa, sorrindo.

Quando entrou à esquerda na rua que levava à loja, ele ainda estava surpreso por tê-la convidado.

– Pode chegar por volta das oito? Tenho algumas coisas para fazer na loja e acho que só vou conseguir terminar mais tarde.

– Tudo bem. Onde você mora?

– Em Carolina Beach. Quando chegarmos à loja, eu lhe ensino o caminho.

Entraram no estacionamento e Theresa seguiu Garrett até o escritório. Ele anotou as instruções num pedaço de papel e, tentando não mostrar a confusão que sentia, disse:

– Você não vai ter dificuldade em encontrar. É só procurar o meu furgão na frente da casa. Mas, caso tenha algum problema, meu telefone está aí.

Depois que ela saiu, Garrett ficou pensando sobre o jantar. Sentado em seu escritório, duas perguntas que não conseguia responder o atormentavam. A primeira: por que estava tão atraído por Theresa? E a segunda: por que de repente sentia estar traindo Catherine?

8

Theresa passou o restante da tarde explorando a cidade, enquanto Garrett trabalhava na loja. Como não conhecia Wilmington muito bem, pediu informações sobre como chegar ao centro histórico e ficou algumas horas visitando as lojas. A maioria se voltava para o público de fora, e ela encontrou algumas coisas que agradariam a Kevin, embora nada de que ela própria gostasse. Depois de comprar alguns shorts que ele poderia usar quando voltasse da Califórnia, Theresa voltou ao hotel para tirar um cochilo. Os últimos dias tinham sido cansativos, e ela logo adormeceu.

Garrett, por sua vez, não tinha um minuto de sossego. Uma carga de equipamentos novos chegou assim que ele voltou e, depois de embalar as mercadorias de que não precisaria, ele ligou para a empresa a fim de combinar a devolução delas. Mais para o final da tarde, ficou sabendo que três das pessoas que tinham se matriculado para ter aulas de mergulho naquele fim de semana estariam fora da cidade e precisavam cancelar. Ao verificar a lista de espera, constatou que não havia alunos substitutos.

Às seis e meia estava cansado, e suspirou de alívio quando enfim fechou a loja. Quando saiu de lá, foi direto ao mercado e comprou as coisas de que ia precisar para o jantar. Assim que chegou em casa, tomou banho e vestiu uma calça jeans limpa e uma camisa leve de algodão, depois foi pegar uma cerveja na geladeira. Após abri-la, saiu para a varanda nos fundos da casa e sentou-se numa das cadeiras de ferro fundido. Consultou o relógio e percebeu que Theresa logo estaria lá.

Garrett ainda estava sentado nos fundos da casa quando ouviu o som de um carro subindo o quarteirão em baixa velocidade. Saiu da varanda e percorreu a lateral da casa, observando até ver Theresa estacionar na rua, logo atrás do furgão dele.

Ela saltou usando jeans e a mesma blusa de antes, aquela que fazia maravilhas ao seu corpo. Parecia relaxada ao ir a seu encontro, e, quando deu um sorriso caloroso, ele percebeu que a atração por ela tinha crescido depois que os dois almoçaram juntos. Isso o deixou um pouco inquieto, por um motivo que não quis admitir.

Seguiu na direção dela do modo mais casual possível e os dois se cruzaram no meio do caminho. Ela levava uma garrafa de vinho branco. Quando Garrett se aproximou, sentiu o perfume de Theresa, que ela não estava usando antes.

– Trouxe vinho – disse ela, entregando a garrafa a ele. – Achei que ia cair bem com o jantar. – Então, depois de uma pausa curta: – Como foi a sua tarde?

– Bastante agitada. Tivemos fregueses até a hora de fechar, e precisei cuidar de um monte de coisas burocráticas. Aliás, cheguei em casa quase agora. – Dirigiu-se para a porta da frente, com Theresa a seu lado. – E você, o que fez durante o resto do dia?

– Tirei uma soneca – respondeu, implicando com ele, e Garrett riu.

– Esqueci de perguntar antes, mas você quer algo especial para o jantar?

– O que está planejando fazer?

– Tinha pensado em colocar uns bifes na grelha, mas depois fiquei imaginando se você comeria esse tipo de coisa.

– Sério? Esqueceu que fui criada em Nebraska? Adoro um bom bife.

– Então terá uma surpresa agradável.

– Como assim?

– Eu faço os melhores bifes do mundo.

– Ah, é mesmo?

– Você vai ter a prova – afirmou ele.

Ela deu uma risada melodiosa.

Enquanto se aproximavam da porta, Theresa olhou para a casa pela primeira vez. Era relativamente pequena – retangular, com um só andar – e forrada de madeira cuja pintura estava descascando em vários pontos. Ao contrário das construções em Wrightsville Beach, a dele tinha sido erguida direto na areia. Quando ela perguntou por que a casa não se sustentava sobre pilotis, como as outras, Garrett explicou que ela fora construída antes do código de construção em áreas de ciclones.

– Agora as casas têm que ser elevadas para que durante um maremoto a água possa passar sob a estrutura. No próximo furacão dos grandes, pode ser que esta velha casa seja arrastada para o mar, mas até agora tive sorte.

– Não fica preocupado com isso?

– Na verdade, não. Não é uma casa muito boa, e foi só por isso que consegui comprá-la. Acho que o antigo dono enfim se cansou de tanta tensão cada vez que uma tempestade vinha do Atlântico.

Chegaram aos degraus rachados que levavam à porta e entraram. A primeira coisa que Theresa percebeu foi a vista da sala: as janelas iam do chão ao teto e ocupavam toda a parede dos fundos da casa, dando para a varanda e a praia.

– Que vista incrível! – exclamou, surpresa.

– Não é? Já faz alguns anos que moro aqui, mas ainda não me cansei de admirar.

De um dos lados havia uma lareira cercada por várias fotos subaquáticas. Ela foi até lá.

– Se importa se eu der uma olhada por aí?

– Não, fique à vontade. De qualquer maneira, tenho que preparar a churrasqueira. Ela precisa de uma boa limpeza.

Então ele saiu pela porta corrediça de vidro.

Depois que Garrett se foi, Theresa contemplou as imagens durante algum tempo, em seguida foi dar uma olhada no restante da casa. Como muitas casas de praia que ela conhecia, não havia lugar para mais de uma ou duas pessoas morarem. A construção só contava com um quarto, cuja porta ficava fora da sala de estar. Como a sala, o quarto tinha também janelas do teto ao chão com vista para a praia. A parte da frente da casa, que era mais próxima à rua, continha uma cozinha, uma pequena copa e o banheiro. Embora estivesse tudo conservado, a casa parecia não ter passado por uma reforma havia anos.

Theresa voltou à sala, parou junto ao quarto e olhou para dentro. Mais uma vez viu fotos subaquáticas decorando as paredes. Além disso, havia um grande mapa da costa da Carolina do Norte pendurado logo acima da cama, documentando a localização de quase quinhentos navios naufragados. Em cima da mesa de cabeceira, Theresa viu o retrato emoldurado de uma mulher. Certificando-se de que Garrett ainda estava lá fora limpando a churrasqueira, ela entrou no aposento para ver melhor.

Catherine devia ter 20 e poucos anos quando a foto foi tirada. Como as imagens nas paredes, aquela parecia ter sido batida pelo próprio Garrett, e ela se perguntou se fora emoldurada antes ou depois do acidente. Pegou a fotografia e percebeu que Catherine era bonita – um pouco mais magra que ela – e tinha cabelos louros na altura dos ombros. Embora o retrato devesse ser uma ampliação, ela conseguiu ver com clareza os olhos de Catherine: eram verde-escuros, quase como os de um gato, dando-lhe um ar exótico, e ela quase parecia devolver o olhar de Theresa. Ela recolocou a foto no lugar com cuidado, tomando o cuidado de deixá-la exatamente na mesma posição de antes. Ao se virar, continuou sentindo que Catherine observava todos os seus movimentos.

Ignorando a sensação, olhou para o espelho preso à cômoda. Para surpresa dela, só havia mais uma foto que incluía Catherine. Era um retrato do casal sorrindo, parado no convés do *Happenstance*. Como o barco aparentava já ter sido restaurado, ela calculou que o retrato devia ter sido tirado poucos meses antes da morte de Catherine.

Consciente de que Garrett podia entrar em casa a qualquer momento, Theresa saiu do quarto, sentindo-se um pouco culpada por ter bisbilhotado. Foi até a porta corrediça de vidro que unia a sala à varanda e abriu-a. Garrett estava limpando a grelha da churrasqueira e sorriu para ela quando a ouviu sair. Theresa foi até a beira da varanda, onde ele estava trabalhando, e inclinou-se contra o parapeito.

– Foi você quem tirou todas as fotos penduradas nas paredes? – quis saber.

Ele usou as costas da mão para afastar o cabelo do rosto.

– Fui eu. Durante algum tempo levei minha câmera em todos os mergulhos. Pendurei a maioria das fotos na loja, mas tinha tantas que pensei em colocar algumas aqui também.

– Parecem profissionais.

– Obrigado. Mas acho que a qualidade delas tem mais a ver com a quantidade que tirei. Você devia ter visto todas as que não ficaram boas.

Enquanto falava, Garrett ergueu a grelha. Embora ela estivesse queimada em alguns lugares, parecia pronta, e ele colocou-a de lado. Pegou um saco de carvão e derramou parte do conteúdo na churrasqueira, que parecia ter uns 30 anos de idade, espalhando-os com a mão. Depois encharcou os pedaços de carvão com fluido de isqueiro.

– Sabia que já inventaram as churrasqueiras a gás? – falou Theresa, no mesmo tom brincalhão de antes.

– Sabia, mas prefiro fazer como quando éramos crianças. Além disso, fica mais gostoso assim. Fazer churrasco a gás é a mesma coisa que cozinhar no fogão da cozinha.

Ela sorriu e disse:

– E pensar que você me prometeu o melhor bife que já comi...

– E vai ser. Confie em mim.

Quando terminou de despejar o fluido de isqueiro, colocou a embalagem ao lado do saco de carvão.

– Vou deixar o fluido penetrar por alguns minutos. Quer beber alguma coisa?

– O que você tem? – perguntou Theresa.

Garrett pigarreou.

– Cerveja, refrigerante e o vinho que você trouxe.

– Uma cerveja está ótimo.

Garrett pegou o carvão e o fluido e colocou-os dentro de um velho baú de marinheiro perto da casa. Depois de limpar a areia das solas dos sapatos, ele entrou e deixou a porta aberta.

Enquanto ele estava lá dentro, Theresa virou-se e deu uma olhada nos dois lados da praia. Agora que o sol estava se pondo, a maioria das pessoas tinha ido embora, e as poucas que ficaram praticavam cooper ou caminhavam. Embora a praia não estivesse cheia, várias pessoas passaram na frente da varanda no pequeno espaço de tempo em que Garrett ficou ausente.

– Você nunca se cansa de toda essa gente? – perguntou ela quando ele voltou.

Ele entregou-lhe a cerveja.

– Na verdade, não. De qualquer maneira, não passo muito tempo aqui. Em geral, quando chego em casa a praia está deserta. E no inverno ninguém vem para cá.

Apenas por um instante ela o imaginou sentado na varanda, contemplando o mar, solitário como sempre. Garrett enfiou a mão no bolso e pegou uma caixa de fósforos. Acendeu a churrasqueira e recuou um passo quando as chamas subiram. A brisa fez o fogo dançar em círculos.

– Agora que está tudo em ordem, vou começar a preparar o jantar.

– Posso ajudar em alguma coisa?

– Não há muito a fazer. Mas se você tiver sorte, talvez eu a deixe ver minha receita secreta.

Ela inclinou a cabeça para o lado e encarou-o com um olhar desconfiado.

– Sabe, você está me fazendo criar uma expectativa muito alta em relação a esses seus bifes.

– Eu sei. Mas tenho fé.

Ele deu-lhe uma piscadela e ela riu, antes de segui-lo até a cozinha. Garrett abriu um dos armários e tirou algumas batatas. Parado diante da pia, lavou primeiro as mãos e em seguida os tubérculos. Depois de acender o forno, enrolou-as em papel-alumínio e colocou-as lá dentro.

– O que posso fazer?

– Como eu disse, não há muita coisa. Acho que está tudo sob controle. Comprei uma daquelas saladas prontas, e não temos mais nada no menu para hoje.

Theresa ficou de lado enquanto ele colocava a última batata no forno e tirava a salada da geladeira. Enquanto arrumava as folhas numa tigela, ele olhou-a de soslaio. O que havia nela que o fazia de repente querer estar o mais perto possível? Pensando nisso, Garrett abriu a geladeira e tirou os bifes que comprara no mercado especialmente para aquela noite. Abriu o armário ao lado do refrigerador e pegou o restante dos utensílios de que precisava. Depois de reuni-los, colocou tudo perto de Theresa.

Ela lançou-lhe um sorriso de desafio.

– Então, o que há de tão especial nesses bifes?

Ordenando os pensamentos, ele colocou um pouco de conhaque numa tigela rasa.

– Algumas coisas. Primeiro, eles precisam ser grossos, como estes. Os açougues não costumam ter bifes tão grossos, então você tem que pedir especificamente. Depois é só temperá-los com um pouco de sal, pimenta-do-reino e alho em pó e deixá-los marinando no conhaque enquanto o carvão vai ficando branco.

Ele ia trabalhando enquanto falava, e pela primeira vez desde que se conheceram Garrett aparentou a idade que tinha – pelo que dissera, era uns quatro anos mais novo que ela.

– É este seu segredo?

– Isto é só o começo – prometeu ele, dando-se conta mais uma vez da beleza dela. – O resto tem a ver com a *maneira* de grelhar a carne, não com os temperos.

– Você parece ser um grande cozinheiro.

– Na verdade, não. Sou bom em algumas coisas, mas hoje em dia não tenho o hábito de fazer comida. Quando chego em casa, em geral quero algo que não exija muito esforço.

– Também sou assim. Se não fosse pelo Kevin, acho que nem cozinharia mais.

Ao terminar de preparar os bifes, ele foi novamente até a gaveta e voltou para perto dela com uma faca na mão. Pegou alguns tomates que estavam sobre o balcão e pôs-se a picá-los.

– Parece que você tem um ótimo relacionamento com o seu filho.

– Tenho mesmo. Só espero que continue assim. Ele é pré-adolescente, e tenho medo de que ficando mais velho vá passar menos tempo comigo.

– Você não deveria ficar preocupada com isso. Pelo modo como fala dele, acho que os dois serão sempre unidos.

– Torço para isso. Neste momento, ele é tudo o que tenho. Não sei o que faria se ele começasse a me excluir da sua vida. Tenho alguns amigos com filhos um pouco mais velhos que ele, e eles me dizem que é inevitável.

– Com certeza ele vai mudar um pouco. Todos mudam, mas isso não significa que não vá mais conversar com você.

Ela lançou-lhe um olhar rápido.

– Está falando por experiência própria ou está só me dizendo o que quero ouvir?

Garrett deu de ombros, notando mais uma vez o perfume dela.

– Estou só me lembrando do que passei com o meu pai. Sempre fomos unidos quando eu era criança, e isso não mudou quando entrei para o ensino médio. Comecei a fazer coisas diferentes e a sair mais com os meus amigos, mas continuávamos conversando muito.

– Espero que aconteça o mesmo comigo – disse ela.

Com os preparativos em andamento, um silêncio tranquilo se abateu sobre eles. O simples ato de cortar tomates com Theresa ao seu lado tinha diminuído parte da ansiedade que Garrett sentia até então. Ela era a primeira mulher que ele convidava para ir àquela casa, e ele percebeu que havia algo reconfortante no fato de tê-la ali.

Quando terminou, Garrett colocou os tomates na tigela de salada e enxugou as mãos numa toalha de papel. Depois inclinou-se para pegar sua segunda cerveja.

– Quer outra?

Ela bebeu o resto da sua, surpresa por tê-la terminado tão depressa. Assentiu, colocando a garrafa vazia sobre o balcão. Garrett tirou a tampa e estendeu a bebida para ela, abrindo em seguida outra para si próprio. Theresa estava apoiada no balcão e, quando ela pegou a garrafa, algo nela pareceu familiar a Garrett: o sorriso permanente em seus lábios, talvez, ou o modo como ela o observava erguer sua própria garrafa até a boca. Mais uma vez, recordou a preguiçosa tarde de verão passada com Catherine quando ele a surpreendera indo almoçar em casa – um dia que em retrospecto parecia tão cheio de presságios... Mas como ele poderia ter previsto que tudo aquilo aconteceria? Os dois tinham ficado na cozinha exatamente como ele e Theresa estavam agora.

– Imagino que você já tenha almoçado – disse ele a Catherine, que estava parada na frente da geladeira aberta.

Ela olhou-o de relance.

– Não estou com muita fome – declarou. – Mas estou com sede. Quer um pouco de chá gelado?

– Sim, chá parece ótimo. Sabe se o carteiro já passou?

Catherine assentiu enquanto tirava a jarra de chá da prateleira superior.

– Está tudo em cima da mesa – informou.

Ela abriu o armário e pegou dois copos. Depois de colocar o primeiro sobre o balcão, ela estava servindo o segundo quando este escorregou de sua mão.

– Você está bem? – perguntou Garrett, preocupado, deixando as cartas caírem no chão.

Catherine passou as mãos pelos cabelos, envergonhada, depois se abaixou para recolher os cacos de vidro.

– Fiquei um pouco tonta por um segundo – explicou. – Já vou melhorar.

Garrett foi até ela e começou a ajudar na limpeza.

– Está se sentindo mal de novo?

– Não, mas talvez tenha passado tempo demais lá fora.

Ele ficou em silêncio por um instante, recolhendo os cacos.

– Tem certeza de que devo voltar para o trabalho? Esta semana tem sido bem difícil para você.

– Estou bem. Além disso, sei que você tem muita coisa para fazer por lá.

Embora ela tivesse razão, quando Garrett enfim voltou para o trabalho teve a sensação de que talvez não devesse ter lhe dado ouvidos.

Ele engoliu em seco, subitamente cônscio da imobilidade na cozinha.

– Vou ver como estão as brasas – falou, precisando fazer algo, qualquer coisa. – Espero que já estejam no ponto.

– Posso arrumar a mesa enquanto isso?

– Claro. Vai encontrar quase tudo bem aqui.

Depois de lhe mostrar onde estavam as coisas de que ela ia precisar, Garrett foi para a varanda, forçando-se a relaxar e a expulsar da mente aquelas lembranças fantasmagóricas. Quando chegou à churrasqueira, concentrou-se na tarefa de verificar os carvões. Estavam quase no ponto, mas ainda faltavam alguns minutos para isso. Foi mais uma vez até o baú de marinheiro, de onde retirou um fole pequeno. Colocou-o no parapeito da varanda e inspirou profundamente. A maresia era fresca, quase inebriante, e pela primeira vez ele percebeu que, apesar da visão de Catherine poucos minutos antes, ainda apreciava o fato de Theresa estar ali. Na verdade, sentia-se feliz – uma sensação que não experimentava havia muito tempo.

Não era só o fato de se darem bem, mas também as pequenas coisas que Theresa fazia. O modo como ela sorria, como olhava para ele, até mesmo como segurara sua mão naquela tarde – tudo isso começava a lhe dar a sensação de que ele a conhecia havia mais tempo do que na realidade. Garrett se perguntou se isso acontecia porque ela era parecida com Catherine em tantos aspectos ou porque seu pai tinha razão quando dizia que ele precisava passar algum tempo com outra pessoa.

Enquanto ele estava na varanda, Theresa arrumou a mesa. Colocou uma taça para vinho junto a cada prato e procurou talheres na gaveta. Ao lado dos utensílios havia duas velas e dois castiçais pequenos. Depois de se perguntar se aquilo seria demais, ela decidiu colocá-los na mesa – caberia a Garrett acendê-los ou não. Ele entrou quando ela estava terminando.

– Ainda temos alguns minutos. Quer sentar um pouco lá fora enquanto esperamos?

Theresa pegou sua cerveja e seguiu-o. Como na noite anterior, soprava uma brisa suave. Ela se acomodou numa das cadeiras e Garrett se sentou a seu lado, com um dos tornozelos apoiado no joelho da outra perna. A camisa clara dele realçava sua pele bronzeada, e Theresa ficou observando-o enquanto ele contemplava o mar. Ela fechou os olhos por um momento, sentindo-se mais viva do que em muito tempo.

– Aposto que você não tem uma vista assim da sua casa em Boston – comentou Garrett, rompendo o silêncio.

– Tem razão, não tenho mesmo. Moro num apartamento. Meus pais acham que sou louca por morar no centro. Acham que eu deveria ir viver no subúrbio.

– E por que não vai?

– Eu morava lá antes do divórcio. Agora é mais fácil assim. Posso chegar ao trabalho em poucos minutos, a escola de Kevin fica no mesmo quarteirão e nunca preciso pegar a estrada, a não ser para sair da cidade. Além disso, queria algo diferente depois que meu casamento acabou. Não conseguia suportar os olhares dos vizinhos depois que souberam que David tinha ido embora.

– Como assim?

Ela deu de ombros e respondeu com a voz mais baixa:

– Nunca lhes contei por que David e eu nos separamos. Achei que não era da conta deles.

– E não era mesmo.

Ela silenciou por um instante, recordando.

– Sei disso, mas na cabeça deles David era um ótimo marido. Era bonitão e bem-sucedido, e eles não queriam acreditar que ele faria alguma coisa errada. Mesmo quando estávamos juntos, David agia como se fosse tudo perfeito. Eu não tinha a menor ideia de que ele estava tendo um caso, até o final.

Ela o fitou com uma expressão de mágoa.

– Como dizem, a esposa é sempre a última a saber.

– Como foi que você descobriu?

Ela balançou a cabeça.

– Sei que parece clichê, mas descobri através da lavanderia. Quando fui buscar as roupas dele, o funcionário me entregou alguns recibos que tinham ficado no bolso do paletó. Um deles era de um hotel no centro. E eu sabia, pela data, que ele estava em casa naquela noite, de modo que devia ter sido à tarde. Ele negou quando o confrontei, mas pelo jeito que me olhou eu sabia que estava mentindo. Por fim, a história toda veio à tona e eu pedi o divórcio.

Garrett escutou em silêncio, esperando que ela terminasse, perguntando-se como Theresa tinha se apaixonado por alguém que podia fazer isso com ela. Como se lesse seus pensamentos, ela continuou:

– Sabe, David era um desses homens que conseguem fazer a gente acreditar em qualquer coisa que digam. Acho que até ele mesmo acreditava na maioria das coisas que me falava. Nós nos conhecemos na faculdade e eu fiquei impressionada com todas as qualidades dele. Era inteligente e simpático, e fiquei lisonjeada quando se interessou por mim. Lá estava eu, uma mocinha de Nebraska, e ele era diferente de qualquer pessoa que eu tivesse conhecido. Quando nos casamos, acreditei que teria uma vida de conto de fadas. Mas acho que isso nem passava pela cabeça dele. Mais tarde descobri que David teve a primeira amante cinco meses depois do casamento.

Ela fez uma pausa e Garrett olhou para a própria cerveja.

– Nem sei o que dizer – comentou.

– Não há nada que você possa dizer – respondeu ela, em tom definitivo. – Está acabado e, como eu falei ontem, a única coisa que quero dele agora é que seja um bom pai para Kevin.

– Você faz tudo parecer tão fácil...

– Não é isso. David me magoou bastante, e levei alguns anos e muitas sessões de terapia para chegar a este ponto. Aprendi muito com minha terapeuta, e ao mesmo tempo aprendi muito sobre mim mesma. Uma vez, quando estava tagarelando sobre David, chamando-o de idiota, ela comentou que, se eu continuasse agarrada à minha raiva, ele ainda estaria no controle da minha vida, e eu não estava disposta a aceitar isso, então resolvi me livrar desse sentimento.

Ela deu outro gole na cerveja e Garrett perguntou:

– Você se lembra de mais alguma coisa que a terapeuta tenha dito?

Ela pensou por um instante, depois sorriu de leve.

– Na verdade, sim. Ela falou que se algum dia eu conhecesse alguém que me lembrasse David, deveria virar as costas e correr para um lugar seguro.

– Eu lhe lembro David?

– Nem um pouco. Você é o oposto dele.

– Que bom – disse ele, fingindo seriedade. – Não existem muitos lugares seguros nesta parte do país... Você teria que correr muito...

Ela deu uma risadinha e Garrett olhou para a churrasqueira. Ao ver que os carvões estavam prontos, ele perguntou:

– Está pronta para começarmos o churrasco?

– Vai me contar o restante da sua receita secreta?

– Com todo o prazer – afirmou ele, enquanto se levantavam.

Na cozinha, Garrett retirou os dois bifes do conhaque. Abriu o refrigerador e pegou um saquinho plástico.

– O que é isso? – quis saber Theresa.

– É o sebo, a parte gorda do filé, que geralmente se joga fora. Pedi ao açougueiro para separar um pouco para mim quando comprei os bifes.

– Para que serve?

– Você vai ver.

Depois de voltar à churrasqueira levando os bifes e um pegador comprido especial para churrasco, ele colocou-os sobre o parapeito. Então, pegou o fole que colocara ali antes e começou a soprar as cinzas de cima dos carvões, explicando a Theresa o que estava fazendo.

– Parte do segredo de um bom churrasco é garantir que o carvão esteja bem quente. Usando o fole para soprar as cinzas, nada vai bloquear o calor.

Colocou a grelha de volta sobre a churrasqueira, deixou que ela se aquecesse por um minuto e então usou o pegador para colocar os bifes em cima dela.

– Como gosta do seu?

– Ao ponto para malpassado.

– Com bifes deste tamanho, vai levar onze minutos para cada lado.

Ela ergueu as sobrancelhas.

– Você é um churrasqueiro muito metódico, não é?

– Eu lhe prometi um ótimo bife, e pretendo cumprir a promessa.

Enquanto os bifes grelhavam, Garrett observava Theresa de esguelha. Havia algo de sensual no corpo dela à luz do sol poente. O céu estava ficando alaranjado, e a luz quente lhe conferia uma aparência especialmente bonita, deixando seus olhos castanhos ainda mais escuros. Os cabelos dançavam de forma tentadora à brisa vespertina.

– Está pensando em quê?

Ele ficou tenso ao ouvir a voz dela, dando-se conta de repente de que não dissera nada desde que colocara os bifes na grelha.

– Estava só pensando em como o seu ex-marido foi idiota – disse, voltando-se para ela.

Theresa sorriu e lhe deu um tapinha no ombro.

– Mas, se eu ainda fosse casada, não estaria aqui com você.

– E isso seria uma pena – completou ele, ainda sentindo o toque dela.

– Seria – concordou Theresa.

Os olhares de ambos se encontraram e se prenderam por um instante. Finalmente Garrett virou-se e estendeu a mão para o sebo. Pigarreou e depois disse:

– Acho que está na hora de usarmos isto.

Pegou os pequenos pedaços de sebo e colocou-os sobre o carvão, abaixo dos bifes. Então se inclinou e soprou até que eles pegassem fogo.

– O que está fazendo? – perguntou Theresa.

– As chamas do sebo vão selar os sucos da carne, deixando o bife macio. É por isso também que se usa um pegador em vez de um garfo.

Jogou mais alguns pedaços de sebo sobre o carvão e repetiu o processo. Olhando em volta, Theresa comentou:

– Aqui é tão tranquilo... Entendo por que você comprou esta casa.

Garrett terminou o que estava fazendo e bebeu outro gole de cerveja, para molhar a garganta.

– O mar tem alguma coisa que causa esse efeito nas pessoas. Acho que é por isso que tanta gente vem para cá para relaxar.

Ela virou-se para ele.

– Me diga, Garrett, em que você pensa quando está aqui fora sozinho?

– Em muitas coisas.

– Alguma em particular?

Penso em Catherine, ele teve vontade de dizer, mas desistiu.

Suspirou e respondeu:

– Na verdade, não. Às vezes penso no trabalho, às vezes nos lugares que pretendo explorar mergulhando. Outras vezes sonho em sair velejando e deixar tudo para trás.

Ela observava-o com toda a atenção enquanto ele dizia as últimas palavras.

– E você seria mesmo capaz de fazer isso? Sair velejando e nunca mais voltar? – indagou.

– Não tenho certeza, mas gosto de pensar que sim. Ao contrário de você, não tenho família, a não ser meu pai, e de certo modo acho que ele compreenderia. Nós dois somos muito parecidos, e imagino que, se não fosse por mim, ele teria partido há muito tempo.

– Mas isso seria a mesma coisa que fugir.

– Eu sei.

– Por que você iria querer fugir? – insistiu ela, sabendo, de alguma forma, a resposta.

Ele ficou calado, então Theresa se inclinou para perto dele e falou em tom carinhoso:

– Garrett, sei que não é da minha conta, mas você não pode fugir dos seus sentimentos. – Deu-lhe um sorriso tranquilizador. – Além do mais, você tem muito a oferecer a alguém.

Ele continuou em silêncio, pensando no que Theresa falara, perguntando-se como ela sabia exatamente o que dizer para fazer com que ele se sentisse melhor.

Nos minutos seguintes, os únicos sons em volta deles vinham de outros lugares. Garrett virou os bifes, que chiaram na grelha. A suave brisa noturna fazia tilintar um móbile distante. As ondas rolavam pela areia produzindo um ruído contínuo e tranquilizador.

Os pensamentos de Garrett vagavam pelos dois últimos dias. Ele se lembrou do momento em que a vira pela primeira vez, das horas que passaram no *Happenstance* e do passeio na praia, mais cedo, quando pela primeira vez ele lhe falara de Catherine. A tensão que sentira antes agora desaparecera quase por completo e, parado ao lado de Theresa no crepúsculo cada vez mais profundo, ele tinha a impressão de que aquela noite tinha algo mais do que qualquer um dos dois queria admitir.

Pouco antes de os bifes ficarem prontos, Theresa voltou à cozinha para terminar de preparar a mesa. Tirou as batatas do forno, desembrulhou-as e colocou uma em cada prato. Em seguida pegou a salada e colocou-a no centro da mesa, junto com alguns molhos que encontrou na porta da geladeira. Por fim arrumou o sal, a pimenta, a manteiga e um par de guardanapos. Como estava ficando escuro dentro da casa, ela acendeu a luz da cozinha, mas achou que ficou claro demais e tornou a apagá-la. Num impulso, resolveu acender as velas e afastou-se da mesa para ver se tinha ficado exagerado. Ao concluir que estava tudo perfeito, pegou a garrafa de vinho e ia colocá-la sobre a mesa justamente quando Garrett entrou.

Depois de fechar a porta corrediça de vidro, ele viu o que ela tinha feito. Estava escuro na cozinha, a não ser pelas pequenas chamas que apontavam para o teto. Aquela iluminação fazia Theresa ficar linda. Os cabelos escuros pareciam misteriosos e os olhos capturavam o movimento do fogo. Incapaz de falar por um longo momento, Garrett conseguia apenas contemplá-la, e foi nesse instante que ele tomou consciência do que vinha tentando negar a si mesmo o tempo todo.

– Achei que as velas dariam um toque bacana – comentou ela, baixinho.

– E deram.

Os dois se entreolharam, um de cada lado do aposento, ambos paralisados por um minuto pela sombra de possibilidades distantes. Então Theresa desviou o olhar.

– Não consegui encontrar um saca-rolhas – falou, ansiosa por algo para dizer.

– Vou pegar – apressou-se Garrett em responder. – Não é algo que eu use com frequência, então deve estar enterrado no fundo de uma dessas gavetas.

Ele levou o prato com os bifes para a mesa, depois foi até as gavetas. Após remexer nos utensílios no fundo, encontrou o que procurava. Com uma série de movimentos rápidos, abriu a garrafa e serviu duas taças. Então, sentou-se e colocou um bife em cada prato com o pegador.

– É o momento da verdade – comentou ela, antes de dar a primeira mordida.

Garrett sorriu enquanto a observava provar o bife. Theresa ficou agradavelmente surpresa ao constatar que ele tinha toda a razão.

– Garrett, está delicioso – falou, com sinceridade.

– Obrigado.

Ao longo da noite, as velas foram se consumindo e em duas ocasiões Garrett disse que estava feliz por ela ter aceitado seu convite. Em ambas as vezes Theresa sentiu uma tensão na nuca e teve que beber outro gole de vinho para que essa sensação passasse.

Lá fora, a maré subia, impulsionada por uma lua crescente que parecia ter surgido do nada.

Depois do jantar, Garrett sugeriu um passeio ao longo da praia.

– É realmente lindo à noite – garantiu.

Quando Theresa aceitou o convite, ele pegou os pratos e talheres da mesa e colocou tudo na pia.

Depois, os dois saíram da casa e Garrett fechou a porta atrás de si. A noite estava agradável. Passaram pela varanda, em seguida por cima de uma pequena duna de areia e chegaram à praia.

Ao alcançarem a beira d'água, fizeram a mesma coisa que tinham feito à tarde: tiraram os sapatos e os deixaram na areia, já que não havia mais ninguém por lá. Caminharam devagar, próximos um do outro. Surpreendendo-a, Garrett pegou sua mão. Quando sentiu seu calor, Theresa imaginou, só por um instante, como seria o toque dele em seu corpo, acariciando sua pele. Esse pensamento lhe provocou um arrepio e, ao olhar para ele de relance, ela se perguntou se ele saberia o que se passava em sua cabeça.

Continuaram a andar, aproveitando a noite.

– Não tenho uma noite como esta há muito tempo – disse Garrett finalmente, a voz soando quase como uma recordação.

– Eu também – retrucou Theresa.

A areia era fria sob os pés deles.

– Garrett, você se lembra de quando me convidou para velejar? – perguntou ela.

– Lembro.

– Por que me chamou para ir com você?

Ele olhou para ela com curiosidade.

– Como assim?

– É que você pareceu se arrepender assim que me convidou.

Ele deu de ombros.

– Não sei se usaria a palavra *arrependimento*. Acho que fiquei surpreso por ter convidado você, mas não arrependido.

Ela sorriu.

– Tem certeza?

– Tenho, sim. Você tem que levar em conta que eu não convidava ninguém para sair há mais de três anos. Quando você disse que nunca tinha velejado, acho que de repente me ocorreu que eu tinha me cansado de estar sempre sozinho.

– Quer dizer que eu estava no lugar e na hora certos?

Ele balançou a cabeça.

– Não foi isso que eu quis dizer. Eu queria que você fosse, e acho que não teria convidado se fosse outra pessoa. Além disso, tudo transcorreu muito melhor do que eu pensava. Estes têm sido os melhores dias que já tive em muito tempo.

Ela sentiu o coração se aquecer quando ele disse isso. Enquanto caminhavam, Theresa notou que ele movia lentamente o polegar, traçando pequenos círculos na pele dela.

– Você tinha imaginado que as suas férias seriam assim? – perguntou Garrett.

Ela hesitou e decidiu que não era o momento certo para contar a verdade.

– Não.

Seguiram em frente em silêncio. Havia outras pessoas na praia, embora estivessem tão distantes que Theresa só via seus vultos.

– Acha que um dia vai voltar? Quero dizer, para outras férias?

– Não sei. Por quê?

– Porque eu espero que volte.

Ela viu ao longe as luzes de um píer distante. Mais uma vez sentiu a mão dele mover-se na sua.

– Se eu voltasse, você me prepararia outro jantar?

– Eu cozinharia qualquer coisa que você quisesse. Contanto que fosse bife.

Ela riu baixinho.

– Então vou pensar no assunto. Prometo.

– E se eu oferecesse também algumas aulas de mergulho?

– Acho que Kevin gostaria disso mais do que eu.

– Então traga-o também.

Ela olhou-o de relance.

– Você não se importaria?

– Nem um pouco. Adoraria conhecê-lo.

– Aposto que ia gostar dele.

– Tenho certeza disso.

Ficaram mais um momento em silêncio, até que Theresa disse, num impulso:

– Garrett, posso lhe perguntar uma coisa?

– Claro.

– Sei que vai parecer estranho, mas...

Ela fez uma pausa e ele a olhou com curiosidade.

– O quê?

– Qual foi a pior coisa que você já fez?

Ele riu alto.

– De onde saiu essa pergunta?

– Eu queria saber, só isso. Sempre faço essa pergunta às pessoas. Ela me mostra como elas são de verdade.

– A pior coisa?

– A pior de todas.

Ele pensou por um momento.

– Acho que a pior coisa que já fiz foi quando saí com um grupo de amigos certa vez. Era uma noite de dezembro. Estávamos bebemos e fazendo a maior farra quando de repente passamos por uma rua totalmente enfeitada com luzes de Natal. Bom, estacionamos o carro ali mesmo e roubamos todas as lâmpadas que conseguimos tirar.

– Não acredito!

– É verdade. Éramos cinco, e enchemos a caçamba do furgão com lâmpadas roubadas. Mas deixamos os enfeites, essa foi a pior parte. Parecia que um monstro devorador de lâmpadas tinha passado por lá. Ficamos quase duas horas nisso, morrendo de rir do que estávamos fazendo. A rua tinha sido citada no jornal como uma das mais enfeitadas da cidade, e depois que terminamos... Não consigo imaginar o que os moradores pensaram. Devem ter ficado furiosos.

– Que horror!

Ele riu.

– É, eu sei. Hoje, quando me lembro, sei que foi horrível. Mas na época foi muito divertido.

– E eu que pensava que você fosse um cara legal...

– Mas eu sou.

– Você é um monstro devorador de lâmpadas. – Ela insistiu, curiosa: – Então, que mais você e seus amigos fizeram?

– Quer mesmo saber?

– Claro que quero.

Ele começou a lhe falar sobre outras de suas estrepolias de adolescente – desde ensaboar janelas de carros a pichar as casas de ex-namoradas. Contou-lhe que certa vez estava com uma namorada quando um amigo emparelhou o carro com o seu e gesticulou para que ele baixasse o vidro. Quando Garrett obedeceu, o amigo jogou dentro do seu carro um explosivo caseiro que detonou ao cair em seus pés.

Vinte minutos depois, ele ainda estava contando casos, para grande divertimento dela. Quando enfim terminou, fez-lhe a mesma pergunta que dera início à conversa.

– Ah, nunca fiz nada como você – disse ela. – Sempre fui uma boa garota.

Ele tornou a rir, com a sensação de ter sido manipulado – não que se importasse com isso – e sabendo muito bem que ela não estava dizendo a verdade.

Andaram até o final da praia, trocando histórias de infância. Enquanto ele falava, Theresa tentou imaginar como ele era quando jovem e perguntou-se o que teria pensado dele se o tivesse conhecido na universidade. Será que o teria achado tão atraente quanto agora ou teria se apaixonado por David mesmo assim? Queria acreditar que teria dado valor às diferenças entre eles, mas será que isso teria acontecido? Naquela época David parecia perfeito.

Pararam por um instante e ficaram contemplando o mar. Ele estava bem próximo a ela, e seus ombros às vezes se tocavam.

– Está pensando em quê? – perguntou Garrett.

– Em como o silêncio é bom ao seu lado.

Ele sorriu.

– E eu estava pensando que lhe contei um monte de coisas que não costumo contar a ninguém.

– Foi porque você sabe que vou voltar para Boston e não vou contar a ninguém?

Ele riu.

– Não, nada disso.

– Então por quê?

Garrett olhou para ela com ar curioso.

– Você não sabe mesmo?

– Não.

Theresa sorriu ao dizer isso, quase o desafiando a continuar. Garrett pensou em como poderia explicar algo que ele próprio tinha dificuldade em compreender. Então, depois de um longo momento durante o qual colocou as ideias em ordem, falou baixinho:

– Acho que é porque eu queria que você soubesse quem eu sou de verdade. Porque se você me conhecer de verdade e mesmo assim quiser ficar comigo...

Theresa não respondeu, mas sabia exatamente o que ele estava tentando dizer. Garrett desviou os olhos.

– Desculpe. Não quis deixá-la desconfortável.

– Não fiquei desconfortável. Estou feliz por você ter falado... – começou Theresa.

Ela fez uma pausa. Depois de um instante, os dois recomeçaram a caminhar devagar.

– Mas não se sente da mesma forma que eu.

Ela virou-se para ele.

– Garrett, eu...

– Não, você não precisa falar nada que...

Ela não deixou que ele terminasse a frase:

– Preciso, sim. Você quer uma resposta, e eu quero lhe contar. – Parou por um instante, pensando na melhor maneira de se expressar. Então, respirou fundo e continuou: – Depois que David e eu nos separamos, passei por uma fase horrível. Assim que acreditei que estava superando, comecei a namorar outra vez. Mas os homens que conheci... Não sei, parecia que o mundo tinha mudado enquanto eu estava casada. Todos eles queriam coisas, mas nenhum queria oferecer algo em troca. Acho que fiquei cansada dos homens em geral.

– Não sei o que dizer...

– Garrett, não estou lhe contando isso por pensar que você é assim. Acho que é completamente diferente. E isso me assusta um pouco. Porque, se eu lhe disser o que sinto por você... de certo modo, estarei dizendo a mim mesma também. E se fizer isso, acho que estarei me abrindo para me magoar de novo.

– Eu nunca magoaria você – afirmou ele com a voz suave.

Ela parou de caminhar e fez com que ele a encarasse. Depois falou baixinho:

– Sei que acredita nisso, Garrett. Mas há três anos você vem lidando com os próprios demônios. Não sei se está pronto para seguir com a vida, e se não estiver, quem sairá magoado serei eu.

As palavras o atingiram com força e ele levou um momento para reagir. Garrett esperou até que ela o olhasse nos olhos.

– Theresa... Desde que nos conhecemos... Não sei...

Ele parou, percebendo que não conseguiria colocar seus sentimentos em palavras.

Em vez disso, ergueu a mão e tocou o rosto dela com o dedo, uma carícia tão delicada que parecia uma pluma contra a pele de Theresa. No momento em que a tocou, ela fechou os olhos e, apesar da incerteza, deixou que a sensação lhe percorresse o corpo, aquecendo-lhe o pescoço e os seios.

Com isso, ela sentiu todo o resto se desvanecer e de repente lhe pareceu correto estar ali. O jantar que tinham compartilhado, o passeio na praia, o modo como ele a olhava agora... ela não conseguia imaginar algo melhor do que o que estava acontecendo naquele momento.

As ondas deslizavam pela areia e molhavam os pés deles. A cálida brisa de verão soprava nos cabelos dela, aumentando a sensação do toque dele. O luar conferia um brilho etéreo à água do mar, enquanto as nuvens lançavam sombras ao longo da praia, deixando a paisagem quase irreal.

Então eles cederam a todos os sentimentos que vinham crescendo desde que se conheceram. Theresa se apoiou nele, sentindo o calor de seu corpo, e Garrett soltou a mão dela. Em seguida, envolvendo-a devagar com os braços, puxou-a contra si e beijou-a de leve nos lábios. Recuou um pouco a fim de olhar para ela e depois a beijou com delicadeza outra vez. Theresa retribuiu o beijo, sentindo a mão dele subir por suas costas até seus cabelos, nos quais ele mergulhou os dedos.

Ficaram abraçados, beijando-se ao luar, por um longo tempo, sem se preocuparem se estavam sendo observados. Ambos tinham esperado demais por aquele momento e, quando enfim se afastaram, ficaram se encarando. Então, tomando a mão dele na sua mais uma vez, Theresa conduziu-o lentamente de volta à casa.

Quando entraram, tudo pareceu um sonho. Garrett beijou-a de novo assim que fechou a porta, dessa vez com mais paixão, e Theresa sentiu o corpo trêmulo de expectativa. Ela foi até a cozinha, pegou as duas velas da mesa, levou-as para o quarto e colocou-as sobre a escrivaninha. Ele tirou uma caixa de fósforos do bolso e acendeu-as, enquanto ela ia até as janelas e fechava as cortinas.

Garrett estava parado junto à escrivaninha quando ela voltou para perto dele. Theresa deslizou as mãos por seu peito, sentindo os músculos tensos sob a camisa, e cedeu à própria sensualidade. Olhando dentro dos olhos de

Garrett, ela começou a tirar a camisa dele bem devagar. Largou a peça de roupa no chão e se inclinou para ele. Então beijou-lhe o peito, depois o pescoço, e estremeceu quando as mãos dele se moveram para a frente da blusa dela. Inclinou-se para trás para dar-lhe espaço enquanto ele a desabotoava lentamente.

Quando a blusa se abriu, Garrett deslizou os braços para as costas dela e puxou-a para si, sentindo o calor da pele dela contra a sua. Beijou-lhe o pescoço e mordiscou-lhe o lóbulo da orelha, enquanto as mãos percorriam suas costas. Ela entreabriu os lábios ao sentir a ternura do toque dele. Os dedos de Garrett pararam no fecho do sutiã, que ele abriu com um gesto experiente, deixando-a sem fôlego. Então, sem parar de beijá-la, ele deslizou as alças pelos ombros dela, desnudando-lhe os seios. Inclinou-se e beijou-os de leve, um de cada vez, e ela arqueou a cabeça para trás, sentindo o hálito quente e úmido de Garrett onde quer que a boca dele a tocasse.

Ela estava sem fôlego quando estendeu a mão para a calça jeans dele. Olhando-o nos olhos, soltou o botão e lentamente baixou o zíper. Sempre o encarando, ela deslizou o dedo pela cintura dele, passando a unha de leve por seu umbigo antes de baixar o cós da calça. Ele deu um passo para trás enquanto a tirava e depois, tornando a se aproximar para beijar Theresa outra vez, ergueu-a nos braços e carregou-a até a cama.

Deitada ao lado de Garrett, ela deslizou as mãos mais uma vez pelo peito dele, agora úmido de suor, e sentiu-o levando as mãos à sua calça jeans. Ele abriu o botão e logo em seguida Theresa ergueu o corpo para despi-la, uma perna de cada vez, enquanto ele continuava a explorar o seu corpo. Ela acariciou-lhe as costas e mordiscou-lhe de leve o pescoço, escutando a respiração dele se acelerar. Garrett começou a tirar a cueca enquanto ela se livrava da calcinha, e quando enfim estavam nus, seus corpos se uniram.

Theresa estava linda à luz das velas. Ele deslizou a língua entre os seios dela, descendo pelo ventre até o umbigo, e tornou a subir. Os cabelos dela brilhavam, e a pele era suave e convidativa. Abraçados, ele sentia a mão dela em suas costas, puxando-o para mais perto.

Em vez disso, ele continuou a beijar-lhe o corpo todo, sem querer apressar o momento. Apoiou o rosto no ventre dela e esfregou o queixo em sua pele, a barba despertando-lhe sensações eróticas, e ela se recostou na cama, com as mãos nos cabelos dele. Garrett continuou até ela não aguentar mais, depois subiu um pouco e fez o mesmo em seus seios.

Ela o puxou para si, arqueando as costas enquanto ele lentamente se colocava em cima dela. Garrett beijou-lhe as pontas dos dedos, um de cada vez, e, quando seus corpos enfim se tornaram um só, Theresa fechou os olhos e suspirou. Beijando-se de leve, fizeram amor com uma paixão que durante três anos ficara abafada.

Seus corpos moviam-se como um só, ambos completamente conscientes das necessidades do outro, tentando lhe dar prazer. Garrett beijava-a quase sem parar, e Theresa sentiu seu corpo começar a pulsar com uma urgência crescente. Quando enfim chegou ao êxtase, ela cravou os dedos com força nas costas dele, e no momento em que o orgasmo terminou, outro se seguiu, e outro. Quando terminaram, Theresa estava exausta e envolveu-o com os braços, mantendo-o perto de si. Relaxada ao lado dele, com as mãos de Garrett ainda a acariciá-la, ela contemplou as velas que se consumiam aos poucos, revivendo o momento que haviam compartilhado.

Ficaram deitados juntos pela maior parte da noite e fizeram amor várias vezes, abraçando-se forte depois. Theresa adormeceu nos braços dele, sentindo-se maravilhosa, e Garrett ficou observando-a dormir. Pouco antes de cair no sono, ele afastou carinhosamente os cabelos dela do rosto, tentando lembrar-se de tudo.

Pouco antes do amanhecer, Theresa abriu os olhos, sabendo instintivamente que Garrett não estava lá. Virou-se na cama, procurando por ele. Não o vendo, ela se levantou e foi até o armário, onde encontrou um roupão de banho. Enrolou-se nele, saiu do quarto e relanceou na direção da cozinha escura. Ele não estava lá. Theresa checou a sala, onde ele também não estava, e de repente ela teve certeza de onde ele se encontraria.

Saiu para a varanda e o avistou sentado numa cadeira, usando apenas cueca e uma camiseta cinza. Quando se virou e a viu, abriu um sorriso.

– Olá.

Ela foi em sua direção e ele fez um gesto para que ela se sentasse em seu colo. Beijou-a enquanto a puxava para si e ela envolveu seu pescoço com os braços. Então, sentindo que havia algo errado, ela recuou e tocou no rosto dele.

– Você está bem?

Ele levou um instante para responder.

– Estou – disse em voz baixa, sem olhar para ela.

– Tem certeza?

Ele assentiu, ainda sem encará-la, e Theresa obrigou-o a olhar para ela virando seu rosto com o dedo. Em seguida disse com delicadeza:

– Você parece meio... triste.

Ele sorriu de leve, mas não respondeu.

– Está triste com o que aconteceu?

– Não. Nem um pouco. Não me arrependo de nada.

– Então o que é?

Ele ficou em silêncio, e novamente afastou os olhos.

– Você está aqui fora por causa de Catherine? – indagou Theresa, baixinho.

Garrett não disse nada por um instante, depois tomou a mão dela na sua e enfim olhou-a nos olhos.

– Não. Não estou aqui fora por causa de Catherine – falou, quase num sussurro. – Estou aqui fora por causa de você.

Então, com uma ternura que a lembrou uma criança pequena, ele puxou-a para si com delicadeza e segurou-a sem dizer mais nada, e não a soltou até o céu começar a clarear e a primeira pessoa aparecer na praia.

9

– Que história é essa de não poder almoçar comigo hoje? Há anos fazemos isso, como você pode ter esquecido?

– Não esqueci, papai, só não vou poder ir hoje. Vamos tentar na semana que vem, está certo?

Jeb Blake ficou em silêncio no outro lado da linha, tamborilando sobre a escrivaninha.

– Por que estou com a sensação de que você está me escondendo alguma coisa?

– Não tenho nada a esconder.

– Tem certeza?

– Absoluta.

Theresa chamou Garrett do banheiro e pediu que lhe levasse uma toalha. Ele cobriu o fone com a mão e disse a ela que logo levaria. Quando voltou a atenção de novo para o telefone, ouviu o pai inspirar fortemente.

– O que foi?

– Nada. – Em seguida, num tom de súbita compreensão, acrescentou: – A tal Theresa está aí, não está?

Sabendo que agora não conseguiria esconder a verdade, Garrett respondeu:

– É, está, sim.

Jeb assobiou, claramente satisfeito.

– Já não era sem tempo.

Garrett tentou diminuir a importância do fato:

– Pai, não exagere...

– Prometo que não vou exagerar.

– Obrigado.

– Mas posso perguntar uma coisa?

– Claro – concordou Garrett, com um suspiro.

– Ela faz você feliz?

Ele ficou pensativo por um instante.

– Faz, sim – retrucou por fim.

– Já não era sem tempo – repetiu Jeb, com uma risada, antes de desligar.

Garrett ficou olhando para o fone enquanto o recolocava no gancho.

– Faz mesmo – sussurrou para si próprio, com um sorrisinho. – Faz mesmo.

Theresa saiu do banheiro alguns minutos depois, parecendo descontraída e descansada. Ao sentir o cheiro de café sendo passado, ela foi até a cozinha para pegar uma xícara. Depois de colocar um pedaço de pão na torradeira, Garrett foi até ela.

– Bom dia de novo – falou, beijando-lhe a nuca.

– Bom dia de novo para você também.

– Desculpe por ter saído do quarto ontem à noite.

– Ei, está tudo bem... Eu entendo.

– Mesmo?

– Claro que sim. – Ela virou-se e encarou-o com um sorriso. – Tive uma noite maravilhosa.

– Eu também – respondeu ele. Pegando uma xícara no armário para Theresa, ele perguntou por cima do ombro: – Quer fazer alguma coisa hoje? Liguei para a loja e disse que não vou trabalhar.

– O que tem em mente?

– Que tal se eu lhe mostrar Wilmington?

– Tudo bem – retrucou Theresa.

Não pareceu convencida.

– Você prefere fazer outra coisa? – quis saber Garrett.

– E se a gente ficar por aqui hoje?

– Fazendo o quê?

– Ah, posso pensar em algumas coisas – falou ela, envolvendo-o com os braços. – Quero dizer, se não houver problema para você.

– Não – afirmou ele com um sorriso. – Problema nenhum.

Durante os quatro dias seguintes, Theresa e Garrett não se desgrudaram. Ele deixou a loja a cargo de Ian, permitindo-lhe até dar as aulas de mergulho no sábado, algo que nunca fizera antes. Em duas ocasiões os dois saíram para velejar. Na segunda vez, passaram a noite ao mar, deitados juntos na cabine, embalados pelas suaves ondulações do Atlântico. Mais tarde, na mesma noite, Theresa pediu que ele lhe contasse mais histórias das aventuras dos primeiros marinheiros, e ficou acariciando-lhe os cabelos enquanto o som da voz dele reverberava no interior do casco.

O que ela não sabia era que, depois que ela pegara no sono, Garrett saíra de seu lado, como na primeira noite que passaram juntos, e ficara caminhando solitário pelo convés. Pensava em Theresa adormecida lá dentro e no fato de que ela logo partiria, e com esse pensamento veio-lhe outra lembrança, de anos antes.

– Realmente acho que você não deveria ir – declarou Garrett, olhando para Catherine com preocupação.

Ela estava parada com a mala perto da porta da rua, frustrada pelo comentário dele.

– Ora, Garrett, já falamos sobre isso. Só vou ficar alguns dias fora.

– Mas você não tem se sentido bem nos últimos dias.

Catherine teve vontade de jogar as mãos para o alto.

– Quantas vezes tenho que falar que estou bem? Minha irmã está precisando muito de mim, você sabe como ela é. Está preocupada com o casamento, e mamãe não é muito útil.

– Mas eu também preciso de você.

– Garrett, só porque você tem que passar o dia inteiro na loja, isso não significa que tenho que ficar aqui também. Não nascemos grudados.

Ele deu um passo involuntário para trás, como se ela o tivesse golpeado.

– Não disse isso. Só não sei se você deveria ir se está se sentindo assim.

– Você nunca quer que eu vá a lugar algum.

– O que posso fazer se sinto saudade?

A expressão no rosto dela suavizou-se um pouco.

– Eu posso viajar, Garrett, mas você sabe que sempre voltarei.

Quando a lembrança esmaeceu, Garrett voltou para a cabine e viu Theresa deitada sob o lençol. Em silêncio, ele deslizou para perto dela e abraçou-a com força.

Eles passaram o dia seguinte na praia, sentados perto do píer onde tinham almoçado dias antes. Como Theresa ficou queimada pelos raios de sol da manhã, Garrett foi até uma das muitas lojas da praia para comprar-lhe um hidratante. Depois aplicou a loção nas costas dela, massageando-a com suavidade para que o produto penetrasse na pele. Mesmo que Theresa não quisesse acreditar, no fundo sentia que em alguns momentos a mente dele vagava para longe. Mas então, com a mesma rapidez, esses momentos passavam e ela se perguntava se não tivera uma impressão errada.

Almoçaram de novo no Hank's, onde passaram o tempo todo conversando de mãos dadas, olhando-se nos olhos. Estavam tão alheios à multidão que os rodeava que nenhum deles percebeu quando a conta foi levada à mesa e o restaurante esvaziou-se.

Theresa observava-o atentamente, perguntando-se se Garrett tinha sido tão intuitivo com Catherine quanto parecia ser com ela. Era como se ele pudesse ler seus pensamentos sempre que estavam juntos: se ela desejava que ele segurasse sua mão, ele o fazia antes que ela dissesse alguma coisa; se queria apenas falar um pouco, sem interrupção, ele escutava calado; se queria saber como ele se sentia a seu respeito em determinado momento, o modo como ele a fitava deixava tudo claro. Ninguém, nem mesmo David, jamais a compreendera tão bem quanto Garrett parecia compreender. No entanto, fazia quanto tempo que o conhecia? Alguns dias? Como aquilo podia ser possível, então? Tarde da noite, enquanto ele dormia a seu lado, ela pensava nessa questão, e a resposta sempre a levava de volta às garrafas que encontrara. Quanto mais ela convivia com Garrett, mais acreditava que tinha sido destinada a encontrar as mensagens dele para Catherine, como se houvesse uma grande força que as dirigisse para ela com a intenção de reuni-los.

Na noite de sábado, Garrett fez outro jantar para ela, dessa vez servido na varanda, sob as estrelas. Depois de fazerem amor, ficaram deitados na cama, abraçados. Os dois sabiam que ela teria que voltar para Boston no dia seguinte. Era um assunto que ambos evitaram mencionar até aquele momento.

– Algum dia vou ver você de novo? – perguntou ela.

Ele ficou quieto, quase quieto demais.

– Espero que sim – respondeu finalmente.

– Você quer?

– Claro que quero.

Ao dizer isso, ele sentou-se na cama, afastando-se um pouco dela. Depois de um momento, ela se sentou também e acendeu a luz da cabeceira.

– O que foi, Garrett?

– Não quero que isto acabe – confessou ele, de olhos baixos. – Não quero que esta semana acabe. Você entra na minha vida, vira tudo de cabeça para baixo e agora vai embora.

Ela pegou a mão dele e disse baixinho:

– Ah, Garrett, eu também não quero que acabe. Foi uma das melhores semanas da minha vida. Parece que já o conheço há tanto tempo... Podemos fazer isso dar certo, se tentarmos. Eu poderia vir, ou você poderia ir a Boston. De qualquer modo, podemos tentar, não podemos?

– Com que frequência eu a veria? Uma vez por mês? Nem isso?

– Não sei. Acho que depende de nós e do que estejamos dispostos a fazer. Se ambos cedermos um pouco, pode dar certo.

Ele ficou em silêncio por um longo momento.

– Você acha mesmo que é possível não nos vermos muito? Quando eu iria abraçar você? Quando poderia ver o seu rosto? Se só nos encontrarmos de vez em quando, não faremos o que precisamos para... para continuarmos nos sentindo assim. Cada vez que nos encontrássemos, saberíamos que seria apenas por uns dias. Não haveria tempo para alguma coisa crescer.

As palavras dele doíam, em parte por serem verdadeiras e em parte porque ele parecia querer simplesmente acabar tudo ali mesmo. Quando ele enfim se virou para Theresa com um sorriso de arrependimento nos lábios, ela não soube o que dizer. Confusa, soltou a mão dele.

– Então você não quer nem mesmo tentar? É isto que está dizendo? Quer apenas esquecer tudo o que aconteceu...

Ele negou com um gesto de cabeça.

– Não, não quero esquecer. Não vou conseguir esquecer. Não sei... Só queria estar com você mais vezes do que parece que vou poder.

– Eu também queria. Mas não vai ser possível, então vamos fazer o melhor que pudermos, certo?

Ele balançou a cabeça como se discordasse.

– Não sei, não...

Ela o observava com atenção, sentindo que havia algo mais do que ele estava dizendo.

– Garrett, qual é o problema?

Ele não respondeu, e ela continuou:

– Existe algum motivo para você não querer tentar?

Ele permaneceu calado e se virou para o retrato de Catherine na mesa de cabeceira.

– Como foi a viagem?

Garrett pegou a mala de Catherine no banco traseiro enquanto ela saía do carro.

Catherine sorriu, mas ele percebeu que ela estava cansada.

– Foi boa, mas minha irmã ainda está um trapo. Quer tudo perfeito, e agora descobrimos que Nancy está grávida e a roupa de dama de honra não vai caber nela.

– E daí? É só mandar alargar.

– Foi o que eu disse, mas você sabe como ela é. Está fazendo um dramalhão a respeito de tudo.

Catherine colocou as mãos nos quadris e arqueou as costas, fazendo uma careta.

– Você está bem? – perguntou Garrett.

– Só com os músculos doloridos. Lá foi tudo muito cansativo, e minhas costas estão doendo há alguns dias.

Ela foi em direção à porta da casa, com Garrett a seu lado.

– Catherine, queria lhe pedir desculpas pelo modo como agi antes de você viajar. Fico feliz por você ter ido, mas estou muito mais feliz por ter voltado.

– Garrett, fale comigo.

Ela o encarava, preocupada. Finalmente, ele disse:

– Theresa... é muito difícil, neste momento. As coisas que eu vivi...

Ele não terminou a frase, e Theresa de repente entendeu a que ele se referia. Sentiu o estômago se contrair.

– É por causa de Catherine? É isso?

– Não, é só que...

Ele se calou e ela teve certeza de que era isso mesmo.

– É isso, não é? Você não quer nem tentar... por causa de Catherine.

– Você não compreende.

Sem conseguir evitar, ela foi invadida por uma raiva profunda.

– Ah, compreendo, sim. Você conseguiu passar esta semana comigo só porque sabia que eu ia embora. E então, depois que eu não estiver mais aqui, você poderá voltar para sua vida de antes. Fui só uma aventura, não fui?

Ele negou com a cabeça.

– Não foi, não. Você não foi uma aventura. Eu gosto mesmo de você...

– Mas não o suficiente para ao menos *tentar* fazer isto dar certo – retrucou ela, encarando-o.

Garrett olhou para ela com o sofrimento evidente em seus olhos.

– Não faça isso...

– O que eu deveria fazer? Ser compreensiva? Quer que eu simplesmente diga: "Está bem, Garrett, vamos acabar tudo, porque é difícil e não vamos poder nos ver muitas vezes. Eu compreendo. Foi um prazer conhecê-lo." É isso que você quer que eu diga?

– Não, não é.

– Então o que você quer? Já falei que estou disposta a tentar... Já lhe disse que gostaria de tentar...

Ele balançou a cabeça, incapaz de olhá-la nos olhos. Theresa sentia as lágrimas começando a assomar.

– Escute, Garrett, sei que você perdeu sua esposa. Sei que sofreu muito por isso. Mas agora está agindo como um mártir. Você tem a vida inteira pela frente. Não jogue tudo fora por viver no passado.

– Não estou vivendo no passado – afirmou ele em tom defensivo.

Theresa lutava contra o choro com todas as forças. Sua voz suavizou-se.

– Garrett... Eu posso não ter perdido o marido, mas também perdi algo que era importante para mim. Sei o que é mágoa e sofrimento. Mas, para ser sincera, estou cansada de ficar sozinha o tempo todo. Já faz mais de três anos, para mim e para você, e estou farta disso. Estou pronta para seguir com a vida e encontrar alguém especial. Acho que você devia fazer o mesmo.

– Sei disso. Acha que não sei?

– Neste momento, não tenho muita certeza. O que aconteceu entre nós foi maravilhoso, e não quero perder isso.

Ele ficou em silêncio por um longo momento, depois falou:

– Você tem razão. Minha cabeça diz que você tem razão. Mas o meu coração... simplesmente não sei.

– Mas e quanto aos meus sentimentos? Eles não têm nenhuma importância para você?

O modo como ela olhava para Garrett deixou-o com um nó na garganta.

– Claro que têm. Mais do que você imagina.

Quando ele estendeu a mão para pegar a sua, ela recuou, e Garrett percebeu quanto a tinha magoado. Tentando controlar as próprias emoções, ele disse:

– Theresa, sinto muito por fazer você passar, isto é, nós passarmos por isso na nossa última noite juntos. Não queria que isso acontecesse. Acredite, você não foi uma aventura. Meu Deus, você foi tudo menos isso! Eu já falei que gosto mesmo de você, e é verdade.

Ele abriu os braços e seus olhos imploravam que ela fosse para o seu lado. Theresa hesitou por um segundo, depois enfim se inclinou na direção dele, tomada por uma infinidade de sentimentos conflitantes. Baixou o rosto para o peito dele, sem querer olhá-lo de frente. Garrett beijou a cabeça dela e continuou, com delicadeza:

– Gosto, sim. Gosto tanto que isso me assusta. Faz tanto tempo que não me sinto assim que quase esqueci como outra pessoa podia ser importante para mim. Acho que não seria capaz de deixar você ir e esquecê-la, e nem quero fazer isso. E definitivamente não quero acabar tudo entre nós agora. – Por um momento houve apenas o som suave e regular da sua respiração. Em seguida, ele sussurrou: – Prometo fazer tudo o que puder para ir visitá-la. E vamos tentar fazer dar certo.

A ternura na voz dele liberou a torrente de lágrimas de Theresa. Ele continuou, em uma voz quase baixa demais para ela escutar:

– Theresa, acho que estou apaixonado por você.

Acho que estou apaixonado por você, ela escutou outra vez. *Acho que estou...*

Acho...

Sem querer responder, ela apenas murmurou:

– Só me abrace, está bem? Não vamos falar mais nada.

Fizeram amor logo que acordaram de manhã, e ficaram abraçados até o sol estar alto o suficiente para informar-lhes de que era hora de Theresa se arrumar para ir. Embora não tivesse passado muito tempo no hotel, pois levara sua mala para a casa de Garrett, ela não tinha fechado oficialmente a conta, para o caso de Kevin ou Deanna ligarem.

Tomaram banho juntos e, depois de vestidos, Garrett preparou o café da manhã, enquanto Theresa terminava de organizar suas coisas. Ao fechar a mala, ela ouviu o som de fritura vindo da cozinha e sentiu o cheiro de bacon invadir a casa. Depois de secar os cabelos e se maquiar de leve, ela foi para a cozinha.

Garrett estava sentado à mesa, tomando café. Quando ela entrou, ele deu-lhe uma piscadela. Tinha deixado uma xícara no balcão, junto à cafeteira automática, e ela se serviu. A refeição já estava na mesa: ovos mexidos, bacon, torradas. Theresa se acomodou na cadeira mais perto dele.

– Não sabia o que você queria para o café – disse ele, fazendo um gesto em direção à mesa.

– Não estou com fome, Garrett. Se você não se importar, prefiro não comer nada.

Ele sorriu.

– Tudo bem. Também não estou com muito apetite.

Ela se levantou da cadeira e foi sentar-se no colo dele. Abraçou-o e enterrou o rosto em seu pescoço. Ele a segurava com força, passando as mãos pelos cabelos dela.

Finalmente, ela se afastou. Os passeios ao sol durante a semana tinham-na deixado bronzeada. Com short jeans e uma camiseta branca, Theresa parecia uma adolescente despreocupada. Por um instante, ela ficou encarando as florezinhas bordadas em suas sandálias. A mala e a bolsa estavam à espera perto da porta do quarto.

– Meu voo é daqui a pouco, e ainda tenho que fechar a conta no hotel e devolver o carro alugado – disse ela.

– Tem certeza que não quer que eu vá com você?

Ela assentiu, com os lábios franzidos.

– Tenho. Vou ter que fazer tudo correndo para chegar ao aeroporto a tempo, e além disso você teria que me seguir no furgão. É melhor nos despedirmos agora.

– Ligo para você hoje à noite.

Ela sorriu.

– Eu estava torcendo para isso.

Os olhos dela começaram a encher de lágrimas, e ele puxou-a para si.

– Vou sentir saudades de ter você por aqui – falou, enquanto ela chorava.

Garrett secou as lágrimas dela com os dedos, tocando de leve sua pele.

– E vou sentir saudades de você cozinhando para mim – murmurou ela, sentindo-se tola.

Ele riu, rompendo a tensão.

– Não fique triste. Vamos nos ver em poucas semanas, não é?

– A não ser que você tenha mudado de ideia.

Ele sorriu.

– Vou ficar contando os dias. E da próxima vez você vai trazer o Kevin, certo?

Ela assentiu.

– Ótimo, vou gostar de conhecê-lo. Se ele for um pouquinho parecido com você, tenho certeza de que vamos nos dar muito bem.

– Também tenho certeza.

– E até lá, vou pensar em você o tempo todo.

– Vai?

– Com certeza. Já estou pensando.

– Isto é porque eu estou no seu colo.

Ele tornou a rir, e ela sorriu em meio às lágrimas. Depois levantou-se e secou o rosto. Garrett pegou a mala dela e os dois saíram da casa. Lá fora, o sol já estava mais alto, e o dia esquentava rapidamente. Theresa pegou os óculos escuros no compartimento lateral da bolsa e ficou com eles na mão enquanto se dirigiam para o carro.

Ela abriu o porta-malas e ele colocou as coisas dela lá dentro. Então, tomou-a nos braços, beijou-a mais uma vez e a soltou. Depois de abrir a porta do carro para ela, Garrett ajudou-a a entrar e ela enfiou a chave na ignição.

Com a porta aberta, os dois ficaram olhando nos olhos um do outro até Theresa ligar o motor.

– Tenho que ir, senão vou perder o voo – falou.

– Eu sei.

Ele afastou-se da porta e fechou-a. Ela baixou o vidro e colocou a mão para fora. Garrett tomou-a nas suas por um instante. Então ela engrenou a marcha a ré.

– Então você me liga hoje à noite?

– Prometo.

Theresa puxou a mão, sorrindo para ele, e lentamente saiu com o carro. Enquanto ela acenava uma última vez antes de se distanciar, Garrett a contemplou, perguntando-se como aguentaria passar as duas semanas seguintes.

Apesar do trânsito, Theresa chegou logo ao hotel e fechou a conta. Havia três recados de Deanna, cada um mais desesperado do que o outro. "O que está acontecendo aí? E o encontro?", era o primeiro; "Por que não me liga de volta? Estou esperando para saber de tudo", dizia o segundo; o terceiro dizia: "Você está me matando de curiosidade! Por favor, me ligue para contar os detalhes!" Havia também uma mensagem de Kevin – ela ligara para ele algumas vezes da casa de Garrett – que parecia ser de alguns dias antes.

Ela devolveu o carro alugado e chegou ao aeroporto com menos de meia hora de antecedência. Felizmente, a fila para o check-in estava pequena e ela chegou ao portão no instante exato em que os passageiros embarcavam. Depois de entregar o cartão de embarque à aeromoça, ela entrou no avião e acomodou-se em seu lugar. O voo para Charlotte não estava lotado, e a poltrona ao lado da dela estava vazia.

Theresa fechou os olhos e começou a relembrar os incríveis acontecimentos da última semana. Não apenas encontrara Garrett, como acabara conhecendo-o melhor do que jamais imaginara possível. Ele tinha lhe despertado sentimentos profundos, que ela pensava estarem enterrados havia muito tempo.

Mas será que o amava?

Ela pensou na pergunta com cautela, temendo o que a resposta significaria.

Recordou a conversa da noite anterior – o medo que ele tinha de se desvencilhar do passado, seus sentimentos a respeito de não estar com ela tanto quanto gostaria. Tudo isso ela entendia perfeitamente. Mas...

Acho que estou apaixonado por você.

Theresa franziu a testa. Por que ele acrescentara a palavra "Acho"? Ou estava apaixonado por ela ou não estava... E se não estivesse? Será que dissera aquilo só para tranquilizá-la? Ou fora por outro motivo?

Acho que estou apaixonado por você.

Em sua mente, ela ouviu-o repetir inúmeras vezes essa frase, com a voz cheia de... de quê? Ambivalência? Pensando sobre isso agora, ela quase desejou que ele não tivesse falado nada. Ao menos assim ela não ficaria tentando entender exatamente o que ele queria dizer.

Mas e quanto a ela? Estava apaixonada por Garrett?

Fechou os olhos, cansada, de repente relutando em enfrentar suas emoções em conflito. Uma coisa, porém, era certa: ela nunca iria dizer a Garrett que o amava até ter certeza de que ele poderia deixar Catherine para trás.

Nessa noite, nos sonhos de Garrett, uma violenta tempestade caía. A chuva batia com força na lateral da casa e ele corria de forma frenética de um cômodo a outro. Era a casa em que ele morava agora, e embora soubesse exatamente aonde estava indo, os grossos pingos que entravam pelas janelas abertas tornavam difícil a visão. Consciente de que precisava fechá-las, correu para o quarto e ficou embolado nas cortinas enquanto o vento as soprava para dentro. Com muito esforço, conseguiu se desvencilhar e alcançou a janela no instante exato em que as luzes se apagaram.

O quarto ficou escuro. Acima da tempestade, ele ouviu o som de uma sirene distante, alertando que um furacão estava a caminho. Os relâmpagos iluminavam o céu enquanto ele lutava em vão para fechar a janela. A chuva continuava a entrar, molhando as mãos dele e tornando impossível segurar com a firmeza necessária.

O telhado começou a estalar com a fúria da tempestade.

Garrett continuou a lutar com a janela, que estava emperrada. Por fim, desistiu e tentou fechar a janela ao lado. Como a primeira, essa também estava presa.

Ouviu as telhas voando do telhado, e em seguida o som de vidro se partindo.

Virou-se e correu para a sala. As janelas tinham se quebrado e os estilhaços haviam sido lançados para dentro. A chuva entrava de lado no aposento, e o vento era terrível. A porta da frente sacudia-se no batente.

Nesse momento, ouviu Theresa chamá-lo do lado de fora:

– Garrett, você tem que sair agora!

Ao mesmo tempo, as janelas do quarto se estilhaçaram. O vento, atravessando a casa, começou a sacudir o teto. A construção não resistiria muito tempo mais.

Catherine.

Ele tinha que pegar o retrato dela e outros objetos que guardava na mesa de canto.

– Garrett! O tempo está acabando! – gritou Theresa.

Apesar da chuva e da escuridão, ele conseguia vê-la do lado de fora, gesticulando para que ele a seguisse.

O retrato. O anel. Os cartões de Dia dos Namorados.

– Venha! – berrava ela sem parar, agitando os braços de maneira frenética.

Com um ronco surdo, o telhado separou-se da estrutura da casa e o vento começou a despedaçá-lo. Instintivamente, Garrett cobriu a cabeça com os braços no instante exato em que uma parte do teto desabou sobre ele.

Em instantes tudo estaria perdido.

Sem se importar com o perigo, ele foi em direção ao quarto. Não poderia sair sem aqueles objetos.

– Ainda dá tempo de você sair!

Alguma coisa no grito de Theresa fez com que ele estacasse. Olhou de relance para ela, depois para o quarto, paralisado.

Mais um pedaço do teto desabou. Com um estalido alto, o telhado continuou a ceder.

Ele deu um passo em direção ao quarto e viu Theresa parar de gesticular. Pareceu-lhe que ela de repente desistira.

O vento soprava através do aposento com um uivo fantasmagórico que parecia transpassar o corpo de Garrett. Os móveis tombavam, bloqueando o seu caminho.

– Garrett! Por favor! – gritou Theresa.

Mais uma vez o som da voz dela o fez parar, e com isso ele percebeu que se tentasse salvar os objetos de seu passado talvez não conseguisse sair.

Mas valia a pena?

A resposta era óbvia.

Garrett desistiu da tentativa e correu para a abertura onde antes ficava a janela. Com o punho fechado, soltou os cacos pontiagudos e saiu para a varanda no mesmo instante em que o telhado era completamente arrancado. As paredes então começaram a se inclinar para dentro e desabaram com um estrondo.

Ele procurou Theresa para se certificar de que ela estava bem, mas, estranhamente, não conseguiu mais avistá-la.

10

Na manhã seguinte bem cedo, Theresa dormia profundamente quando o som do telefone a despertou. Após tatear às cegas em busca do aparelho, ela reconheceu no mesmo instante a voz de Garrett:

– Chegou bem em casa?

– Cheguei – respondeu ela, tonta de sono. – Que horas são?

– Seis e pouco. Acordei você?

– Acordou. Fui dormir bem tarde ontem, esperando você ligar. Estava quase achando que você tinha esquecido sua promessa.

– Não esqueci, não. Só achei que você precisava de um tempo para se instalar.

– Mas tinha certeza de que eu estaria de pé antes do amanhecer, certo?

Garrett riu.

– Desculpe. Como foi o voo? Como você está?

– Foi bom. Estou cansada, mas bem.

– Quer dizer que o ritmo da cidade grande já deixou você exausta?

Ela riu e a voz de Garrett ficou séria:

– Ei, quero que você saiba de uma coisa.

– O quê?

– Estou com saudade.

– Está mesmo?

– Estou. Ontem fui trabalhar, mesmo com a loja fechada, na esperança de adiantar a papelada, mas não consegui fazer muita coisa porque fiquei pensando em você.

– É bom ouvir isso.

– É verdade. Não sei como vou conseguir trabalhar nas próximas semanas.

– Ah, você vai encontrar um jeito.

– Pode ser que eu não consiga dormir, também.

Ela riu, sabendo que ele estava brincando.

– Ei, não exagere. Não gosto de caras superdependentes, hein? Quero que meus homens sejam homens.

– Vou tentar me controlar, então.

Ela ficou em silêncio por um momento, depois perguntou:

– Onde você está agora?

– Sentado na varanda, vendo o sol nascer. Por quê?

Theresa pensou na imagem que estava perdendo.

– Está bonito?

– É sempre bonito, mas hoje não estou gostando tanto quanto costumo gostar.

– Por que não?

– Porque você não está aqui comigo.

Ela se recostou na cama, acomodando-se confortavelmente.

– Também estou com saudade.

– Espero que esteja mesmo. Eu detestaria ser o único a me sentir assim.

Ela sorriu, segurando o fone com uma das mãos e enrolando uma mecha de cabelo com a outra, até que finalmente, vinte minutos depois, eles se despediram com relutância e desligaram o telefone.

Theresa chegou ao jornal mais tarde do que de costume e logo começou a sentir os efeitos dos acontecimentos recentes. Não tinha dormido muito, e, quando se olhou no espelho depois de falar com Garrett ao telefone, teve a impressão de ter envelhecido no mínimo dez anos. Como sempre fazia, dirigiu-se em primeiro lugar à copa, para tomar uma xícara de café, e nessa manhã colocou uma porção extra de açúcar, para ter mais energia.

– Olá, Theresa! – exclamou Deanna num tom alegre, aproximando-se dela por trás. – Achei que você não viria mais. Estou doida para saber tudo o que aconteceu.

– Bom dia – murmurou Theresa, mexendo o café. – Desculpe o atraso.

– Ainda bem que você chegou. Ontem à noite quase fui à sua casa, mas não sabia a que horas você iria chegar.

– Me desculpe por não ter ligado para você, mas a semana que passou me deixou exausta.

Deanna apoiou-se no balcão.

– Bem, isso não é nenhuma surpresa. Já somei dois mais dois.

– Como assim?

Deanna tinha um brilho no olhar.

– Pelo visto você ainda não foi até a sua sala.

– Não, acabei de chegar. Por quê?

– Bem, acho que você deve ter causado uma boa impressão – continuou Deanna, erguendo as sobrancelhas.

– Do que você está falando, Deanna?

– Venha comigo – retrucou ela com um sorriso conspirativo.

Levou a amiga para a redação e Theresa engoliu em seco ao ver sua mesa. Ao lado da pilha de correspondência acumulada havia um lindo buquê de rosas dentro de um jarro grande e transparente.

– Chegaram de manhã cedo. Acho que o entregador ficou um pouco chocado por você não estar aqui para recebê-las, mas aí eu disse que era você. Nesse momento ele ficou realmente chocado.

Mal escutando o que Deanna falava, Theresa pegou o cartão apoiado no jarro e abriu-o no mesmo instante. Deanna postou-se atrás dela e ficou espichando os olhos por cima do ombro da amiga. O texto dizia:

Para a mulher mais bela que eu conheço:
agora que estou só novamente, nada é como era antes.
O céu é mais cinzento, o oceano é mais hostil.
Você quer deixar tudo bem outra vez?
A única maneira é me ver de novo.

Estou com saudades,
Garrett

Theresa sorriu ao ler o bilhete e guardou-o de volta no envelope. Depois se inclinou para aspirar o perfume das flores.

– Você deve ter tido uma semana maravilhosa – comentou Deanna.

– Tive, sim.

– Mal posso esperar para saber de tudo, inclusive os detalhes picantes.

Theresa olhou em volta e, ao ver que todas as pessoas da redação a observavam discretamente, falou:

– Acho que prefiro contar tudo mais tarde, quando estivermos sozinhas. Não quero todo mundo comentando.

– Todo mundo já está comentando, Theresa. Há muito tempo que ninguém aqui recebe flores. Mas, tudo bem, depois falamos sobre isso.

– Você contou a alguém quem as mandou?

– Claro que não. Para ser franca, gosto de deixar esse pessoal curioso. – Ela olhou em volta e depois deu uma piscadela. – Escute, Theresa, tenho que voltar ao trabalho. Que tal almoçarmos juntas? Aí poderemos conversar.

– Claro. Onde?

– O que acha do Mikuni's? Aposto que não comeu sushi lá em Wilmington.

– Vai ser ótimo. E, Deanna... obrigada por sua discrição.

– Sem problemas.

Deanna deu uns tapinhas de leve no ombro de Theresa e voltou para sua sala. Theresa inclinou-se sobre a escrivaninha e aspirou novamente as rosas. Em seguida, colocou o jarro no canto da mesa e começou a checar a correspondência, tentando não ficar olhando para as flores até que a redação voltou ao caos de sempre. Certificando-se de que ninguém estava prestando atenção, ela pegou o telefone e ligou para Garrett na loja.

Ian atendeu.

– Um momento, acho que ele está no escritório. Quem quer falar com ele, por favor?

Ela tentou soar o mais impessoal possível, sem ter certeza se Ian sabia sobre eles:

– Diga-lhe que é uma pessoa que quer marcar aulas de mergulho para daqui a uns quinze dias.

Ela esperou, e durante um instante a linha ficou muda. Então Theresa ouviu um estalido e em seguida a voz de Garrett, que lhe soou um pouco estafada:

– Em que posso ajudar?

Ela respondeu apenas:

– Você não precisava ter feito isso, mas fiquei feliz mesmo assim.

Ele reconheceu a voz dela e seu tom ficou mais leve:

– Ah, é você. Que bom que elas chegaram. São bonitas?

– Lindas. Como sabia que eu adoro rosas?

– Não sabia, mas nunca ouvi falar de uma mulher que não gostasse, então resolvi arriscar.

Ela sorriu.

– Você manda rosas para muitas mulheres?

– Milhões de mulheres. Tenho muitas fãs. Instrutores de mergulho são quase como astros de cinema, você sabe.

– Ah, é?

– Ué, você não sabia? E eu pensando que você fazia parte de algum fã-clube meu...

Ela riu.

– Muito obrigada.

– De nada. Alguém perguntou quem as mandou?

Theresa sorriu.

– Claro que sim.

– Espero que você tenha dito coisas boas a meu respeito.

– Disse, sim. Falei que você tem 66 anos, é gordo e tão fanhoso que é impossível entender o que diz, mas fiquei com pena e aceitei seu convite para almoçar. E agora, infelizmente, você está me perseguindo.

– Ei, assim você me magoa – retrucou ele, fazendo uma pausa em seguida. – Então... espero que as rosas lhe lembrem que estou pensando em você.

– Talvez elas lembrem, sim – respondeu Theresa.

– Bem, estou pensando em você e não quero que se esqueça disso.

Ela olhou de relance para as flores.

– Eu também – falou baixinho.

Depois que desligaram, Theresa ficou quieta por um instante, depois tornou a pegar o cartão. Leu-o novamente e, em vez de colocá-lo de volta no buquê, guardou-o em segurança na bolsa – conhecendo os colegas, ela tinha certeza de que alguém iria lê-lo às escondidas.

– Então, como ele é?

Deanna estava sentada em frente à amiga no restaurante. Theresa entregou a ela as fotos tiradas nas férias.

– Nem sei por onde começar.

Com os olhos fixos num retrato de Garrett e Theresa na praia, Deanna falou sem olhar para ela:

– Comece pelo começo. Quero saber de todos os detalhes.

Como Theresa já tinha relatado o encontro com Garrett nas docas, retomou a história na noite em que velejaram. Contou que tinha deixado de propósito o casaco no barco, para ter uma desculpa para vê-lo de novo – "Sensacional!", comentou Deanna –, e depois falou sobre o almoço no dia seguinte e finalmente o jantar. Recapitulando os últimos quatro dias que os dois passaram juntos, ela omitiu muito pouco, enquanto Deanna escutava extasiada.

– Parece que foi tudo maravilhoso – disse ela, sorrindo como uma mãe orgulhosa.

– Foi, sim – afirmou Theresa. – Foi uma das melhores semanas da minha vida. Acontece que...

– O quê?

Ela levou um momento para responder:

– Bom, já no final Garrett falou algo que me deixou pensando aonde isso tudo vai dar.

– O que ele falou?

– Não foi só o que ele falou, mas *como* falou. Parecia que não tinha certeza de querer que nos víssemos de novo.

– Pensei que você tinha dito que vai voltar a Wilmington daqui a uns dias.

– E vou.

– Então qual é o problema?

Ela hesitou, organizando os pensamentos.

– Bom, ele ainda está ligado a Catherine, e... não sei se vai conseguir superar isso.

Deanna riu.

– O que é tão engraçado? – quis saber Theresa, surpresa.

– *Você*, Theresa. O que esperava? Antes de ir para lá, você sabia que ele ainda estava envolvido com Catherine. Lembre-se, foi o amor "eterno" dele que você achou tão atraente. Pensou que ele ia superar tudo aquilo em alguns dias só porque vocês dois se deram tão bem?

Theresa ficou envergonhada e Deanna tornou a rir.

– *Pensou*, não foi? Foi exatamente o que você pensou.

– Deanna, você não estava lá... Não sabe até que ponto as coisas pareciam bem entre nós até ontem à noite.

O tom de voz de Deanna ficou mais suave:

– Theresa, sei que parte de você acredita que conseguirá mudar alguém, mas a realidade é que isso não existe. Você pode mudar a si mesma, e Garrett pode mudar a si mesmo, mas você não pode fazer isso por ele.

– Sei disso...

– Não sabe, não – interrompeu Deanna, com delicadeza. – Ou, se sabe, não quer aceitar. Como dizem, você está cega.

Theresa pensou por um instante no que a amiga dissera.

– Vamos analisar o que aconteceu com Garrett com objetividade, está bem? – prosseguiu Deanna.

Theresa assentiu.

– Embora você soubesse alguma coisa sobre Garrett, ele não sabia nada sobre você. No entanto, foi ele quem a convidou para velejar. Então, algo deve ter surgido entre vocês dois logo no início. Depois, você foi procurá-lo para pegar o casaco de volta e ele a convidou para almoçar. Falou de Catherine e então a chamou para jantar. Aí, vocês passaram quatro dias maravilhosos juntos, se conhecendo e começando a se importar um com o outro. Se antes de viajar você tivesse me dito que isso ia acontecer, eu não teria acreditado que fosse possível. Mas aconteceu, e pronto. Agora vocês estão planejando continuar. Para mim, parece que a história toda foi um sucesso total.

– Então você está querendo dizer que não tenho que me preocupar se ele vai superar Catherine ou não?

Deanna negou com um gesto de cabeça.

– Não exatamente. Mas escute, acho que você tem que dar um passo de cada vez. A questão é que até agora vocês só passaram poucos dias juntos. Não houve tempo suficiente para tomarem uma decisão. Se eu fosse você, esperaria para ver como os dois estarão se sentindo daqui a uns dias, e quando se encontrarem de novo sem dúvida saberão muito mais do que sabem agora.

– Você acha mesmo? – perguntou Theresa, com um olhar preocupado.

– Eu não tinha razão quando a convenci a ir até lá?

Enquanto as duas almoçavam, Garrett estava soterrado numa gigantesca pilha de papéis no escritório. De repente, a porta se abriu e Jeb Blake entrou, certificando-se de que o filho estava sozinho antes de fechar a porta atrás de si. Acomodou-se numa cadeira em frente à mesa de Garrett, tirou tabaco e papel do bolso e pôs-se a enrolar um cigarro.

– Entre, sente-se. Como vê, não tenho nada para fazer – disse Garrett, indicando a pilha de papéis.

Jeb sorriu e continuou o que estava fazendo.

– Liguei para cá algumas vezes e falaram que você não apareceu a semana inteira. O que andou fazendo?

Garrett recostou-se na cadeira, olhando para o pai.

– Tenho certeza de que você sabe a resposta, e provavelmente é por isso que está aqui.

– Esteve com Theresa todo esse tempo?

– Estive.

Ainda enrolando o cigarro, Jeb perguntou, em tom casual:

– E o que vocês fizeram de bom?

– Velejamos, passeamos na praia, conversamos... Sabe como é, nos conhecendo.

Jeb terminou de aprontar o cigarro e colocou-o na boca. Tirou do bolso da frente da camisa um isqueiro Zippo, acendeu-o e inspirou profundamente. Ao expirar, lançou a Garrett um olhar ardiloso.

– Fez bifes na brasa, como ensinei?

Garrett fez uma expressão de orgulho.

– Claro que fiz.

– Ela ficou impressionada?

– Muito.

Jeb assentiu e deu outra tragada no cigarro. Garrett sentia o ar no escritório ficar cada vez pior.

– Bom, então ela tem pelo menos uma boa qualidade, não tem?

– Mais de uma, papai.

– Você gostou dela, não é?

– Muito.

– Mesmo sem conhecê-la muito bem?

– Parece que eu sei tudo sobre ela.

Jeb assentiu e por um instante não disse nada. Então, finalmente perguntou:

– Vão se ver de novo?

– Na verdade, ela vem daqui a uns quinze dias, com o filho.

Jeb observou o filho com atenção. Depois, levantou-se, encaminhou-se para a porta e, antes de abri-la, virou-se uma última vez.

– Garrett, posso lhe dar um conselho?

Espantado com a partida abrupta do pai, ele respondeu:

– Claro.

– Se gosta dela, se ela o faz feliz, e se você sente que a conhece... então não deixe que ela vá embora.

– Por que está dizendo isto?

Jeb fitou o filho direto nos olhos e deu outra tragada no cigarro.

– Porque, se eu conheço o filho que tenho, vai ser você quem terminará o romance, e estou aqui para fazer o possível para impedi-lo.

– De que você está falando?

– Você sabe exatamente de que estou falando – retrucou Jeb em voz baixa.

Depois, dando as costas ao filho, ele abriu a porta e saiu do escritório.

Mais tarde nessa mesma noite, ainda pensando no comentário do pai, Garrett não conseguiu dormir. Levantou-se da cama e foi à cozinha, sabendo o que precisava fazer. Pegou na gaveta o papel de cartas que sempre usava quando sua mente estava em conflito e sentou-se com a esperança de colocar os pensamentos em palavras.

Minha querida Catherine,

Não sei o que está havendo comigo, e não sei se um dia saberei. Tantas coisas aconteceram ultimamente que não consigo entender o que venho vivendo.

Depois de escrever essas duas primeiras frases, Garrett ficou ali sentado durante uma hora e, por mais que tentasse, não conseguiu pensar em mais nada para escrever. No entanto, no dia seguinte, quando acordou, ao contrário da maioria dos seus dias, a primeira coisa em que pensou não foi Catherine.

Foi Theresa.

Ao longo das duas semanas seguintes, Garrett e Theresa se falaram pelo telefone todas as noites, às vezes durante horas. Garrett também enviou algumas cartas – na verdade, bilhetes – dizendo-lhe que sentia saudades, e na semana seguinte mandou-lhe mais um buquê de rosas, dessa vez com uma caixa de bombons.

Theresa não queria retribuir com flores ou bombons, então lhe mandou uma camisa de malha azul-clara que achou que combinaria com a calça jeans dele, assim como alguns cartões.

Kevin chegou alguns dias depois, e isso fez com que a semana seguinte transcorresse muito mais depressa para Theresa do que para Garrett. Na sua primeira noite em casa, Kevin jantou com a mãe e contou-lhe episódios das férias antes de cair na cama e dormir durante quase quinze horas seguidas. Quando ele acordou, já havia uma longa lista de coisas a fazer. Kevin precisava de roupas novas para a escola – quase todas as do ano anterior já não lhe cabiam – e tinha que se inscrever no time de futebol para a temporada de outono, o que acabou tomando o sábado quase inteiro. Além disso, ele tinha chegado com a mala cheia de roupas sujas que precisavam ser lavadas, queria mandar revelar as fotos que tirara e ainda por cima tinha uma consulta marcada na terça-feira com o ortodontista, para ver se precisaria usar aparelho.

Em outras palavras, a vida voltou ao normal no lar dos Osbornes.

Na segunda noite de Kevin em casa, Theresa lhe falou sobre as próprias férias em Cape Cod, depois sobre a viagem a Wilmington. Mencionou Garrett, tentando expressar o que sentia sem assustar o filho. A princípio, quando disse que os dois iriam visitar Garrett no fim de semana, Kevin não pareceu muito entusiasmado. Mas depois que ela lhe contou a profissão dele, Kevin começou a mostrar sinais de interesse.

– Quer dizer que ele pode me ensinar a mergulhar? – perguntou, enquanto ela passava o aspirador na casa.

– Ele disse que sim, se você quiser.

– Legal – exclamou, e em seguida voltou para o que quer que estivesse fazendo.

Algumas noites depois, ela levou-o a uma loja para comprar revistas sobre mergulho. Quando saíram de lá, Kevin sabia o nome de cada peça de equipamento que alguém poderia ter, claramente sonhando com a aventura que o esperava.

Enquanto isso, Garrett mergulhou no trabalho. Ficava na loja até tarde e não parava de pensar em Theresa, agindo de modo semelhante à época em que Catherine morrera. Quando disse ao pai que sentia muita saudade de Theresa, Jeb limitou-se a assentir e sorrir. Alguma coisa em seu olhar perscrutador fez Garrett perguntar-se o que estaria passando pela cabeça do pai.

Theresa e Garrett tinham combinado de antemão que seria melhor se ela e Kevin não ficassem na casa dele, mas, como ainda era verão, quase todas as pousadas na cidade estavam ocupadas. Felizmente, Garrett conhecia o proprietário de um pequeno hotel na praia, a menos de 2 quilômetros de sua casa, e conseguira reservar um quarto para eles.

Quando enfim chegou o dia da visita de Theresa e Kevin, Garrett comprou mantimentos, lavou o furgão por fora e por dentro e tomou banho antes de ir ao aeroporto.

Usando uma calça cáqui, mocassins e a camiseta que Theresa lhe dera, ele esperou, nervoso.

Nas últimas semanas, seus sentimentos por ela tinham crescido. Ele agora tinha certeza de que o que acontecera entre os dois não se baseava em simples atração física – seu anseio denunciava algo muito mais profundo, mais duradouro. Enquanto esticava o pescoço tentando avistá-la entre os passageiros, foi tomado por uma onda de ansiedade. Havia muito tempo que não se sentia daquela forma – e aonde aquilo tudo iria dar?

Quando Theresa apareceu, com Kevin a seu lado, todo o nervosismo de Garrett passou. Ela era linda, mais do que ele se lembrava. Quanto a Kevin, era igualzinho ao retrato e muito parecido com a mãe. Tinha pouco mais de 1,50 metro, os cabelos e olhos escuros de Theresa, e era meio desajeitado – os braços e as pernas pareciam ter crescido um pouco mais depressa do que o restante do corpo. Ele usava uma bermuda comprida, um tênis Nike e uma camiseta de um show do Hootie and the Blowfish. Era óbvio que seu estilo era inspirado na MTV, e Garrett sorriu consigo mesmo. Boston, Wilmington... Na realidade, não fazia diferença, certo? As crianças eram todas iguais em qualquer lugar.

Assim que o viu, Theresa acenou e Garrett se aproximou para pegar a bagagem de mão dos dois. Sem saber se devia beijá-la na frente de Kevin, ele hesitou até que ela se inclinou alegremente e deu-lhe um beijo no rosto.

– Garrett, este é o meu filho, Kevin – disse com orgulho.

– Olá, Kevin.

– Olá, Sr. Blake – respondeu o menino, cerimoniosamente, como se Garrett fosse seu professor.

– Não precisa me chamar de senhor – retrucou ele, estendendo a mão.

Kevin apertou a mão dele, um pouco inseguro. Até então, nenhum outro adulto além de Annette lhe permitira o tratamento "você".

– Como foi o voo? – perguntou Garrett.

– Bom – retrucou Theresa.

– Comeram alguma coisa?

– Ainda não.

– Bem, que tal comermos antes de irem para o hotel?

– Acho ótimo.

– Quer alguma coisa especial? – perguntou Garrett a Kevin.

– Gosto do McDonald's.

– Ah, não, querido... – começou a dizer Theresa, mas Garrett a interrompeu com um gesto de cabeça.

– Por mim, McDonald's está ótimo.

– Tem certeza? – quis saber Theresa.

– Absoluta. Eu como lá o tempo todo.

Kevin pareceu adorar essa resposta, e os três foram andando em direção às esteiras de bagagem.

Depois, quando passavam pelos portões, Garrett perguntou:

– Você sabe nadar bem, Kevin?

– Sei, sim.

– O que acha de fazer umas aulas de mergulho?

– Acho bacana. Andei lendo bastante sobre o assunto – disse o menino, tentando parecer mais velho do que era.

– Ótimo! Estava torcendo para você dizer isso. Se tivermos sorte, poderemos até conseguir o seu certificado antes de você voltar.

– Que certificado é esse?

– É uma licença para você mergulhar sempre que quiser. Uma espécie de carteira de habilitação.

– Dá para fazer isso em poucos dias?

– Claro. Você tem que fazer uma prova escrita e passar algumas horas na água com um instrutor. Mas como você vai ser o meu único aluno neste fim de semana, a não ser que a sua mãe queira vir também, teremos tempo mais que suficiente.

– Legal – comemorou Kevin. Então, dirigindo-se a Theresa: – Você também vai aprender, mãe?

– Não sei. Talvez.

– Acho que você devia. Seria divertido – disse Kevin.

– Ele tem razão – reforçou Garrett, com um sorriso, sabendo que ela se sentiria pressionada pelos dois e provavelmente cederia.

– Está bem – concordou Theresa, revirando os olhos. – Eu vou. Mas se vir algum tubarão, estou fora.

– Quer dizer que podemos ver tubarões? – quis saber Kevin.

– Sim, é provável que vejamos alguns. Mas são pequenos e não incomodam os seres humanos.

– De que tamanho? – perguntou Theresa, lembrando-se da história que ele contara sobre o tubarão-martelo.

– Bem pequenos, não precisa se preocupar.

– Tem certeza?

– Absoluta.

– Legal – falou Kevin consigo mesmo, e Theresa olhou de relance para Garrett, perguntando-se se ele estava dizendo a verdade.

Depois de pararem para comer alguma coisa, Garrett levou Theresa e Kevin ao hotel. Deixou as bagagens na portaria, foi até o furgão mais uma vez e voltou com um livro e alguns papéis debaixo do braço.

– Kevin, são para você.

– O que é isso?

– São os testes e o livro que você precisa ler para conseguir seu certificado. Não se preocupe: parece haver mais texto do que realmente há. Se quiser começar amanhã, é só ler os dois primeiros capítulos e preencher o primeiro teste.

– É difícil?

– Não, é bem fácil, mas tem que ser feito. E você pode consultar o livro para procurar as respostas quando não tiver certeza.

– Quer dizer que posso procurar as respostas enquanto faço o teste?

Garrett confirmou.

– Pode. Quando dou o material para os meus alunos, eles levam para fazer em casa, e tenho certeza de que todos usam o livro. O importante é tentar aprender aquilo que precisa saber. Mergulhar é muito divertido, mas pode ser perigoso se você não souber o que está fazendo.

Garrett entregou o livro ao garoto e prosseguiu:

– São umas vinte páginas de leitura, mais o teste. Se conseguir terminar até amanhã, poderemos ir à piscina para a primeira parte do treinamento. Você vai aprender a colocar o equipamento, e então vamos treinar um pouco.

– Não vamos para o mar?

– Amanhã não. Primeiro você precisa se acostumar com o equipamento. Depois de algumas horas de treinamento, estará pronto. Provavelmente estará apto a passar para o mar na segunda ou na terça. E com algumas horas no oceano, poderá voltar para casa com um diploma temporário. Depois, é só colocar um formulário no correio para receber o diploma definitivo, que chega em poucos dias.

Kevin começou a folhear o livro.

– Mamãe também vai ter que fazer isso?

– Se quiser um diploma, vai.

Theresa aproximou-se e deu uma olhada no livro por cima do ombro de Kevin. As informações não pareciam muito complicadas.

– Filho, podemos fazer isso juntos amanhã de manhã, se você estiver cansado demais para começar agora.

– Não estou cansado – apressou-se Kevin em dizer.

– Então se importa se Garrett e eu conversarmos um pouco a sós lá fora?

– Não, pode ir – retrucou ele distraidamente, já voltando a atenção para o livro.

Garrett e Theresa saíram e se sentaram frente a frente. Ao olhar para o filho, ela viu que ele já tinha mergulhado na leitura.

– Você não está pulando etapas para ele conseguir o diploma, não é?

Garrett negou com um gesto de cabeça.

– Não, de modo algum. Para conseguir esse diploma é preciso passar nos testes e ficar certo número de horas na água com um instrutor, só isso. Em geral dividimos o curso em três ou quatro fins de semana, mas porque a maioria das pessoas não tem tempo para fazer tudo durante a semana. Ele vai ter o mesmo número de horas, só que concentradas.

– Muito obrigada pelo que está fazendo por ele.

– Ei, não esqueça que esse é o meu trabalho. – Depois de se certificar de que Kevin ainda estava lendo, ele aproximou sua cadeira da dela. – Senti saudades suas esses dias – disse baixinho, pegando na mão dela.

– Eu também senti a sua falta.

– Você está linda – acrescentou ele. – Era de longe a mulher mais bonita do avião.

Theresa enrubesceu.

– Obrigada... Você também está ótimo, principalmente com essa camisa.

– Achei que você fosse gostar.

– Está decepcionado por não ficarmos na sua casa?

– Na verdade, não. Entendo as suas razões. Kevin nunca me viu mais gordo, e prefiro que ele vá se acostumando comigo em seu próprio tempo. Como você disse, ele já passou por muita coisa.

– Isso significa que não vamos poder ficar muito tempo sozinhos neste fim de semana. Você sabe disso, certo?

– Quero você do jeito que tiver que ser.

Theresa tornou a olhar para dentro e, ao ver o filho imerso no livro, se inclinou e beijou Garrett. Apesar de saber que não passaria a noite com ele, experimentou uma surpreendente sensação de felicidade. Sentada perto dele, sentia o coração acelerado.

– Queria que não morássemos tão longe um do outro. Você é meio viciante.

– Vou tomar isso como um elogio.

Três horas mais tarde, quando Kevin já estava dormindo havia muito tempo, Theresa levou Garrett até a porta sem fazer qualquer ruído. Depois de saírem para o corredor e fecharem a porta, eles trocaram um longo beijo, ambos achando difícil terem que se separar. Nos braços dele, Theresa sentia-se uma adolescente outra vez, namorando escondida na varanda da casa dos pais, e isso de alguma forma aumentava sua excitação.

– Queria que você pudesse passar a noite aqui – sussurrou ela.

– Eu também.

– Será que você está achando esta despedida tão difícil quanto eu?

– Eu diria que é muito mais difícil para mim, que vou ter que voltar para uma casa vazia.

– Não diga isso. Fico me sentindo culpada.

– Talvez uma pequena dose de culpa seja algo bom. Mostra que você gosta de mim.

– Se não gostasse, não estaria aqui.

Tornaram a se beijar apaixonadamente. Ao se afastar dela, Garrett balbuciou:

– É melhor eu ir.

Mas a frase não soou como se ele pretendesse mesmo fazer isso.

– Eu sei – disse Theresa.

– Mas não quero ir – acrescentou ele, com um sorriso maroto.

– Sei como você se sente, mas tem que ir. Tem que nos dar aula de mergulho amanhã.

– Prefiro lhe ensinar outras coisinhas que eu sei.

– Acho que você fez isso na outra vez que vim – retrucou ela timidamente.

– Sim, mas a prática leva à perfeição.

– Então vamos ter que encontrar um meio de praticar enquanto eu estiver aqui.

– Acha que isso pode acontecer?

– Acho que, quando se trata de nós dois, tudo é possível – respondeu ela com franqueza.

– Espero que tenha razão.

– Eu tenho razão – afirmou ela, beijando-o outra vez. – Sempre tenho.

Theresa desvencilhou-se suavemente de Garrett e recuou em direção à porta.

– É disso que eu gosto em você, Theresa: sua autoconfiança.

– Vá para casa, Garrett – ordenou ela em tom sério. – E me faça um favor.

– O que você quiser.

– Sonhe comigo, está bem?

Kevin acordou cedo no dia seguinte e assim que saiu da cama abriu as cortinas, deixando o sol invadir o quarto. Theresa estreitou os olhos e rolou para o outro lado, tentando conseguir mais alguns minutos de descanso, mas Kevin era persistente.

– Mãe, você tem que fazer o teste antes de sairmos – falou, entusiasmado.

Theresa gemeu. Virou-se e olhou para o relógio: passava um pouco das seis da manhã. Ela tinha dormido menos de cinco horas.

– Ainda é muito cedo – disse, tornando a fechar os olhos. – Pode me dar mais uns minutinhos, querido?

– Não vai dar tempo – retrucou ele, sentando-se na cama dela e cutucando-lhe o ombro. – Você ainda não leu nem o primeiro capítulo.

– Você terminou tudo ontem à noite?

– Terminei. Meu teste está ali, mas não vale colar, hein? Não quero me meter em nenhuma encrenca.

– Acho que não existe essa possibilidade – respondeu ela, tonta de sono. – O professor é nosso amigo, sabia?

– Mas não seria justo. Além disso, você tem que saber essas coisas, como o Sr. Blake... quer dizer, o Garrett, disse, senão pode ter problemas.

– Está bem, está bem – cedeu Theresa.

Sentou-se devagar e esfregou os olhos.

– Tem algum envelope de café instantâneo por aqui? – perguntou.

– Não vi, mas se quiser posso ir até o final do corredor e lhe trazer uma Coca-Cola.

– Tenho algumas moedas na bolsa...

Kevin levantou-se de um salto e começou a remexer na bolsa dela. Depois de encontrar as moedas, ele correu para a porta do quarto, ainda com os cabelos desgrenhados pelo sono. Ela ouviu os passos dele em disparada pelo corredor, então se levantou e se espreguiçou. Em seguida, foi até a mesinha. Pegou o livro e estava começando a ler quando Kevin voltou com duas latas de refrigerante.

– Pronto – disse ele, colocando uma na mesa ao lado dela. – Vou tomar banho e me arrumar. Onde você pôs minha sunga?

Ah, a inesgotável energia da infância, ela pensou.

– Está na primeira gaveta, ao lado das meias.

– Certo – retrucou ele, abrindo a gaveta. – Achei.

Foi para o banheiro e Theresa escutou quando o chuveiro foi ligado. Abriu o refrigerante e voltou ao livro.

Felizmente, Garrett estava certo ao afirmar que as informações não eram difíceis. A leitura era fácil, intercalada com ilustrações do equipamento, e quando Kevin terminou de se vestir ela já tinha lido tudo. Pegou a folha do teste e colocou-a à sua frente. Kevin postou-se atrás dela enquanto ela lia a primeira pergunta. Lembrando-se do trecho em que vira a resposta, ela começou a folhear o livro até chegar à página correspondente.

– Mãe, essa é fácil. Não precisa nem consultar o livro.

– Às seis da manhã, preciso de toda a ajuda disponível – resmungou ela, sem o menor sentimento de culpa.

Garrett tinha dito que ela poderia usar o material para consulta, não tinha?

Kevin continuou a olhar por cima do ombro da mãe enquanto ela respondia às primeiras perguntas, fazendo comentários como "Não, você está procurando no lugar errado", ou "Tem certeza de que leu todos os capítulos?", até que ela o mandou ir assistir à televisão.

– Mas não está passando nada – retrucou ele, desanimado.

– Então vá ler alguma coisa.

– Não trouxe nada para ler.

– Então fique sentado quieto.

– Já estou.

– Não está, não. Está em pé atrás de mim.

– Só estou tentando ajudar.

– Vá se sentar na cama, está bem? E não fale mais nada.

– Não estou falando nada.

– Acabou de falar agora.

– Só porque você está falando comigo.

– Não pode me deixar fazer o teste em paz?

– Está bem, não vou dizer mais nada. Vou ficar calado como uma múmia.

E ficou... durante dois minutos. Depois pôs-se a assobiar. Ela pousou a caneta e virou-se para encará-lo.

– Por que está assobiando?

– Estou entediado.

– Então ligue a televisão.

– Não está passando nada...

E isso continuou até que ela finalmente terminou. Levara quase uma hora para fazer algo que poderia ter terminado na metade do tempo se estivesse no escritório. Tomou um longo banho quente, colocou um maiô e terminou de se vestir. Kevin, agora faminto, queria voltar ao McDonald's, mas Theresa disse que não e sugeriu que tomassem café da manhã no Waffle House, do outro lado da rua.

– Mas eu não gosto da comida de lá.

– Você nunca comeu lá.

– Eu sei.

– Então como sabe que não gosta?

– Eu sei, só isso.

– Você é onisciente?

– O que quer dizer isso?

– Quer dizer, rapazinho, que vamos comer onde eu quiser, para variar um pouco.

– Sério?

– Sério – disse ela, desejando mais do que nunca uma xícara de café.

Garrett bateu na porta do quarto do hotel pontualmente às nove horas, e Kevin correu para abri-la.

– Estão prontos? – perguntou ele.

– Claro que estamos – respondeu Kevin, rápido. – Vou pegar o meu teste.

Ele foi aos saltos até a mesa, enquanto Theresa se levantava da cama e dava um beijo rápido de bom-dia em Garrett.

– Como foi sua manhã? – quis saber ele.

– Já parece ser de tarde. Kevin me fez levantar de madrugada para responder às perguntas.

Garrett sorriu quando o garoto voltou com o teste.

– Pronto, Sr. Blake. Quero dizer, Garrett.

Garrett pegou o papel e começou a ler as respostas.

– Minha mãe teve dificuldade com algumas perguntas, mas eu ajudei – prosseguiu Kevin, e Theresa fez uma careta. – Pronta para ir, mãe?

– Quando quiser – retrucou ela, pegando a bolsa e a chave do quarto.

– Então vamos! – exclamou Kevin, saindo em disparada pelo corredor na frente deles na direção do carro de Garrett.

Durante a manhã e o início da tarde, Garrett ensinou-lhes os rudimentos do mergulho. Theresa e Kevin aprenderam como funcionava o equipamento, como usá-lo e testá-lo, e enfim como respirar através do bocal, primeiro na lateral da piscina, depois debaixo d'água.

– A coisa mais importante é se lembrar de respirar normalmente – explicou Garrett. – Não prender a respiração, nem respirar rápido ou devagar demais. Deixem o ar entrar e sair com naturalidade.

Claro que, para Theresa, nada daquilo parecia natural, e ela acabou tendo mais dificuldades do que o filho. O menino, sempre aventureiro, concluiu, depois de alguns minutos sob a água, que já sabia tudo o que havia para aprender.

– Isto é fácil – disse a Garrett. – Acho que à tarde já estarei pronto para o mar.

– Tenho certeza disso, mas mesmo assim temos que seguir a ordem correta das lições.

– Como minha mãe está indo?

– Bem.

– Tão bem quanto eu?

– Você dois estão ótimos.

Kevin tornou a colocar o bocal. Voltou a submergir no mesmo instante em que Theresa veio à tona.

– É estranho respirar debaixo d'água – comentou ela.

– Você está indo muito bem. Apenas relaxe e respire normalmente.

– Foi o que você disse na última vez em que subi engasgando.

– As regras não mudaram nos últimos minutos, Theresa.

– Eu sei. Só estou imaginando se não há algo errado com o meu tanque.

– O tanque está perfeito. Verifiquei duas vezes hoje de manhã.

– Mas não é você quem está usando, é?

– Quer que eu teste de novo?

– Não – resmungou ela, frustrada. – Vou dar um jeito.

E voltou a submergir.

Kevin tornou a subir e tirou o bocal mais uma vez.

– Mamãe está bem? Vi quando ela subiu.

– Está ótima. Está só se acostumando, como você.

– Que bom. Eu ia me sentir muito mal se conseguisse o diploma e ela não.

– Não se preocupe com isso. Continue treinando.

– Está bem.

E assim foi.

Depois de algumas horas na água, tanto Kevin quanto Theresa estavam cansados. Foram almoçar e Garrett contou seus casos de mergulho de novo, dessa vez para Kevin. De olhos arregalados, o menino não parava de fazer perguntas. Garrett respondeu a cada uma delas com toda a paciência, e Theresa ficou aliviada ao ver que ambos pareciam estar se dando muito bem.

Após pararem no hotel para pegar o livro e a lição para o dia seguinte, Garrett levou os dois até sua casa. Embora Kevin tivesse planejado começar imediatamente a estudar os capítulos seguintes, o fato de Garrett morar na praia mudou tudo. Parado na sala, olhando para o mar, ele perguntou:

– Posso ir até a água, mãe?

– Acho melhor não – respondeu ela, em tom carinhoso. – Acabamos de passar o dia inteiro na piscina.

– Ah, mãe, por favor... Você não precisa ir comigo, pode ficar me vigiando da varanda.

Ela hesitou e Kevin viu que tinha vencido.

– Por favor... – repetiu, dando-lhe seu melhor sorriso.

– Está bem, pode ir. Mas não vá para o fundo, está bem?

– Prometo – disse ele, animado.

Depois de pegar a toalha que Garrett lhe entregou, ele correu para a água. Garrett e Theresa sentaram-se na varanda e ficaram olhando o garoto brincar no mar.

– É um menino ótimo – comentou ele em voz baixa.

– É, sim – concordou Theresa. – E acho que gostou de você. No almoço, quando você foi ao banheiro, ele disse que você é legal.

Garrett sorriu.

– Que bom. Eu também gostei dele. É um dos melhores alunos que já tive.

– Está dizendo isso só para me agradar.

– Não estou, não. É verdade. Conheço um monte de meninos nas minhas aulas, e ele é muito maduro e bem falante para a idade que tem. E é bonzinho também. Há muitos garotos mimados por aí, mas não sinto isso nele.

– Obrigada.

– É sério, Theresa. Depois de ouvir as suas preocupações, eu não sabia o que esperar. Mas ele é ótimo. Você o educou muito bem.

Ela pegou a mão dele e beijou-a com delicadeza. Depois falou baixinho:

– É muito importante, para mim, ouvir você dizer isso. Não conheço muitos homens que queiram falar sobre o meu filho, muito menos passar algum tempo com ele.

– Eles não sabem o que estão perdendo.

Ela sorriu.

– Como é que você sempre sabe exatamente o que dizer para me agradar?

– Talvez seja porque você desperta o melhor em mim.

– Talvez seja isso mesmo.

Naquela noite, Garrett levou Kevin à locadora para que ele escolhesse alguns filmes e pediu pizza para os três. Assistiram juntos ao primeiro filme, comendo na sala. Depois do jantar, Kevin aos poucos começou a sossegar e, às nove, tinha pegado no sono na frente da televisão. Theresa acordou-o delicadamente, avisando que era hora de ir embora.

– Não podemos dormir aqui hoje? – resmungou ele, semiconsciente.

– Acho melhor irmos – insistiu ela.

– Se quiser, vocês dois podem dormir na minha cama. Eu fico aqui no sofá – ofereceu Garrett.

– Vamos fazer isso, mãe. Estou tão cansado...

– Tem certeza? – perguntou ela a Garrett, mas a essa altura Kevin já estava cambaleando na direção do quarto.

Em seguida, os dois ouviram as molas do colchão cederem quando o menino desabou sobre a cama e foram espiar da porta. Num instante ele já estava dormindo outra vez.

– Acho que ele não lhe deixou muita escolha – sussurrou Garrett.

– Ainda não tenho certeza de que é uma boa ideia.

– Serei um perfeito cavalheiro, prometo.

– Não estou preocupada com você. Só não quero que Kevin fique com uma impressão errada.

– Está dizendo que não quer que ele saiba que estamos juntos? Acho que ele já sabe.

– Você entendeu o que quero dizer.

– É, entendi. – Ele deu de ombros. – Olhe, se você quiser que eu a ajude a carregá-lo para o carro, não tem problema.

Theresa contemplou o filho por um instante, escutando sua respiração profunda e regular. Ele parecia dormir profundamente.

– Bom, talvez uma noite não faça mal – cedeu ela, e Garrett deu uma piscadela.

– Estava torcendo para você dizer isso.

– Não esqueça a sua promessa de ser um perfeito cavalheiro.

– Não precisa se preocupar.

– Você parece muito seguro a respeito disso.

– Ei, promessa é promessa.

Ela fechou a porta devagar e envolveu o pescoço de Garrett com os braços. Depois começou a beijá-lo, mordiscando os lábios dele de forma provocativa.

– Que bom, porque se dependesse de mim, acho que não conseguiria me controlar.

Ele estremeceu.

– Você sabe mesmo dificultar as coisas, não é?

– Está dizendo que sou implicante?

– Não. Estou dizendo que você é perfeita.

Em vez de assistirem ao segundo filme, Garrett e Theresa ficaram sentados no sofá, bebendo vinho e conversando. Theresa foi ao quarto algumas vezes, para se certificar de que Kevin ainda dormia, e ele parecia nem ter se mexido.

À meia-noite, Theresa bocejava sem parar, e Garrett sugeriu que ela fosse dormir.

– Mas vim aqui para ficar com você... – protestou ela, sonolenta.

– Só que se não for dormir, também não vai conseguir ficar comigo.

– Eu estou bem, juro – afirmou ela, antes de bocejar outra vez.

Garrett levantou-se e foi até o armário. Pegou um lençol, um cobertor e um travesseiro e levou tudo para o sofá.

– Eu insisto. Tente dormir um pouco. Temos alguns dias para ficarmos juntos.

– Tem certeza?

– Absoluta.

Ela ajudou Garrett a preparar o sofá, depois foi para o quarto.

– Se não quiser dormir com essa roupa, tenho algumas camisetas na segunda gaveta – ofereceu ele.

Ela beijou-o mais uma vez.

– Tive um dia maravilhoso – falou.

– Eu também.

– Me desculpe por estar tão cansada.

– Você fez muita coisa hoje. É perfeitamente compreensível.

Ela o abraçou e sussurrou ao seu ouvido:

– Você é sempre uma companhia tão agradável?

– Eu tento.

– Bom, está conseguindo.

Algumas horas depois, Garrett acordou com a sensação de que alguém cutucava suas costelas. Abriu os olhos e viu Theresa sentada a seu lado. Ela usava uma das camisetas que ele lhe oferecera.

– Você está bem? – perguntou ele, sentando-se.

– Estou ótima – respondeu ela, acariciando-lhe o braço.

– Que horas são?

– Três e pouco.

– Kevin ainda está dormindo?

– Como uma pedra.

– Posso saber por que saiu da cama?

– Tive um sonho e não consegui dormir de novo.

Ele esfregou os olhos.

– Sonhou com o quê?

– Com você – murmurou ela.

– E foi bom? – perguntou ele.

– Ah, se foi...

Ela não terminou a frase. Inclinou-se para beijar o peito dele e Garrett puxou-a para si, antes de olhar de relance para a porta do quarto. Theresa a fechara atrás de si.

– Não está preocupada com Kevin? – disse ele.

– Um pouco, mas vou confiar que você não vai fazer barulho.

Ela enfiou a mão sob o lençol e correu os dedos pela barriga dele. Seu toque era eletrizante.

– Tem certeza? – insistiu ele.

– Aham – fez ela.

Fizeram amor de forma terna e silenciosa e depois ficaram deitados lado a lado. Por um longo tempo, nenhum dos dois disse nada. Quando o sol começou a nascer no horizonte, eles trocaram um beijo de boa-noite e ela voltou para o quarto. Minutos depois, estava dormindo pesado e Garrett ficou observando-a da porta.

Por algum motivo, ele não conseguiu pegar no sono de novo.

Na manhã seguinte, Theresa e Kevin ficaram estudando juntos enquanto Garrett saía para comprar pão para o café da manhã. Depois, foram mais uma vez à piscina. Dessa vez a aula foi um pouco mais avançada, cobrindo muitos aspectos do mergulho. Theresa e Kevin treinaram "respiração com o companheiro", para o caso de algum dos dois ficar sem ar debaixo d'água e ambos serem obrigados a compartilhar um só tanque. Além disso, Garrett explicou os perigos de entrar em pânico durante o mergulho e da volta rápida demais à superfície.

– Se fizerem isso, podem sentir muita dor, e até mesmo correr risco de morte.

Passaram algum tempo na parte funda da piscina, submersos por longos períodos, acostumando-se com o equipamento e praticando como liberar os ouvidos. Perto do final da aula, Garrett mostrou-lhes como saltar para a água sem que as máscaras saíssem do lugar. Como era de se esperar, depois de algumas horas ambos estavam exaustos e eles deram o dia por encerrado.

– Amanhã vamos entrar no mar? – perguntou Kevin, enquanto voltavam ao furgão.

– Se vocês quiserem, sim. Acho que estão preparados, mas se preferirem passar mais um dia na piscina, não há problema.

– Não, eu estou preparado.

– Tem certeza? Não precisa ter pressa.

– Tenho certeza – afirmou ele.

– E você, Theresa? Está pronta para mergulhar no mar?

– Se Kevin está, eu também estou.

– E eu ainda vou receber o diploma na terça-feira? – perguntou o garoto.

– Se forem bem nos mergulhos no mar, vocês dois receberão.

– Maneiro!

– E o que vamos fazer durante o resto do dia? – quis saber Theresa.

Garrett começou a colocar os tanques na traseira do furgão.

– Pensei em irmos velejar. Parece que o tempo vai estar ótimo.

– Posso aprender a velejar também? – perguntou Kevin, ansioso.

– Claro. Você vai ser o meu imediato.

– Preciso de um diploma para isso também?

– Não. Isso depende do capitão e, como eu sou o capitão, posso fazer isso agora mesmo.

– Simples assim?

– Simples assim.

Kevin encarou a mãe com os olhos arregalados e ela quase pôde ler os pensamentos dele. *Primeiro aprendo a mergulhar, depois me torno um imediato. Quando eu contar aos meus amigos...*

Garrett acertou na previsão do clima ideal e os três se divertiram muito no mar. Ele ensinou a Kevin os princípios para se velejar – começando por como e quando manobrar de modo a prever a direção do vento baseando-se nas nuvens. Como na primeira ocasião que ele e Theresa velejaram, comeram sanduíches e salada, mas dessa vez tiveram a sorte de ver uma família de golfinhos brincando em volta do barco durante a refeição.

Já era tarde quando voltaram às docas, e depois de mostrar a Kevin como fechar o barco para protegê-lo de tempestades inesperadas, Garrett levou-os ao hotel. Como os três estavam exaustos, Theresa e Garrett despediram-se rapidamente, e tanto ela quanto Kevin já tinham se deitado antes que Garrett chegasse em casa.

No dia seguinte, Garrett levou-os a seu primeiro mergulho no mar. Após o nervosismo inicial, os dois começaram a se divertir e acabaram gastando dois tanques cada um durante a tarde. Graças ao bom tempo, a água estava clara, com excelente visibilidade. Garrett tirou algumas fotos deles explorando um dos navios naufragados em águas rasas em frente à costa da Carolina do Norte. Prometeu mandar revelá-las naquela mesma semana e enviá-las assim que pudesse.

Tornaram a passar a noite na casa de Garrett. Depois que Kevin adormeceu, Garrett e Theresa ficaram sentados lada o lado na varanda, sendo acariciados pelo ar quente e úmido.

Conversaram sobre os mergulhos da tarde, em seguida Theresa ficou em silêncio por um instante.

– Não consigo acreditar que vamos embora amanhã à noite – comentou finalmente, com um traço de tristeza na voz. – O tempo voou.

– É porque ficamos muito ocupados.

Ela sorriu.

– Agora você tem uma ideia do que é a minha vida em Boston.

– Sempre correndo?

Ela assentiu.

– Exatamente. Kevin foi a melhor coisa que já me aconteceu, mas às vezes ele me deixa exausta. Tem que estar sempre fazendo alguma coisa.

– Mas você não mudaria isso, não é? Quero dizer, não ia querer criar um filho viciado em TV, ou que fica o dia inteiro sentado no quarto ouvindo música.

– Claro que não.

– Então agradeça por ele ser assim. É um garoto ótimo. Gostei muito da companhia dele, de verdade.

– Que bom. Sei que ele se sente da mesma forma. – Ela fez uma pausa. – Sabe, mesmo que desta vez não tenhamos passado muito tempo a sós, parece que agora conheço você melhor do que quando vim sozinha.

– Como assim? Sou o mesmo de antes.

Ela sorriu.

– É e não é. Na última vez, você me teve por inteiro, e nós dois sabemos que é mais fácil envolver-se com uma pessoa quando podemos passar bastante tempo na companhia dela. Desta vez você viu como seria com Kevin por perto... E mesmo assim lidou com tudo muito melhor do que eu poderia imaginar.

– Bom, obrigado, mas não foi assim tão difícil. Contanto que você esteja por perto, não importa o que façamos. Gosto de ficar com você.

Ele passou o braço pelos ombros dela e puxou-a para si. Theresa apoiou a cabeça no ombro dele. Em silêncio, ficaram escutando as ondas que quebravam na praia.

– Vão passar a noite aqui outra vez? – perguntou ele.

– Estou pensando seriamente nisso.

– Vai querer que eu seja um perfeito cavalheiro outra vez?

– Talvez sim, talvez não.

Ele levantou as sobrancelhas.

– Está flertando comigo?

– Estou tentando – confessou ela, e ele riu. – Sabe, Garrett, fico muito à vontade ao seu lado.

– À vontade? Você fala como se eu fosse um sofá...

– Não foi o que eu quis dizer. É que eu me sinto bem quando estamos juntos.

– E deveria mesmo. Eu também me sinto muito bem com você.

– Muito bem? Só isso?

Ele balançou a cabeça.

– Não é só isso, não. – Por um segundo, sua expressão foi quase de timidez. – Depois que você foi embora da última vez, papai veio me fazer um sermão.

– O que ele disse?

– Que, se você me faz feliz, então eu não deveria deixá-la ir embora.

– E como você pretende fazer isso?

– Acho que vou ter que usar o meu charme para conquistá-la.

– Você já fez isso.

Ele olhou de relance para ela, então voltou os olhos para o mar. Depois de um momento, falou baixinho:

– Então acho que vou ter que dizer que te amo.

Eu te amo.

No céu acima deles, todas as estrelas brilhavam na escuridão. Nuvens distantes passavam pelo horizonte, refletindo a luz da lua crescente. Theresa escutou as palavras dançando em sua mente.

Eu te amo.

Dessa vez não havia ambivalência, nem dúvidas quanto ao que ele dissera.

– Ama mesmo? – murmurou ela.

– Amo – confirmou ele, virando-se para encará-la. – Amo mesmo.

Quando ele respondeu isso, ela viu nos olhos dele algo que nunca vira antes.

– Ah, Garrett... – começou Theresa, hesitante.

Ele a interrompeu com um gesto de cabeça.

– Theresa, não espero que sinta o mesmo por mim. Só queria que você soubesse como me sinto. – Ele pensou por um instante e lembrou o sonho que tivera. – Nessas duas semanas, muitas coisas aconteceram... – Então ele ficou em silêncio.

Ela começou a dizer alguma coisa, mas Garrett balançou a cabeça. Demorou um instante até recomeçar:

– Não tenho certeza se compreendo tudo, mas sei o que sinto por você.

Ele passou o dedo com delicadeza pela face e pelos lábios dela.

– Eu te amo, Theresa.

– Eu também te amo – disse ela baixinho, esperando que as palavras fossem verdadeiras.

Depois disso, eles ficaram abraçados por um longo tempo, em seguida entraram em casa e fizeram amor, conversando em sussurros até o amanhecer. Dessa vez, após Theresa ir para o quarto, Garrett dormiu profundamente enquanto ela ficou acordada pensando no milagre que tinha reunido os dois.

O dia seguinte foi maravilhoso. Sempre que tinham uma oportunidade, Garrett e Theresa ficavam de mãos dadas, trocando alguns beijos furtivos quando Kevin não estava olhando.

Passaram o dia treinando, como na véspera, e depois que terminaram a última lição de mergulho, Garrett entregou-lhes, ali mesmo no barco, seus diplomas temporários.

– Agora vocês podem mergulhar onde e quando quiserem – disse ele a Kevin, que segurava o documento como se fosse de ouro. – É só mandar este formulário e o diploma definitivo chegará em poucos dias. Mas lembrem que nunca é seguro mergulhar sozinho. Vocês devem ir sempre com outra pessoa.

Como era o último dia deles em Wilmington, Theresa fechou a conta no hotel e os três foram para a casa de Garrett. Kevin quis passar as últimas horas na praia, e Theresa e Garrett sentaram-se com ele perto da água. Garrett e Kevin ficaram algum tempo jogando *frisbee* e Theresa, quando percebeu que já era o final da tarde, entrou em casa para fazer algo para comer.

Os três tiveram um jantar rápido na varanda dos fundos – cachorros-quentes na brasa – antes de Garrett levá-los ao aeroporto. Depois que Theresa e Kevin subiram a bordo, Garrett ficou alguns minutos contemplando o avião, até que a aeronave começou a afastar-se em direção à pista. Quando o avião sumiu de vista, ele voltou para o furgão e foi para casa, já consultando o relógio para ver quanto tempo precisaria esperar antes de ligar para ela.

Dentro do avião, Theresa e Kevin ficaram folheando revistas. Mais ou menos na metade da viagem, o garoto virou-se de repente para ela e perguntou:

– Mamãe, você gosta do Garrett?

– Gosto, sim. Mas o mais importante é: você gosta dele?

– Acho que ele é bacana. Quero dizer, para um adulto.

Theresa sorriu.

– Vocês dois parecem ter se dado bem. Está feliz por termos vindo?

Ele assentiu.

– É, estou. – Fez uma pausa, brincando com a revista. – Mãe, posso lhe fazer uma pergunta?

– É claro que pode.

– Você vai se casar com o Garrett?

– Não sei. Por quê?

– Você quer?

Ela demorou alguns instantes para responder.

– Não tenho certeza. Sei que não quero me casar com ele agora. Ainda estamos nos conhecendo.

– Mas pode ser que se case com ele no futuro?

– Talvez.

Kevin pareceu aliviado.

– Que bom. Você parecia muito feliz quando estava com ele.

– Dava para perceber?

– Mãe, eu tenho 12 anos. Sei mais coisas do que você pensa.

Ela estendeu a mão e tocou a dele.

– Bem, o que você teria dito se eu respondesse que queria me casar com ele logo?

Ele ficou calado por um momento.

– Acho que eu iria querer saber onde iríamos morar.

Por mais que tentasse, Theresa não conseguiu pensar numa boa resposta. Onde?

11

Quatro dias depois que Theresa foi embora de Wilmington, Garrett teve outro sonho, dessa vez com Catherine. Eles estavam num campo à beira de um rochedo com vista para o mar. Caminhavam juntos, de mãos dadas, conversando, quando Garrett disse alguma coisa que a fez rir. De repente ela largou a mão dele e afastou-se. Olhando por cima do ombro e rindo, gritou para Garrett tentar alcançá-la. Ele fez isso, rindo também, experimentando uma sensação semelhante à do dia em que tinham se casado.

Vendo-a correr, ele não pôde deixar de notar como ela era linda. Os cabelos compridos refletiam a luz do sol, as pernas eram esbeltas e moviam-se de forma cadenciada, sem esforço. Apesar de estar correndo, ela tinha um sorriso fácil e relaxado, como se estivesse parada.

– Venha me pegar, Garrett. Consegue me alcançar? – gritou ela.

O som de sua risada envolveu Garrett e soou como música a seus ouvidos.

Ele foi chegando cada vez mais perto dela quando se deu conta de que Catherine se dirigia para o precipício. Em seu entusiasmo, ela parecia não perceber aonde ia.

Mas isso é ridículo, ela tem que saber, ele pensou.

Garrett gritou-lhe que parasse, mas em vez disso ela se pôs a correr mais depressa.

Estava se aproximando da beira do abismo.

Com uma sensação de medo, ele viu que ainda estava longe demais para alcançá-la.

Correu o mais rápido que pôde, gritando que ela voltasse, mas ela pareceu não ouvir. Garrett sentiu a adrenalina percorrer seu corpo, impulsionada por um medo paralisante.

– Pare, Catherine! – gritou, exausto. – O precipício! Você não está vendo aonde está indo!

Quanto mais ele gritava, mais fraca ficava a sua voz, até virar um murmúrio.

Catherine, alheia a tudo, continuava correndo. O abismo estava a poucos metros de distância.

Ele estava chegando mais perto.

Mas ainda se encontrava longe demais.

– Pare! – gritou mais uma vez, embora soubesse que ela não conseguiria ouvi-lo, porque sua voz sumira.

Nesse momento, o pânico que experimentou foi maior do que qualquer sentimento conhecido. Com todas as suas forças, obrigou as pernas a se moverem mais depressa, mas ele estava ficando cansado e elas se tornavam mais pesadas a cada passo.

Não vou conseguir, ele pensou, aterrorizado.

Então, tão repentinamente quanto tinha se afastado dele, ela parou. Quando se virou para encará-lo, parecia alheia a qualquer perigo.

Estava parada a poucos centímetros do abismo.

– Não se mova – gritou ele, mas também dessa vez sua voz saiu num murmúrio.

Ele parou perto dela e estendeu-lhe a mão, ofegante.

– Venha para cá – pediu. – Você está muito na beirada.

Ela sorriu e olhou de relance para trás de si. Percebendo como estava perto de cair, tornou a se virar para ele.

– Achou que ia me perder?

– Achei – disse ele em voz bem baixa. – E prometo nunca mais deixar isso acontecer.

Garrett acordou, sentou-se na cama e ficou acordado por horas a fio. Quando finalmente adormeceu outra vez, teve um sono agitado e só conseguiu se levantar às dez da manhã. Ainda exausto e sentindo-se deprimido, achou impossível pensar em qualquer coisa além do sonho. Sem saber o que fazer, ligou para o pai, que foi encontrá-lo no lugar de sempre para tomarem café da manhã juntos.

– Não sei por que estou assim – disse ele depois de alguns minutos de conversa amena com Jeb. – Não consigo entender.

O mais velho não respondeu. Em vez disso, ficou observando o filho por cima da xícara de café e permaneceu em silêncio enquanto ele continuava:

– Ela não fez nada que me incomodasse. Acabamos de passar o fim de semana todo juntos, e eu realmente gosto dela. Conheci o filho, também, e ele é ótimo. A questão é que... não sei. Não sei se vou conseguir continuar com isso.

Garrett ficou em silêncio. O único som vinha das mesas em volta deles.

– Continuar com o quê? – perguntou Jeb por fim.

Garrett mexeu seu café distraidamente.

– Não sei se posso vê-la de novo.

O pai levantou uma sobrancelha, mas não disse nada. Garrett prosseguiu:

– Talvez não seja para ficarmos juntos. Quero dizer, ela nem mora aqui. Está a mais de mil quilômetros de distância, tem a própria vida, os próprios interesses. E aqui estou eu, levando uma vida totalmente separada da dela. Talvez ela se desse melhor com outra pessoa, alguém com quem pudesse estar sempre.

Pensou no que tinha dito, sabendo que ele próprio não acreditava muito nisso. Mesmo assim, não queria contar o sonho ao pai.

– Quero dizer, como podemos construir um relacionamento se não vamos nos ver com frequência?

Mais uma vez Jeb ficou calado. Garrett continuou, como se falasse consigo mesmo:

– Se ela morasse aqui e pudéssemos nos ver todos os dias, acho que eu me sentiria de outra forma. Mas com ela longe...

Não completou a frase, tentando entender os pensamentos. Depois de algum tempo tornou a falar:

– Simplesmente não sei o que poderemos fazer. Pensei muito, e não vejo como isso poderia dar certo. Não quero me mudar para Boston, e tenho certeza de que ela não quer vir para cá. Em que pé isso nos deixa?

Garrett calou-se e esperou o pai dizer alguma coisa – qualquer coisa. Mas Jeb ficou em silêncio por um longo tempo. Por fim, Garrett suspirou e desviou os olhos.

– Parece que você está inventando desculpas – falou Jeb, baixinho. – Está tentando se convencer e está me usando para escutar o que você mesmo diz.

– Não estou, não, pai. Estou só tentando entender a situação.

– Com quem acha que está falando, Garrett? – Jeb balançou a cabeça. – Juro que às vezes acho que você nunca aprendeu nada com a vida. Mas sei exatamente o que está acontecendo. Você ficou tão viciado na solidão que tem medo do que possa acontecer se encontrar outra pessoa que consiga tirá-lo disso.

– Não estou com medo – protestou Garrett.

O pai interrompeu-o:

– Não consegue admitir nem para si mesmo, não é?

A decepção em sua voz era inconfundível.

– Sabe, Garrett, quando a sua mãe morreu eu também inventei desculpas. Ao longo dos anos, disse a mim mesmo todo tipo de coisas. E quer saber aonde isso me levou? – Ele encarou o filho. – Estou velho, cansado e, acima de tudo, solitário. Se eu pudesse voltar no tempo, mudaria muitas coisas em mim, e não vou deixá-lo cometer os mesmos erros de jeito nenhum.

Jeb fez uma pausa antes de prosseguir, em tom mais suave:

– Eu estava errado, Garrett. Errei ao não tentar encontrar outra pessoa. Errei ao me sentir culpado em relação à sua mãe. Errei ao continuar vivendo como vivi, sempre sofrendo e imaginando o que ela teria pensado. Porque sabe de uma coisa? Acho que a sua mãe iria querer que eu encontrasse outra pessoa. Iria querer que eu fosse feliz. E sabe por quê?

Garrett não respondeu.

– Porque ela me amava. E se acha que sofrendo do modo como você vem sofrendo está mostrando seu amor por Catherine, então em algum momento eu errei na sua educação.

– Você não errou...

– Devo ter errado. Porque quando olho para você eu vejo a mim mesmo e, para ser honesto, preferiria ver outra pessoa. Gostaria de ver alguém que aprendeu que é normal seguir em frente, que é normal buscar uma pessoa que possa fazê-lo feliz. Mas neste momento é como se eu estivesse olhando para o espelho e me vendo vinte anos atrás.

Garrett passou o resto da tarde sozinho, caminhando na praia e pensando a respeito do que o pai dissera. Olhando para trás, constatava que desde o início da conversa ele fora desonesto, e não se surpreendia pelo fato de o pai ter descoberto isso. Ora, então por que ele quisera conversar com Jeb? Será que queria que o pai o contradissesse, como de fato acontecera?

À medida que a tarde passava, sua depressão foi substituída pela confusão e depois por uma espécie de apatia. Quando ele ligou para Theresa, à noite, a sensação de traição que experimentara como resultado do sonho tinha diminuído o suficiente para que ele conseguisse conversar com ela. Aquele sentimento, embora ainda presente, já não era tão forte, e, quando ela atendeu ao telefone, diminuiu ainda mais. O som da voz dela lembrou-lhe o modo como ele se sentia quando estavam juntos.

– Que bom que ligou! – exclamou ela, com alegria. – Pensei muito em você hoje.

– Eu também pensei em você – respondeu ele. – Queria que estivesse aqui agora.

– Você está bem? Parece um pouco desanimado.

– Estou ótimo... Só com saudades. Como foi o seu dia?

– O de sempre. Coisas demais para fazer no trabalho, coisas demais para fazer em casa. Mas agora ficou melhor, falando com você.

Garrett sorriu.

– Kevin está por aí?

– Está no quarto, lendo um livro sobre mergulho. Disse que quer ser instrutor quando crescer.

– De onde será que ele tirou essa ideia?

– Nem imagino – retrucou Theresa, achando graça. – E você, fez o que hoje?

– Nada de mais. Não fui à loja. Tirei o dia de folga e passeei pelas praias.

– Sonhando acordado comigo, espero.

A ironia do comentário dela não passou despercebida a Garrett. Ele não respondeu de forma direta:

– Senti muito a sua falta hoje.

– Só faz poucos dias que vim embora – comentou ela com delicadeza.

– Eu sei. Falando nisso, quando vamos nos ver de novo?

Theresa sentou-se à mesa de jantar e deu uma olhada rápida em sua agenda.

– Hum... Que tal daqui a três semanas? Eu estava pensando que desta vez você poderia vir para cá. Kevin vai passar uma semana num acampamento treinando futebol, e poderíamos ficar sozinhos.

– Você não gostaria de vir para cá?

– Seria melhor se você viesse, se puder. Meus dias de férias estão acabando, e acho que conseguiríamos dar um jeito com os meus horários. Além disso, acho que está na hora de você sair da Carolina do Norte para ver o que o resto do país tem a oferecer.

Enquanto ela falava, Garrett olhava para a foto de Catherine na mesa de cabeceira, e levou alguns segundos para responder:

– Está bem... Acho que poderia fazer isso.

– Você não parece muito seguro.

– Mas estou.

– Existe outro problema, então?

– Não.

Ela fez uma pausa, hesitante.

– Você está bem mesmo, Garrett?

Foram necessários vários dias e inúmeras conversas telefônicas com Theresa para que ele se sentisse quase normal outra vez. Mais de uma vez ligou para ela tarde da noite, só para ouvir a sua voz.

– Oi, sou eu de novo – dizia.

– Oi, Garrett, o que houve? – perguntava ela, sonolenta.

– Nada. Só queria dizer boa noite antes que você fosse se deitar.

– Já estou deitada.

– Que horas são?

Ela consultava o relógio.

– Quase meia-noite.

– Por que está acordada? Devia estar dormindo – brincava ele, e então deixava que ela desligasse para poder descansar.

Às vezes, quando não conseguia dormir, Garrett pensava sobre a semana que passara com Theresa, relembrando o prazer de tocar na pele dela, e era dominado pelo desejo de tê-la em seus braços novamente.

Então, ia até o quarto e via o retrato de Catherine junto à cama. Nesse momento o sonho aflorava com claridade cristalina.

Garrett sabia que ainda estava abalado por causa dele. No passado, teria escrito uma carta a Catherine para ajudá-lo a colocar tudo em perspectiva. Então, após conduzir o *Happenstance* pelo mesmo caminho que ele e Catherine tinham seguido na primeira vez em que velejaram juntos depois que o barco foi restaurado, ele fecharia a carta dentro de uma garrafa e a jogaria ao mar.

Estranhamente, dessa vez não conseguiu fazer isso. Quando se sentou para escrever, as palavras não surgiram. Por fim, frustrado, ele obrigou-se a recordar:

– Ora, que surpresa – disse ele, apontando para o prato de Catherine.

Ela estava enchendo o prato com a salada de espinafre do bufê à frente deles e deu de ombros ao ouvi-lo.

– O que há de errado em querer salada?

– Nada – retrucou ele rapidamente. – É que esta é a terceira vez que você come salada esta semana.

– Eu sei. Ando com muita vontade de comer salada. Não sei por quê.

– Se continuar comendo desse jeito, vai acabar virando um coelho.

Ela riu e despejou um molho por cima das folhas. Então, olhando para o prato dele, respondeu:

– Se for assim, se você continuar comendo peixe, vai virar um tubarão.

– Eu sou um tubarão – disse ele, erguendo as sobrancelhas.

– Pode até ser, mas se continuar implicando comigo, nunca terá a chance de provar.

Ele sorriu.

– Que tal eu provar no próximo fim de semana?

– A que horas? Você vai trabalhar – lembrou Catherine.

– Não neste fim de semana. Acredite se quiser, planejei minha agenda para podermos ficar algum tempo juntos. Nem lembro a última vez que passamos um fim de semana inteiro sozinhos.

– O que está pensando em fazer?

– Não sei. Talvez velejar, talvez outra coisa. O que você quiser.

Ela riu.

– Bem, eu realmente tinha grandes projetos: uma viagem a Paris para fazer umas comprinhas, um ou dois safáris rapidinhos... mas acho que posso mudar meus planos.

– Então está combinado.

À medida que os dias passaram, a imagem do sonho foi se desvanecendo. Cada vez que Garrett falava com Theresa, sentia-se um pouco mais renovado. Também conversou com Kevin em algumas ocasiões, e o entusiasmo do menino pela presença dele em suas vidas ajudou-o a recuperar o equilíbrio emocional. Mesmo com o calor e a umidade de agosto fazendo o tempo parecer passar mais devagar do que o normal, ele tentou se manter o mais ocupado possível, fazendo de tudo para não pensar nas complexidades da sua nova situação.

Duas semanas depois – poucos dias antes de viajar para Boston –, ele estava na cozinha preparando alguma coisa para comer quando o telefone tocou.

– Olá – disse Theresa. – Tem um minutinho?

– Sempre tenho tempo para você.

– Estou ligando só para saber a que horas chega o seu voo. Na última vez que nos falamos você ainda não sabia.

– Espere um instante – retrucou Garrett, e foi vasculhar a gaveta da cozinha em busca das anotações. – Aqui está: chego a Boston logo depois da uma da tarde.

– Perfeito. Tenho que deixar Kevin algumas horas antes, e isso me dá mais tempo para arrumar o apartamento.

– Vai fazer faxina por minha causa?

– Você vai ter tratamento de luxo. Vou até passar o aspirador.

– Estou honrado.

– É para ficar mesmo. Só você e meus pais têm esse tipo de privilégio.

– Será que devo levar um par de luvas brancas para conferir se você limpou tudo direito?

– Não se quiser viver até o dia seguinte.

Ele riu e mudou de assunto.

– Estou ansioso para ver você de novo – disse, com sinceridade. – As três últimas semanas foram muito mais difíceis do que aquelas duas primeiras.

– Eu sei. Dava para sentir na sua voz. Você ficou realmente deprimido por alguns dias, e... Bem, para falar a verdade, eu estava começando a me preocupar.

Ele se perguntou se ela suspeitava do motivo da sua melancolia. Afastando esse pensamento, continuou:

– Fiquei deprimido mesmo, mas passou. Minhas malas já estão arrumadas.

– Espero que não tenha ocupado espaço com coisas inúteis.
– Como o quê?
– Como... não sei... pijamas.
Ele riu.
– Não tenho nenhum pijama.
– Ótimo. Porque, mesmo se tivesse, não ia precisar.

Três dias depois, Garrett chegou a Boston.

Depois de buscá-lo no aeroporto, Theresa deu uma volta para mostrar-lhe a cidade. Almoçaram no Faneuil Hall, viram os remadores deslizando no rio Charles e deram um passeio rápido pelo campus da Universidade de Harvard. Como de costume, ficaram de mãos dadas a maior parte do tempo, deliciando-se com a companhia um do outro.

Mais de uma vez, Garrett teve vontade de saber por que as três últimas semanas foram tão difíceis para ele. Tinha consciência de que parte da sua ansiedade vinha do sonho, mas estar com Theresa fez as emoções perturbadoras parecerem distantes e sem importância. Cada vez que Theresa ria ou apertava sua mão, reafirmava os sentimentos que ele experimentara quando ela fora a Wilmington pela segunda vez, expulsando os pensamentos sombrios que o perseguiam na ausência dela.

Quando o dia começou a esfriar e o sol baixou, Theresa e Garrett pararam num restaurante mexicano a fim de comprar comida para jantar em casa. Sentado no chão da sala, à luz de velas, Garrett olhou em volta.

– Sua casa é ótima – comentou, colocando alguns feijões numa tortilha. – Por algum motivo, pensei que fosse menor. É maior do que a minha!

– Só um pouquinho, mas obrigada. É ideal para nós. Fica perto de tudo.

– De restaurantes, por exemplo?

– Isso mesmo. Eu não estava brincando quando disse que não gosto de cozinhar. Estou longe de ser uma Martha Stewart.

– Quem?

– Deixe para lá.

Ouvia-se nitidamente o som do trânsito do lado de fora do apartamento. Um carro freou na rua lá embaixo de forma bastante ruidosa, uma buzina soou e de repente o barulho se multiplicou, quando outros carros fizeram um coro de buzinas.

– É sempre tranquilo assim? – perguntou ele.

Ela indicou as janelas com um gesto de cabeça.

– As noites de sexta e sábado são as piores. Não costuma ser tão ruim. Mas a gente se acostuma depois de algum tempo.

Os sons urbanos não paravam. Uma sirene soou a distância, cada vez mais alta à medida que se aproximava.

– Que tal ouvirmos uma musiquinha? – sugeriu Garrett.

– Claro. De que tipo você gosta?

– Do único tipo que existe – retrucou ele, fazendo uma pausa teatral. – Música country.

Ela riu.

– Não tenho nada desse tipo aqui.

Ele balançou a cabeça, achando graça da própria brincadeira.

– Estou brincando. É uma piada antiga. Não é muito engraçada, mas há anos espero a oportunidade de usá-la.

– Você devia assistir a muitos programas humorísticos na televisão quando era criança.

Agora foi ele quem riu.

– Voltando à minha pergunta inicial: de que tipo de música você gosta? – insistiu Theresa.

– O que você tiver está bom.

– Que tal um pouco de jazz?

– Ótimo.

Theresa levantou-se, escolheu algo que imaginou que ele poderia apreciar e colocou o CD no aparelho. Instantes depois, a música começou, exatamente quando o congestionamento do trânsito parecia acabado.

– Então, o que achou de Boston até agora? – perguntou ela, voltando a se sentar.

– Estou gostando. Para uma cidade grande, não é tão ruim. Não parece tão impessoal quanto achei que seria, e é mais limpa, também. Acho que imaginei tudo diferente. Sabe, multidão, asfalto, prédios altos, nem uma árvore à vista e assaltantes em cada esquina. Mas não é nada disso.

Ela sorriu.

– É bonita, não é? Quer dizer, não é uma praia, mas tem a sua beleza. Sobretudo quando se leva em consideração tudo o que a cidade tem a oferecer. Pode-se ir a um concerto, ou aos museus, ou simplesmente passear no parque. Há alguma coisa para todos os gostos aqui. Temos até um clube de vela.

– Dá para entender por que você gosta daqui – disse Garrett, perguntando-se por que teve a sensação de que ela estava lhe vendendo o lugar.

– Gosto, sim. E Kevin também.

Ele mudou de assunto.

– Você disse que ele foi para um acampamento treinar futebol?

Ela assentiu.

– É. Está tentando entrar num time titular sub-12. Não sei se vai conseguir, mas ele acha que tem muitas chances. No ano passado fez parte de um time de garotos de 11 anos.

– Parece que ele é bom mesmo.

– É, sim – concordou ela. Então empurrou os pratos vazios para o lado e chegou mais perto dele. – Mas chega de falar do Kevin – disse em tom suave. – Não temos que falar dele toda hora. Podemos conversar sobre outras coisas, sabe?

– Que tipo de coisas?

Theresa beijou o pescoço dele.

– O que eu quero fazer com você agora que o tenho todo para mim, por exemplo.

– Tem certeza de que quer só falar sobre isso?

– Tem razão – sussurrou ela. – Quem é que vai querer falar numa ocasião como esta?

No dia seguinte, Theresa foi mais uma vez mostrar a cidade a Garrett. Passaram a maior parte da manhã nos bairros italianos do North End, vagando pelas ruas estreitas e tortuosas, parando para um tradicional café com *canolli*. Embora soubesse que ela escrevia para o jornal, Garrett não sabia exatamente o que ela fazia no trabalho além disso. Enquanto passeavam por Boston, ele lhe perguntou sobre o assunto.

– Não pode escrever sua coluna em casa?

– Daqui a algum tempo, acho que vou poder. Mas por enquanto é impossível.

– Por quê?

– Bem, para início de conversa, é uma questão contratual. Além disso, tenho muito mais tarefas do que me sentar e escrever. Muitas vezes tenho que entrevistar as pessoas, e para isso preciso ter tempo e, algumas vezes, até mesmo viajar. E ainda tem a pesquisa que preciso fazer, especialmente quando falo de temas médicos ou psicológicos. No jornal, tenho acesso a muito mais fontes. E ainda há a questão de que preciso de um lugar onde possam entrar em contato comigo. Grande parte do que eu faço envolve interesse humano, e recebo telefonemas de muitas pessoas, o dia inteiro. Se trabalhasse em casa, sei que muita gente iria ligar à noite, quando estou com Kevin, e não pretendo abrir mão do meu tempo com ele.

– Você recebe muitos telefonemas em casa?

– Às vezes. Mas o meu número não está na lista telefônica, então não é tão frequente.

– Muita gente maluca liga para você?

Ela assentiu.

– Acho que todo jornalista passa por isso. Muitas pessoas entram em contato com o jornal com histórias que querem publicar. Recebo telefonemas de pessoas inocentes que estão na cadeia, de outras se queixando dos serviços públicos, do lixo que não é recolhido no horário, de assaltos. Parece que ligam para falar de qualquer coisa.

– Pensei que você escrevesse sobre pais e filhos.

– E escrevo.

– Então, por que ligam para você? Por que não procuram outra pessoa?

Theresa deu de ombros.

– Elas procuram, mas continuam ligando para mim. Muitas começam dizendo: "Ninguém mais quer me escutar e você é a minha última esperança." – Olhou para ele de relance antes de prosseguir: – Acho que pensam que vou conseguir resolver seus problemas.

– Por quê?

– Bem, os colunistas que escrevem artigos assinados são diferentes dos outros jornalistas. A maior parte do que se publica no jornal é impessoal: notícias, fatos e números, coisas assim. Acho que as pessoas que leem meus textos todos os dias pensam que me conhecem, começam a me considerar uma espécie de amiga. E todo mundo procura os amigos para pedir ajuda quando precisa.

– Isso deve colocá-la numa posição estranha às vezes.

Ela deu de ombros.

– Coloca, mas tento não pensar nisso. Além do mais, meu trabalho também tem coisas boas: fornecer informações que podem ser úteis, estar por dentro das últimas novidades da área de saúde, traduzi-las para a linguagem leiga e até compartilhar histórias comoventes só para tornar o dia das pessoas mais feliz.

Garrett parou diante de uma banca de frutas frescas na calçada. Escolheu algumas maçãs e deu uma a Theresa.

– Qual foi a coisa mais popular que você já escreveu na sua coluna? – perguntou.

Theresa sentiu dificuldade para respirar. A mais popular? Fácil: uma vez *encontrei uma mensagem numa garrafa e recebi mais de duzentas cartas.*

Ela forçou-se a pensar em outra coisa.

– Ah, sempre recebo muitas cartas quando escrevo sobre o ensino de crianças com necessidades especiais – disse por fim.

– Isso deve ser gratificante – comentou ele, pagando ao vendedor de frutas.

– É, sim.

Antes de dar uma mordida na maçã, Garrett indagou:

– Você poderia continuar tendo a sua coluna se mudasse de jornal?

Ela pensou na pergunta.

– Seria difícil, especialmente se eu quiser continuar sendo publicada em vários jornais. Não sou nova na profissão, mas ainda estou firmando o meu nome, e o fato de trabalhar no *Boston Times* é bem útil. Por quê?

– Só curiosidade – falou Garrett baixinho.

Na manhã seguinte, Theresa foi trabalhar por algumas horas, mas chegou em casa logo depois da hora do almoço. Passaram a tarde no parque Boston Common, onde fizeram um piquenique. Por duas vezes foram interrompidos por pessoas que reconheceram Theresa pelo retrato no jornal e Garrett constatou que ela era mais famosa do que ele imaginara.

– Não sabia que você era uma celebridade – disse com uma careta depois que a segunda pessoa se afastou.

– E não sou. É que minha foto aparece em cima do artigo, aí as pessoas me reconhecem.

– Isso acontece com muita frequência?

– Não tanta. Algumas vezes por semana, eu acho.

– Isso é muito – exclamou ele, surpreso.

Ela balançou a cabeça.

– Não se você pensar nas verdadeiras celebridades. Elas não podem nem ir ao mercado sem serem fotografadas. Eu levo uma vida bem normal.

– Mas deve ser estranho ser abordada por pessoas que você nunca viu.

– Na verdade, é até meio lisonjeiro. A maioria delas é muito agradável.

– Mesmo assim, ainda bem que eu não sabia que você era famosa logo no início.

– Por quê?

– Eu poderia ficar intimidado demais para convidá-la para velejar.

Ela estendeu a mão e pegou a dele.

– Não consigo imaginar você sendo intimidado por nada.

– Então não me conhece muito bem.

Theresa ficou calada por um instante.

– Você teria mesmo se sentido intimidado? – perguntou por fim.

– Provavelmente.

– Por quê?

– Acho que iria ficar pensando o que alguém como você poderia ver em mim.

Ela se inclinou para beijá-lo.

– Vou lhe dizer o que vejo em você. Vejo o homem que eu amo, o homem que me faz feliz... Alguém com quem eu quero continuar por muito tempo.

– Você sempre sabe a coisa certa a dizer, não é?

– É que sei mais sobre você do que você pensa – sussurrou ela.

– Como o quê?

Um sorriso preguiçoso se instalou nos lábios dela.

– Por exemplo, sei que você quer que eu o beije de novo.

– Quero?

– Sem a menor dúvida.

E ela tinha razão.

Mais tarde nessa mesma noite, Garrett comentou:

– Sabe, Theresa, não consigo achar uma única coisa errada em você.

Estavam juntos na banheira, imersos em montanhas de espuma, Theresa com a cabeça apoiada no peito dele. Garrett passava uma esponja nas costas dela enquanto falava.

– O que você quer dizer com isso? – perguntou ela, curiosa, levantando a cabeça para olhá-lo.

– Exatamente o que eu disse. Não consigo achar nada de errado em você. Quero dizer que você é perfeita.

– Não sou perfeita, Garrett – retrucou ela, embora tivesse ficado lisonjeada.

– É, sim. É linda, simpática, me faz rir, é inteligente e também uma excelente mãe. Acrescente-se a tudo isso o fato de ser famosa e acho que não existe ninguém à sua altura.

Ela acariciou o braço dele, relaxada.

– Acho que você me vê através de lentes cor-de-rosa. Mas gosto disso...

– Está dizendo que não sou imparcial?

– Não. Mas até agora você só viu o meu lado bom.

– Não sabia que você tinha outro lado – comentou ele, apertando os dois braços dela ao mesmo tempo. – Os dois lados me parecem muito bons.

Ela riu.

– Sabe o que quero dizer. Você ainda não viu meu lado negro.

– Você não tem um lado negro.

– Claro que tenho. Todo mundo tem. É que perto de você ele gosta de ficar escondido.

– Então como descreveria esse lado negro?

Ela pensou por um instante.

– Bom, para começar, sou teimosa, e fico malcriada quando estou irritada. Costumo abrir a boca e dizer a primeira coisa que me vem à cabeça, e pode acreditar que quase nunca é uma gentileza. Também tenho a tendência de falar exatamente o que estou pensando, mesmo sabendo que o melhor seria dar as costas e ir embora.

– Isto não me parece tão ruim.

– Você ainda não foi a vítima.

– Mesmo assim.

– Bem... Deixe-me colocar de outra forma. Quando contei a David que sabia que ele tinha uma amante, chamei-o dos piores nomes que conhecia.

– Ele mereceu.

– Mas não sei se mereceu levar um jarro na cabeça.

– Você fez isso?

Ela assentiu.

– Você devia ter visto a cara dele. Nunca tinha me visto daquela maneira.

– O que ele fez?

– Nada. Acho que ficou chocado demais para fazer alguma coisa. Especialmente quando comecei a jogar os pratos. Naquela noite destruí quase toda a louça do armário.

Ele sorriu, com uma expressão de admiração.

– Não sabia que você era tão brava.

– É a minha educação do Meio-Oeste. Não brinque comigo, cara!

– Prometo que não.

– Ótimo. Hoje em dia a minha pontaria está muito melhor.

– Não vou me esquecer disso.

Afundaram ainda mais na água morna. Garrett continuava a esfregar a esponja no corpo dela.

– Ainda acho que você é perfeita – disse baixinho.

Ela fechou os olhos.

– Até o meu lado negro?.

– Sobretudo o seu lado negro. Adoro uma pitada de perigo.

– Que bom, pois também acho você perfeito.

O resto das férias dos dois passou voando. De manhã, Theresa ficava algumas horas no jornal, depois ia para casa e passava a tarde e a noite com Garrett. À noite eles pediam algo para comer ou iam a um dos diversos restaurantes perto do prédio dela. De vez em quando alugavam um filme para depois do jantar, mas em geral preferiam passar o tempo sem outras distrações.

Na noite de sexta-feira, Kevin ligou do acampamento. Entusiasmado, contou que tinha conseguido entrar para o time principal. Embora isso significasse que ele jogaria mais vezes fora de Boston e que eles teriam que passar quase todos os fins de semana viajando, Theresa ficou feliz por ele. Então, surpreendendo-a, Kevin pediu para falar com Garrett, que ouviu tudo o que o menino tinha a contar sobre o que acontecera naquela semana e no final o parabenizou. Assim que desligou, Theresa abriu uma garrafa de vinho e os dois comemoraram a conquista de Kevin até de madrugada.

Na manhã de domingo – dia da partida de Garrett –, eles almoçaram com Deanna e Brian. Garrett identificou de imediato aquilo que Theresa adorava em Deanna: ela era simpática e divertida, fazendo-os rir durante toda a refeição. Ela quis saber mais sobre mergulhar e velejar, enquanto Brian refletiu que, se fosse dono do próprio negócio, jamais conseguiria trabalhar, pois o golfe simplesmente dominaria a sua vida.

Theresa ficou contente por todos terem se dado tão bem. Depois que terminaram de comer, ela e Deanna pediram licença e foram fofocar no toalete.

– Então, o que achou? – perguntou Theresa, ansiosa.

– Ele é o máximo – admitiu Deanna. – É ainda mais bonito do que nas fotos que você trouxe.

– Eu sei. Meu coração bate mais forte toda vez que olho para ele.

Deanna ajeitou o penteado, fazendo o possível para dar um pouco de volume aos cabelos.

– Sua semana foi tão boa quanto você esperava? – perguntou.

– Ainda melhor.

Deanna abriu um largo sorriso.

– Dá para ver, pelo modo como ele olha para você, que também gosta de você. Vocês dois juntos me lembram Brian e eu. Fazem um belo casal.

– Acha mesmo?

– Não diria se não achasse.

Deanna tirou um batom da bolsa e começou a passá-lo nos lábios.

– E então, ele gostou de Boston? – perguntou em tom casual.

Theresa também pegou seu batom.

– Não é o tipo de lugar com que ele está acostumado, mas parece que se divertiu. Fizemos vários programas interessantes.

– Ele disse alguma coisa em especial?

– Não. Por quê? – indagou Theresa, olhando para Deanna com curiosidade.

– Por nada. Estava só imaginando se ele falou algo que poderia fazer você achar que ele se mudaria para cá se você pedisse.

Esse comentário fez Theresa se lembrar de algo que vinha evitando.

– Ainda não conversamos sobre isso – retrucou por fim.

– E planejam conversar?

Theresa ouviu uma vozinha dentro de si sussurrar: *A distância entre nós é um problema, mas também há outra coisa, não há?*

Sem querer pensar no assunto, ela negou com a cabeça.

– Acho que não está na hora, pelo menos por enquanto. – Fez uma pausa para organizar as ideias. – Quero dizer, sei que teremos que falar sobre isso um dia, mas acho que ainda não estamos namorando há tempo suficiente para começarmos a tomar decisões sobre o futuro. Ainda estamos nos conhecendo.

Deanna encarou-a com uma desconfiança maternal.

– Mas você o conhece há tempo suficiente para estar apaixonada, não é?

– É – admitiu Theresa.

– Então sabe que essa decisão é inevitável, quer você pretenda encará-la ou não.

Theresa levou um momento para responder:

– Sei disso.

Deanna colocou a mão no ombro da amiga.

– E se você precisar escolher entre se mudar de Boston ou perdê-lo? – questionou.

Theresa pesou a pergunta e suas implicações.

– Não tenho certeza – disse baixinho, olhando para Deanna.

– Posso lhe dar um conselho?

Theresa assentiu. Deanna levou-a pelo braço para fora do toalete e falou no ouvido da amiga para que ninguém a escutasse:

– Seja qual for a sua decisão, lembre-se de que você terá que continuar sua vida sem olhar para trás. Se tem certeza de que Garrett pode lhe dar o tipo de amor de que você precisa e que vai ser feliz com ele, então terá que fazer de tudo para ficar com ele. O amor verdadeiro é raro, e é a única coisa que dá sentido genuíno à vida.

– Mas isso também não se aplica a ele? Ele também não deveria estar disposto a se sacrificar?

– Claro que sim.

– Então em que ponto isso me deixa?

– Você fica com o mesmo problema que tinha antes, Theresa, e definitivamente terá que pensar sobre ele.

Ao longo dos dois meses seguintes, o relacionamento a distância começou a evoluir de um modo que nem Theresa nem Garrett imaginavam, embora ambos devessem ter previsto isso.

Fazendo os ajustes requeridos pela agenda de cada um, conseguiram encontrar-se mais três vezes, sempre em fins de semana. Numa das ocasiões Theresa foi a Wilmington para que pudessem ficar sozinhos e os dois passaram o tempo todo grudados um no outro na casa de Garrett, com exceção de uma noite em que saíram para velejar. Garrett foi duas vezes a Boston e passou grande parte do tempo na estrada por causa dos torneios de futebol de Kevin, embora não tenha se incomodado com isso. Foram as primeiras partidas de futebol a que assistira na vida, e acabou se interessando mais pelos jogos do que imaginara.

– Como é que você não está vibrando como eu? – perguntou ele a Theresa durante um momento particularmente emocionante da partida.

– Por que não espera até ter assistido a algumas centenas de partidas? Aí com certeza vai poder responder à própria pergunta – respondeu ela, em tom brincalhão.

Quando estavam juntos durante aqueles fins de semana, era como se nada mais importasse no mundo. Em geral Kevin dormia uma das noites na casa de um amigo, para que eles pudessem ficar a sós pelo menos por algum tempo. Passavam horas conversando e rindo, abraçados e fazendo amor, tentando compensar as semanas de separação. No entanto, nenhum dos dois tocou no assunto do que aconteceria com o relacionamento no futuro. Viviam o momento, e nenhum dos dois sabia exatamente o que esperar do outro. Não que não estivessem apaixonados. Disso, pelo menos, tinham certeza.

Mas como não se viam com muita frequência, o namoro tinha mais altos e baixos do que qualquer um dos dois vivenciara até então. Assim como tudo parecia certo quando estavam juntos, também parecia ruim quando estavam separados. Garrett era o que mais sofria com a distância. Em geral todas as boas sensações que ele experimentava quando estavam juntos duravam alguns dias, mas então ele começava a ficar cada vez mais deprimido com as semanas que teria que esperar até vê-la outra vez.

Naturalmente, ele queria que passassem mais tempo juntos do que era possível. Agora que o verão acabara, viajar era mais fácil para ele do que para ela. Mesmo sem a maioria dos empregados, não havia muito a fazer na loja. Mas a agenda de Theresa era bastante diferente da dele – sobretudo por causa de Kevin. As aulas tinham recomeçado, ele tinha jogos nos fins de semana e era difícil para Theresa se ausentar, mesmo que por poucos dias. Embora Garrett estivesse disposto a ir a Boston para vê-la com mais frequência, ela simplesmente não tinha tempo para ele. Mais de uma vez ele sugerira outra viagem para vê-la mas, por um ou outro motivo, não tinha dado certo.

Sim, ele sabia que existiam casais que enfrentavam situações mais difíceis do que a deles. Seu pai contava que às vezes ele e a mãe de Garrett passavam meses sem se falar. Ele tinha ido para a Coreia e passara dois anos com os fuzileiros navais, e quando os tempos estavam difíceis no comércio de camarões, Jeb costumava arrumar trabalho em cargueiros que passavam por lá a caminho da América do Sul. Às vezes essas viagens duravam meses. Durante esse tempo, a única coisa que ele e a mãe de Garrett tinham eram as cartas, que na melhor das hipóteses eram pouco frequentes. Garrett e Theresa tinham uma relação menos difícil, mas nem por isso fácil.

Ele sabia que a distância era um problema, mas pelo jeito não era algo que mudaria no futuro próximo. Em sua cabeça, havia apenas duas soluções: ele poderia se mudar, ou ela poderia se mudar. Analisando a situação de qualquer ângulo, e por mais que eles gostassem um do outro, havia apenas essas duas possibilidades.

No fundo, Garrett suspeitava que Theresa pensava a mesma coisa, e por isso mesmo nenhum dos dois queria falar no assunto. Parecia mais fácil não mencioná-lo, já que isso significaria iniciar um caminho que nenhum dos dois tinha certeza de querer seguir.

Um deles teria que mudar drasticamente a vida.

Mas qual dos dois?

Ele tinha um negócio próprio em Wilmington e o tipo de vida que queria – e sabia – levar. Boston era uma bela cidade para se visitar, mas não para morar. Ele jamais *pensara* em morar em outro lugar. E também havia o seu pai, que, apesar de parecer forte, estava ficando velho e começava a sentir o peso dos anos. E Garrett era o único familiar que ele tinha.

Theresa, por outro lado, tinha laços fortes com Boston. Embora seus pais não vivessem lá, Kevin gostava da escola em que estudava e ela tinha uma carreira em ascensão e uma série de amigos que seria obrigada a abandonar. Tinha trabalhado duro para chegar aonde chegara e, se deixasse a cidade, provavelmente teria que desistir do que conquistara. Será que conseguiria fazer isso sem ficar ressentida com ele?

Garrett não queria pensar nisso, então se concentrou no amor que sentia por ela, agarrando-se à convicção de que, se tivessem que ficar juntos, encontrariam um modo de fazer isso.

Bem no fundo, porém, ele sabia que não ia ser tão fácil, não apenas por causa da distância. Depois que voltara de sua segunda viagem a Boston, ele mandara ampliar e emoldurar um retrato dela. Colocara-o na mesma mesa de cabeceira em que ficava a foto de Catherine, mas, apesar de seus sentimentos por Theresa, a imagem parecia deslocada em seu quarto. Alguns dias depois, ele levou-a para o outro lado do quarto, mas não adiantou: parecia que onde quer que colocasse aquela fotografia, os olhos de Catherine a seguiriam. *Isto é ridículo*, disse a si mesmo, depois de mudá-la várias vezes de lugar. Por fim, acabou finalmente colocando a foto de Theresa numa gaveta e pegando a de Catherine. Suspirando, sentou-se na cama e segurou-a diante de si.

– Nós não tínhamos esses problemas – murmurou, deslizando o dedo sobre a imagem. – Com a gente tudo sempre parecia tão fácil, não parecia?

Quando se deu conta de que o retrato não iria responder, ele amaldiçoou sua tolice e foi pegar o retrato de Theresa.

Encarando as duas fotos, até mesmo ele era capaz de entender por que estava tendo tantos problemas com aquilo tudo. Amava Theresa mais do que jamais pensara que fosse capaz... mas ainda amava Catherine...

Seria possível amar as duas ao mesmo tempo?

– Mal posso esperar para ver você de novo – disse Garrett.

Estavam em meados de novembro, poucos dias antes do Dia de Ação de Graças, e Theresa fez planos de ir passar o fim de semana com Garrett. Fazia um mês que tinham se encontrado pela última vez.

– Também estou ansiosa – retrucou ela. – E você prometeu que finalmente vou poder conhecer o seu pai, certo?

– Ele está planejando nos oferecer um jantar de Ação de Graças antecipado na casa dele. Toda hora me pergunta o que você gosta de comer. Acho que quer causar uma boa impressão.

– Diga-lhe para não se preocupar. Qualquer coisa que ele fizer vai ser ótimo.

– Já falei várias vezes. Mas dá para ver que ele está nervoso.

– Por quê?

– Porque você vai ser a primeira pessoa que convidamos. Durante anos fomos só nós dois.

– Estou interrompendo uma tradição de família?

– Não. Gosto de pensar que estamos iniciando uma nova. Além disso, foi ele quem se ofereceu, lembra?

– Acha que ele vai gostar de mim?

– Sei que vai.

Quando soube que Theresa viria, Jeb fez algumas coisas que nunca tinha feito antes. Primeiro, contratou uma pessoa para limpar a casa – um trabalho que acabou levando quase dois dias, pois ele queria que tudo ficasse impecável. Além disso, comprou uma camisa e uma gravata novas. Ao sair do quarto em suas roupas recém-adquiridas, ele não deixou de notar a surpresa nos olhos de Garrett.

– Como estou? – perguntou.

– Está ótimo, mas por que está usando gravata?

– Não é para você. É para o jantar do fim de semana.

Garrett continuou de olhos fixos nele, com um sorriso sem graça.

– Acho que nunca vi você de gravata antes.

– Mas eu já usei. Você que não percebeu.

– Você não precisa usar gravata só porque a Theresa vem.

– Sei disso – respondeu ele secamente. – Só fiquei com vontade de usar no jantar deste ano.

– Está nervoso porque vai conhecê-la, não está?

– Não.

– Pai, você não precisa ser quem não é. Tenho certeza que a Theresa vai gostar de você de qualquer maneira, não importa a roupa que estiver usando.

– Isso não significa que não posso me arrumar para recebê-la, não é?

– Tem razão.

– Então acho que está resolvido. Não saí do quarto para lhe pedir conselhos sobre vestuário, saí para ver se estou bem.

– Você está ótimo.

– Que bom.

Ele se virou e começou a voltar para o quarto, já puxando a camisa para fora da calça e soltando a gravata. Garrett observou-o até que ele desaparecesse de vista e um instante depois o ouviu chamar seu nome.

– Que foi agora? – perguntou.

Jeb colocou a cabeça para fora do quarto.

– Você também vai usar gravata, não vai?

– Não estava pretendendo, não.

– Bem, então mude os seus planos. Não quero que Theresa descubra que criei um filho que não sabe como se vestir para receber alguém.

Na véspera da chegada dela, Garrett ajudou Jeb a terminar os preparativos: cortou a grama enquanto ele desembalava a louça de porcelana do casamento, que raramente – ou nunca – usava, e lavou os pratos à mão. Depois de encontrar talheres suficientes – algo que não foi tão fácil –, Jeb achou uma toalha de mesa no armário e achou que seria um belo toque. Jogou-a na máquina de lavar no instante exato em que Garrett entrou, após ter terminado a tarefa no quintal. Garrett foi até o armário da cozinha e pegou um copo na prateleira.

– A que horas ela chega amanhã? – perguntou Jeb do outro aposento.

Garrett encheu o copo com água e respondeu por cima do ombro:

– O voo está marcado para chegar às dez da manhã. Devemos estar aqui lá pelas onze.

– A que horas acha que ela vai querer comer?

– Não sei.

Jeb entrou na cozinha.

– Não perguntou a ela?

– Não.

– Então como é que eu vou saber quando colocar o peru no forno?

Garrett bebeu um gole d'água.

– Se programe para comermos no meio da tarde. Qualquer hora está bom, tenho certeza.

– Você não deveria ligar e perguntar a ela?

– Realmente acho que não é necessário. Não é um assunto tão importante assim.

– Talvez não seja para você. Mas eu vou conhecê-la amanhã, e se vocês dois acabarem se casando, não quero ser tema de piadinhas depois.

Garrett ergueu as sobrancelhas.

– Quem foi que disse que vamos nos casar?

– Ninguém.

– Então por que falou isso?

– Porque sim – retrucou Jeb. – Um de nós teria que levantar o assunto, e acho que você nunca faria isso.

Garrett encarou o pai.

– Então acha que devo me casar com ela?

Jeb deu uma piscadela enquanto respondia:

– O que eu acho não faz diferença. O importante é o que você acha, não é?

Mais tarde, na mesma noite, Garrett abria a porta de casa quando o telefone tocou. Correu até o aparelho e, ao tirá-lo do gancho, ouviu a voz que esperava.

– Garrett? – disse Theresa. – Você parece sem fôlego.

Ele sorriu.

– Ah, oi, Theresa. Acabei de chegar. Papai me segurou na casa dele o dia inteiro para ajudá-lo a arrumar as coisas. Ele está muito ansioso para conhecer você.

Houve uma pausa desconfortável.

– Sobre amanhã... – começou ela finalmente.

Ele sentiu um nó na garganta.

– O que tem amanhã?

Ela levou um momento para responder:

– Me desculpe, Garrett... Nem sei como lhe falar isso, mas não vou poder viajar para Wilmington.

– Aconteceu alguma coisa?

– Não, está tudo bem. É que surgiu um compromisso de última hora, uma convenção da qual vou ter que participar.

– Que tipo de convenção?

– É para o meu trabalho. – Ela fez outra pausa. – Sei que é horrível desmarcar, mas eu não iria se não fosse realmente importante.

Ele fechou os olhos.

– Convenção de quê?

– De editores de prestígio e figurões da mídia. Eles vão se reunir em Dallas neste fim de semana. Deanna acha que seria uma boa ideia eu ir conhecer alguns deles.

– Você só soube disso agora?

– Não... Quero dizer, sim. Bem, eu sabia que haveria a convenção, mas eu não iria. Em geral os colunistas não são convidados, mas Deanna mexeu os pauzinhos e conseguiu que eu fosse com ela. – Ela hesitou. – Me desculpe, Garrett, eu sinto muito mesmo, mas, como eu disse, seria uma oportunidade maravilhosa, e uma chance única na vida.

Ele ficou em silêncio por um instante, depois apenas retrucou:

– Eu entendo.

– Está zangado comigo, não está?

– Não.

– Tem certeza?

– Tenho.

Ela sabia, pelo tom de voz dele, que Garrett não estava falando a verdade, mas não soube o que dizer para fazer com que ele se sentisse melhor.

– Pode pedir desculpas por mim ao seu pai?

– É, vou falar com ele.

– Posso ligar para você no fim de semana?

– Se você quiser...

No dia seguinte, ele jantou com o pai, que fez o possível para diminuir a importância do episódio.

– Se é como ela disse, foi por um bom motivo – comentou. – Ela não pode simplesmente deixar o trabalho em suspenso. Tem um filho para sustentar, e tem que fazer o possível para isso. Além do mais, é só um fim de semana, não tem tanta importância na situação como um todo.

Garrett assentiu, escutando o pai mas ainda chateado com o acontecido. Jeb continuou:

– Tenho certeza de que vocês dois vão conseguir se entender. Aliás, ela provavelmente vai fazer algo muito especial quando voltarem a se ver.

Garrett não respondeu. Jeb comeu um pouco antes de prosseguir:

– Você precisa ser compreensivo, Garrett. Ela tem responsabilidades, assim como você, e às vezes elas têm prioridade. Não tenho a menor dúvida de que se acontecesse alguma coisa que você tivesse que resolver na loja, teria feito o mesmo.

Garrett se recostou e empurrou para o lado seu prato com metade da comida intocada.

– Eu entendo tudo isso, pai. É que já faz um mês que não a vejo, e estava muito ansioso.

– Acha que ela não queria ver você também?

– Ela disse que queria.

Jeb inclinou-se sobre a mesa e colocou o prato do filho diante dele outra vez.

– Termine de comer – falou. – Passei o dia inteiro cozinhando, e você não vai jogar a comida fora.

Garrett olhou para o prato. Embora não estivesse mais com fome, pegou o garfo e comeu um pouco.

– Sabe, esta não vai ser a última vez que isso vai acontecer, então você não devia ficar tão chateado... – observou Jeb enquanto beliscava a própria comida.

– Como assim?

– Enquanto vocês continuarem morando tão longe um do outro, certamente vão surgir imprevistos desse tipo e vocês não vão poder se ver tanto quanto desejam.

– Acha que não sei disso?

– Tenho certeza que sabe. O que não sei é se algum de vocês tem coragem de fazer alguma coisa a respeito.

Garrett olhou para o pai, pensando: *Isso, papai, seja sincero. Não me esconda nada.*

Ignorando a expressão de desagrado do filho, Jeb continuou:

– Quando eu era jovem, as coisas eram muito mais simples. Se um homem amava uma mulher, a pedia em casamento e eles iam morar juntos. Só isso. Mas vocês dois... Parece que não sabem o que fazer.

– Já lhe disse, não é tão simples...

– Claro que é. Se você a ama, então encontre um jeito de ficar com ela. Pronto. Assim, se algum imprevisto surgir e vocês não puderem se ver em um fim de semana, você não vai agir como se o mundo fosse acabar. O que vocês estão tentando fazer simplesmente não é natural, e a longo prazo não vai dar certo. Você sabe disso, não sabe?

– Sei – limitou-se a responder Garrett, desejando que o pai parasse de falar no assunto.

O velho ergueu uma sobrancelha, esperando. Como Garrett não falou mais nada, ele prosseguiu:

– "Sei"? É só isso que tem a dizer?

Garrett deu de ombros.

– O que mais posso dizer?

– Que na próxima vez em que vocês estiverem juntos vão resolver esse problema. É isso que você pode dizer.

– Certo, vamos tentar resolver.

Jeb baixou o garfo e olhou para o filho com irritação.

– Eu não disse para tentar, Garrett, disse para *resolver*.

– Por que está insistindo tanto nisso?

– Porque se vocês não fizerem isso, nós vamos continuar almoçando sozinhos nos próximos vinte anos.

No dia seguinte, a primeira coisa que Garrett fez foi levar o *Happenstance* para o mar, onde ficou até o sol baixar. Embora Theresa tivesse deixado um recado para ele com a telefonista do hotel em Dallas, ele não tinha ligado na noite anterior, dizendo a si mesmo que era tarde demais e ela já estaria dormindo. Era mentira e ele sabia disso, mas simplesmente não sentia vontade de falar com ela.

O fato era que ele não sentia vontade de falar com ninguém. Ainda estava irritado pelo que ela fizera, e o melhor lugar para pensar sobre tudo era em mar aberto, onde ninguém poderia incomodá-lo. Na maior parte da manhã, ficou imaginando se ela percebia quanto a situação toda o deixava abalado. O mais provável era que não, do contrário não teria agido daquela forma.

Isto é, se gostasse mesmo dele.

À medida que o sol subia no céu, porém, a sua raiva começou a diminuir. Pensando com mais clareza, começou a achar que o pai tinha razão – como sempre. O motivo para ela não ter aparecido não tinha a ver com ele, mas com as diferenças entre a rotina dos dois. Theresa tinha *mesmo* responsabilidades que não podia ignorar, e enquanto continuassem a levar vidas separadas, esse tipo de coisa continuaria acontecendo.

Embora isso não o deixasse feliz, ele se perguntou se todos os relacionamentos tinham momentos como aquele. Na verdade, não sabia. A única outra relação verdadeira que tivera fora com Catherine, e não era fácil comparar as duas. Para começar, ele e Catherine eram casados e viviam sob o mesmo teto. Além disso, se conheciam desde sempre. E, sendo mais jovens, não tinham as mesmas responsabilidades com que Garrett e Theresa precisavam lidar agora. Recém-saídos da faculdade, não tinham casa própria, nem filhos para cuidar. Não, o que tinham era completamente diferente do que ele e Theresa estavam vivendo agora, e não era justo tentar comparar os dois relacionamentos.

No entanto, havia uma coisa que ele não podia ignorar, algo que o perturbou durante toda a tarde. Sim, ele sabia que havia diferenças, mas o que lhe chamava atenção era o fato de nunca ter questionado se ele e Catherine formavam um *time*. Nem uma vez ele tivera dúvidas sobre seu futuro com ela, ou lhe passara pela cabeça que um dos dois não fosse capaz de sacrificar tudo pelo outro. Mesmo quando brigavam – sobre o local onde morar, sobre abrir ou não a loja, ou mesmo sobre o que fazer no sábado à noite –, nunca acontecia de um dos dois duvidar do relacionamento. Havia algo permanente no modo como interagiam, algo que lembrava a Garrett que sempre estariam juntos.

Theresa e ele, por outro lado, ainda não haviam chegado a esse ponto.

Quando o sol baixou, ele já tinha se dado conta de que não era justo pensar dessa forma. Ele e Theresa se conheciam havia pouco tempo – não era realista esperar que aquele comprometimento surgisse tão cedo. Com o tempo e as circunstâncias corretas, eles iriam tornar-se parceiros também.

Não iriam?

Balançando a cabeça, ele percebeu que não tinha plena certeza disso. Não tinha certeza de uma série de coisas. Mas uma coisa ele sabia: nunca tinha analisado seu relacionamento com Catherine do modo como fazia agora com Theresa, e isso também não era justo. Além do mais, análises não o ajudariam. Nem toda a avaliação do mundo mudaria o fato de que não se viam tanto quanto desejavam – ou precisavam.

Não. O que precisavam agora era de ação.

Garrett ligou para Theresa assim que chegou em casa, à noite.

– Alô – atendeu ela, sonolenta.

Ele falou baixinho:

– Oi, sou eu.

– Garrett?

– Desculpe acordá-la, mas você deixou algumas mensagens na minha secretária eletrônica.

– Que bom que ligou. Eu não sabia se você ia ligar.

– Por algum tempo eu não quis mesmo.

– Ainda está bravo comigo?

– Não – retrucou ele. – Triste, talvez, mas não zangado.

– Porque não estou aí neste fim de semana?

– Não. Porque você não está aqui na maioria dos fins de semana.

Nessa noite ele voltou a sonhar.

No sonho, Theresa e ele estavam em Boston, caminhando por uma das movimentadas ruas da cidade, apinhada de pessoas comuns – homens e mulheres, velhos e jovens, alguns de terno, outros com as roupas largas típicas da juventude de hoje. Por algum tempo ficaram olhando vitrines, como tinham feito numa das visitas dele. O dia estava claro e ensolarado, sem uma só nuvem no céu, e Garrett estava gostando de passar aquelas horas com ela.

Theresa parou junto à vitrine de uma lojinha de artesanato e perguntou se Garrett queria entrar. Ele balançou a cabeça e falou:

– Vá você. Vou esperar aqui fora.

Certificando-se de que ele não queria mesmo acompanhá-la, Theresa entrou sozinha na loja. Garrett ficou do lado de fora, perto da porta, relaxando à sombra dos edifícios, quando viu pelo canto do olho algo familiar.

Era uma mulher caminhando pela calçada a certa distância dele, os cabelos louros na altura dos ombros.

Ele piscou e desviou o olhar por um momento, mas logo tornou a focar naquela direção. Algo no modo como ela se movia chamou a sua atenção, e ele ficou observando-a se distanciar devagar. Finalmente a mulher parou e virou a cabeça, como se tivesse se lembrado de alguma coisa. Garrett perdeu o fôlego.

Catherine.

Não podia ser.

Ele balançou a cabeça. A distância, não conseguia ter certeza se estava ou não enganado.

Ela começou a se afastar outra vez, no instante exato em que Garrett a chamou.

– Catherine... É você?

Ela parecia não ter ouvido a voz dele acima do ruído da rua. Garrett olhou de relance por cima do ombro e viu Theresa dentro da loja, analisando as mercadorias. Quando tornou a virar o rosto para a rua, Catherine – ou quem quer que fosse – estava virando a esquina.

Ele saiu atrás dela, andando depressa, depois começou a correr. As calçadas ficavam mais lotadas a cada segundo, como se uma composição do metrô tivesse de repente aberto as portas, e ele prosseguiu desviando de grandes grupos de pessoas até chegar à esquina.

Entrou na rua onde ela tinha virado e percebeu que o ambiente ia ficando cada vez mais escuro e ameaçador. Apertou o passo de novo. Embora não tivesse chovido, sentia que estava pisando em poças d'água. Parou por um instante para recuperar o fôlego, o coração martelando no peito. Nesse momento, a neblina começou a cobrir a rua, quase como uma onda, e logo ele não enxergava mais do que um metro à frente.

– Catherine, você está aí? – gritou. – Onde você está?

Ouviu uma risada a distância, mas não conseguiu distinguir de onde vinha.

Recomeçou a andar bem devagar. Ouviu a risada de novo – infantil, feliz. Então tornou a ficar imóvel.

– Onde você está?

Silêncio.

Ele olhou de um lado para outro.

Nada.

A neblina ficava cada vez mais espessa e uma chuva fraca começou a cair. Ele tornou a andar, sem saber aonde estava indo.

Viu alguma coisa penetrar na névoa e seguiu depressa naquela direção.

Catherine estava se distanciando, apenas uns poucos passos à sua frente.

A chuva começou a cair com mais força, e de repente tudo parecia se mover em câmera lenta. Ele se pôs a correr... devagar... devagar... conseguia vê-la logo à frente... a neblina mais espessa a cada segundo... a chuva caindo a cântaros... uma visão de relance dos cabelos dela...

E então ela desapareceu. Ele parou mais uma vez. A chuva e a neblina tornavam impossível enxergar.

– Onde você está? – gritou Garrett de novo.

Nada.

– Onde você está? – ainda mais alto.

– Estou aqui – disse uma voz vinda da chuva e da névoa.

Ele secou o rosto.

– Catherine, é mesmo você?

– Sou eu, Garrett.

Mas não era a voz dela.

Theresa saiu de dentro da névoa.

– Estou aqui.

Garrett acordou e se sentou na cama, suando em bicas. Enxugou o rosto no lençol e ficou acordado por um longo tempo.

Mais tarde no mesmo dia, Garrett encontrou-se com Jeb.

– Acho que quero me casar com ela, pai.

Estavam pescando juntos no final do píer, com mais uma dúzia de pessoas, a maioria aparentemente perdida nos próprios pensamentos. Jeb ergueu o rosto, surpreso.

– Há dois dias parecia que você não queria ver Theresa de novo.

– Pensei muito desde então.

– Deve ter pensado mesmo – comentou o mais velho, baixinho.

Ele recolheu a linha, examinou a isca e tornou a lançá-la na água. Mesmo duvidando que conseguisse pescar algo digno de ser levado para casa, para ele a pescaria era um dos maiores prazeres da vida.

– Você ama essa moça? – perguntou.

Garrett encarou-o, surpreso.

– Claro que amo. Já disse isso a você algumas vezes.

Jeb balançou a cabeça.

– Não disse, não. Conversamos muito sobre ela, você me falou que ela o faz feliz, que parece que vocês já se conheciam e que não quer perdê-la, mas nunca me disse que a amava.

– É a mesma coisa.

– Será mesmo?

Depois que foi para casa, a conversa que tivera com o pai ficava se repetindo em sua mente.

Será mesmo?

– Claro que é – respondera ele de imediato. – E, mesmo se não fosse, eu a amo mesmo.

Jeb encarou o filho por um instante, antes de finalmente desviar os olhos.

– Quer se casar com ela?

– Quero.

– Por quê?

– Porque a amo, só isso. Não é suficiente?

– Talvez.

Garrett recolheu a linha, frustrado.

– Não era você quem achava que devíamos nos casar? – perguntou.

– Era.

– Então por que está questionando isso agora?

– Porque quero ter certeza de que você está fazendo isso pelos motivos certos. Há dois dias você nem sabia se queria vê-la outra vez, agora está pronto para se casar. Me parece uma reviravolta muito grande, e quero me certificar de que é pelo que você sente por ela, e que não tem nada a ver com Catherine.

Ouvir o nome dela deixou Garrett um pouco perturbado.

– Catherine não tem nada a ver com isso – apressou-se a dizer. Balançando a cabeça, deu um suspiro profundo. – Sabe, pai, às vezes não consigo entendê-lo. Você passava o tempo todo me pressionando, dizendo que eu tinha que deixar o passado para trás, que precisava encontrar outra pessoa. E agora que fiz isso, parece que está tentando me convencer a desistir.

Jeb colocou a mão livre no ombro de Garrett.

– Não estou querendo convencê-lo a desistir de nada, Garrett. Estou feliz por você ter encontrado Theresa, por vocês se amarem, e espero realmente que acabem se casando. Só disse que, se vai se casar, é melhor fazer isso pelos motivos certos. O casamento é entre duas pessoas, não três. E não é justo com ela se você se casar pelas razões erradas.

Garrett levou um momento para retrucar:

– Pai, quero me casar porque amo Theresa. Quero passar a vida com ela.

Jeb ficou em silêncio por um longo tempo, observando-o. Então disse algo que fez o filho desviar os olhos:

– Então, em outras palavras, está afirmando que superou Catherine por completo?

Embora sentisse o peso do olhar de expectativa do pai, Garrett não sabia a resposta.

– Está cansada? – perguntou Garrett.

Ele estava deitado na cama, falando com Theresa, com apenas a luz da cabeceira acesa.

– É, acabei de chegar. Foi um fim de semana longo.

– Tudo correu como você imaginava?

– Espero que sim. Ainda não dá para saber, mas conheci muita gente que um dia pode me ajudar com a minha coluna.

– Então foi bom você ter ido.

– Foi bom e ruim. Na maior parte do tempo fiquei achando que devia ter ido ver você.

Ele sorriu.

– Que dia você vai para a casa dos seus pais?

– Na quarta de manhã. Vou ficar até domingo.

– Eles estão ansiosos para ver você?

– Estão, sim. Não veem Kevin há quase um ano, e sei que estão morrendo de vontade de tê-lo por perto por uns dias.

– Que bom.

Houve uma pausa breve.

– Garrett?

– Oi.

Ela falou em tom suave:

– Só quero que saiba que ainda lamento muito sobre o fim de semana.

– Eu sei.

– Eu gostaria de fazer algo para compensá-lo.

– O que tem em mente?

– Bom... Você pode vir no fim de semana depois do Dia de Ação de Graças?

– Acho que sim.

– Ótimo, porque vou planejar um fim de semana especial só para nós dois.

Foi um fim de semana que nenhum dos dois esqueceria.

Nas duas semanas que o antecederam, Theresa ligou para Garrett com uma frequência maior do que a costumeira. Em geral era ele quem ligava, mas parecia que cada vez que sentia vontade de falar com ela, Theresa adivinhava e telefonava. Em duas ocasiões ele estava indo pegar o aparelho a fim de ligar para ela quando ele começou a tocar. Na segunda vez em que isso aconteceu, ele atendeu dizendo simplesmente:

– Oi, Theresa.

Isso a surpreendeu, e por algum tempo ficaram brincando sobre a capacidade paranormal dele antes de engrenarem em uma conversa relaxada.

Quando Garrett chegou a Boston, duas semanas depois, Theresa foi buscá-lo no aeroporto. Tinha lhe dito que vestisse um traje elegante, e ele saiu do avião usando um blazer, algo que ela nunca vira antes.

– Uau! – exclamou.

Ele ajeitou o blazer, envergonhado.

– Estou bem?

– Está ótimo.

Saíram do aeroporto direto para jantar. Ela tinha reservado uma mesa no restaurante mais elegante da cidade. Fizeram uma refeição tranquila e maravilhosa, e depois ela o levou para assistir a *Os Miseráveis*, que estava com temporada em Boston. O teatro estava lotado, mas Theresa conhecia o gerente e conseguiu os melhores lugares.

Chegaram em casa tarde, e para Garrett o dia seguinte pareceu igualmente corrido. Theresa levou-o à redação e apresentou-lhe algumas pessoas, depois passaram o resto da tarde visitando o Museu de Belas-Artes. À noite jantaram com Deanna e Brian no Anthony's, um restaurante no último andar do Prudential Building, com uma vista deslumbrante de toda a cidade.

Garrett nunca tinha visto algo do tipo.

A mesa deles era perto da janela, e Deanna e Brian levantaram-se para recebê-los.

– Lembram-se de Garrett, não? – perguntou Theresa, tentando não parecer muito tola.

– Claro que lembramos. É um prazer revê-lo, Garrett – disse Deanna, inclinando-se para um abraço curto e um beijo na face. – Me desculpe por ter forçado Theresa a ir comigo naquele fim de semana. Espero que você não tenha sido muito duro com ela.

– Sem problemas – retrucou ele, assentindo de maneira tensa.

– Ainda bem. Porque analisando em retrospecto, acho que valeu a pena ela ter ido.

Garrett encarou-a com curiosidade. Theresa inclinou-se e perguntou:

– Como assim, Deanna?

Os olhos da chefe brilharam.

– Recebi boas notícias ontem, depois que você saiu.

– O que foi? – quis saber Theresa.

– Bem... – começou Deanna, em tom casual. – Conversei por uns vinte minutos com Dan Mandel, chefe da Media Information Inc., e ele me disse que ficou muito impressionado com você. Gostou muito da sua postura profissional. E o melhor de tudo...

Ela fez uma pausa teatral, tentando conter um sorriso.

– Sim?

– A partir de janeiro ele vai publicar a sua coluna em todos os jornais da empresa dele.

Theresa levou a mão à boca para abafar um gritinho, mas ainda assim várias pessoas das mesas vizinhas se viraram para olhar. Ela inclinou-se para Deanna, falando depressa, e Garrett deu um passo para trás.

– Está brincando! – exclamou ela, incrédula.

Deanna fez que não com a cabeça, sorrindo abertamente.

– Não. Estou lhe contando o que ele me disse. Quer conversar com você outra vez na terça. Tenho uma entrevista marcada para as dez horas.

– Tem certeza de tudo isso? Ele quer publicar minha coluna?

– Certeza absoluta. Mandei um fax para ele com o seu currículo e alguns artigos, e ele me ligou. Quer publicá-la, disso não há dúvida. Já está resolvido.

– Mal posso acreditar!

– Pois acredite. E ouvi rumores de que outros também estão interessados.

– Ah... Deanna...

Num impulso, Theresa abraçou a amiga, com o entusiasmo iluminando o seu rosto. Brian cutucou Garrett com o cotovelo.

– Ótimas notícias, não?

Garrett levou um momento para responder.

– É... ótimas – disse finalmente.

Depois que fizeram os pedidos, Deanna pediu uma garrafa de champanhe e fez um brinde, parabenizando Theresa pelo futuro brilhante. As duas falaram sem parar durante o resto do jantar. Garrett ficou calado, sem saber o que dizer. Como se sentisse o seu desconforto, Brian inclinou-se para ele.

– Parecem duas meninas, não é? Deanna passou o dia desfilando pela casa, louca para contar para ela.

– Eu queria entender tudo isso um pouco melhor. Na verdade, não sei o que dizer.

Brian tomou um gole da bebida, balançando a cabeça. Suas palavras saíram um pouco arrastadas:

– Não se preocupe com isso. Mesmo que entendesse, provavelmente não ia conseguir falar nada. Elas tagarelam assim o tempo todo. Se eu acreditasse nessas coisas, juraria que em outra vida elas foram gêmeas.

Garrett olhou para Deanna e Theresa do outro lado da mesa.

– Talvez tenha razão.

– Além do mais, você vai entender melhor quando conviver com isso em tempo integral. Depois de algum tempo, vai acabar entendendo quase tão bem quanto elas. Eu, por exemplo, já me acostumei.

O comentário não passou despercebido a Garrett: *Quando conviver com isso em tempo integral*?

Como Garrett não respondeu, Brian mudou de assunto:

– Então, quanto tempo vai ficar?

– Até amanhã à noite.

Brian assentiu.

– É difícil vocês não se verem com frequência, não é?

– Às vezes é.

– Posso imaginar. Sei que de vez em quando Theresa fica deprimida por isso.

Do outro lado da mesa, Theresa sorriu para Garrett.

– Do que vocês estão falando aí? – perguntou em tom alegre.

– De várias coisas – retrucou Brian. – Principalmente sobre sua boa sorte.

Garrett assentiu com um gesto breve e Theresa observou-o ajeitar-se na cadeira. Era óbvio que ele estava desconfortável, apesar de ela não saber por quê. Ficou pensando nisso.

– Você estava calado hoje – comentou Theresa.

Estavam de volta ao apartamento dela, sentados no sofá, com o rádio tocando baixinho.

– Acho que não tinha muita coisa a dizer.

Ela pegou a mão dele e falou baixinho:

– Que bom que você estava comigo quando Deanna me deu a notícia.

– Fico feliz por você, Theresa. Sei que isso significa muito.

Ela deu um sorriso hesitante. Mudando de assunto, perguntou:

– Gostou de conversar com Brian?

– É... É fácil se dar bem com ele. – Garrett fez uma pausa. – Mas não sou muito bom em grupo, sobretudo quando estou meio por fora do assunto. Eu só...

Ele parou de falar, sem saber se devia dizer mais alguma coisa, e resolveu não continuar.

– O quê?

Ele balançou a cabeça.

– Nada.

– Não, o que você ia dizer?

Depois de um instante ele respondeu, escolhendo as palavras com cuidado:

– Eu ia dizer que este fim de semana está sendo estranho para mim. O teatro, jantares elegantes, sair com os seus amigos... – Ele deu de ombros. – Não era o que eu esperava.

– Não está se divertindo?

Ele passou as mãos pelos cabelos, parecendo constrangido outra vez.

– Não é que eu não esteja me divertindo. É só que... – tornou a dar de ombros. – Eu não sou assim. Nada disso é algo que eu faria normalmente.

– Foi por isso que planejei o fim de semana assim. Queria apresentar coisas novas a você.

– Por quê?

– Pela mesma razão por que você quis que eu aprendesse a mergulhar: porque é uma coisa gostosa, uma coisa diferente.

– Não vim para cá para fazer coisas diferentes. Vim para ficar com você. Passamos muito tempo longe, e desde que cheguei parece que estamos sempre correndo de um lugar para outro. Ainda nem tivemos chance de conversar, e vou embora amanhã.

– Não é verdade. Jantamos sozinhos ontem, e ficamos sozinhos no museu hoje. Tivemos muito tempo para conversar.

– Sabe o que quero dizer.

– Não sei, não. O que você queria fazer? Ficar trancado em casa?

Ele não respondeu. Ficou sentado quieto por um instante, depois se levantou do sofá, foi até o outro lado da sala e desligou o rádio.

– Tem algo importante que estou tentando dizer desde que cheguei – falou Garrett, sem encará-la.

– O que é?

Ele baixou a cabeça. *É agora ou nunca*, pensou. Deu um suspiro profundo, juntou coragem e enfim se virou para ela.

– Acho que este mês sem nos vermos foi realmente muito difícil, e não sei se quero continuar assim.

Theresa ficou sem ar por um instante.

Ao ver a expressão dela, ele foi em sua direção, sentindo um estranho peso no peito causado pelo que estava prestes a dizer.

– Não é o que você está pensando – falou depressa. – Você entendeu errado. Não é que eu não queira mais vê-la. O que quero é estar com você o tempo todo.

Quando chegou ao sofá, ele se ajoelhou diante dela. Theresa encarou-o, surpresa. Ele tomou a mão dela entre as suas.

– Quero que você se mude para Wilmington.

Embora ela soubesse que aquilo estava prestes a acontecer, não esperava que fosse naquele momento, e sem dúvida não daquela maneira. Garrett continuou:

– Sei que é um passo muito grande, mas, se você for para lá, não teremos mais esses longos períodos separados. Poderíamos nos ver todos os dias. – Ele ergueu a mão e acariciou a face dela. – Quero caminhar na praia com você, quero sair para velejar com você, quero que você esteja lá quando eu chegar da loja. Quero que tenhamos a impressão que nos conhecemos desde sempre...

As palavras saíam depressa, e Theresa tentou entender o sentido delas. Garrett prosseguiu:

– Sinto tanto a sua falta quando não estamos juntos... Sei que o seu trabalho é aqui, mas tenho certeza de que o jornal de lá aceitaria você...

Quanto mais ele falava, mais a cabeça dela girava. Para Theresa, era como se ele estivesse tentando recriar seu relacionamento com Catherine.

– Espere um minuto – conseguiu enfim dizer, interrompendo-o. – Não posso simplesmente arrumar as coisas e partir. Quero dizer... Kevin está na escola...

– Você não tem que ir agora – retrucou Garrett. – Pode esperar até o final do ano letivo, se for o melhor. Conseguimos aguentar até agora, então mais uns meses não vão fazer diferença.

– Mas ele está feliz aqui. Este é o lar dele. Tem os amigos, o futebol...

– Ele vai ter tudo isso em Wilmington.

– Como pode saber? É fácil para você dizer isso, mas não tem certeza.

– Você não viu como nos demos bem?

Ela soltou a mão dele, cada vez mais frustrada.

– Isto não tem nada a ver com a questão, você não entende? Sei que vocês dois se deram bem, mas você não estava pedindo a ele para mudar de vida. *Eu* não estava pedindo a ele para mudar sua vida. – Ela fez uma pausa. – Além disso, o problema não é só ele. E quanto a mim, Garrett? Você estava lá hoje, sabe o que aconteceu. Acabei de receber notícias maravilhosas sobre a minha coluna, e agora você quer que eu desista dela também?

– Não quero é desistir de *nós*. Existe uma grande diferença.

– Então por que você não pode se mudar para Boston?

– Para fazer o quê?

– A mesma coisa que faz em Wilmington. Dar aulas de mergulho, velejar, qualquer coisa. É muito mais fácil para você se mudar do que para mim.

– Não posso fazer isso. Como eu disse, isto aqui – ele fez um gesto abrangendo o aposento e as janelas – não sou eu. Eu ficaria perdido.

Theresa levantou-se e atravessou a sala, agitada. Passou a mão pelos cabelos.

– Isto não é justo.

– O que não é justo?

Ela o encarou.

– Tudo. Você pedir que eu me mude, pedir que eu mude toda a minha vida. É como se você estivesse impondo uma condição: podemos ficar juntos, mas tem que ser do seu jeito. Bem, e os meus sentimentos? Eles não são importantes também?

– Claro que são importantes. Você é importante, nós somos importantes.

– Bem, não parece. Tenho a impressão de que você está pensando só em si mesmo. Quer que eu desista de tudo aquilo que consegui com o meu trabalho, mas não está disposto a ceder em nada.

Ela disse isso sem desviar os olhos dos dele.

Garrett levantou-se do sofá e foi até ela. Quando se aproximou, Theresa recuou, erguendo os braços como uma barreira.

– Escute, Garrett, não quero que me toque agora, está bem?

Ele abaixou as mãos. Por um longo momento nenhum dos dois disse nada. Theresa cruzou os braços e desviou o olhar.

– Então acho que a resposta é que você não vai – falou ele por fim, parecendo irritado.

Ela escolheu as palavras com cuidado:

– Não. Minha resposta é que vamos ter que conversar sobre isso.

– Para que você tente me convencer de que estou errado?

O comentário dele não mereceu resposta. Balançando a cabeça, Theresa foi até a mesa da sala de jantar, pegou a bolsa e se encaminhou para a porta da rua.

– Aonde você vai?

– Vou comprar uma garrafa de vinho. Preciso de uma bebida.

– Mas já é tarde.

– Tem uma loja no fim do quarteirão. Volto em alguns minutos.

– Por que não podemos falar sobre isso agora?

– Porque eu preciso de alguns minutos a sós, para poder pensar – retrucou ela.

– Está fugindo?

Parecia uma acusação.

Ela abriu a porta e manteve-a aberta enquanto dizia:

– Não, Garrett, não estou fugindo. Volto daqui a alguns minutos. E não gosto que você fale assim comigo. Não é justo que você faça com que me sinta culpada por causa disto tudo. Acabou de me pedir para mudar a minha vida inteira, e estou pedindo alguns minutos para pensar sobre isso.

Ela saiu do apartamento. Garrett ficou alguns segundos com os olhos fixos na porta, esperando que ela voltasse. Como isso não aconteceu, ele praguejou contra si mesmo. Nada tinha acontecido como ele pensara. Num minuto ele lhe pedia para se mudar para Wilmington e no minuto seguinte ela o deixava plantado ali, precisando ficar sozinha. Como as coisas tinham chegado àquele ponto?

Sem saber o que fazer, ele ficou andando de um lado para outro. Relanceou a cozinha, depois o quarto de Kevin, e continuou pelo corredor. Quando chegou ao quarto de Theresa, parou por um instante antes de entrar. Depois foi até a cama, sentou-se e apoiou a cabeça nas mãos.

Seria justo da parte dele pedir que ela se mudasse? De fato, a vida dela era ali, e era uma vida boa. No entanto, ele tinha certeza de que ela poderia ter tudo aquilo em Wilmington. De qualquer forma que encarasse a questão, ficava claro que seria muito melhor para os dois morarem lá do que em Boston. Olhando à sua volta, ele teve certeza de que jamais poderia viver num apartamento. Mas mesmo que fossem para uma casa, ela teria uma bela vista? Ou, se fossem para um bairro residencial longe do centro, seriam cercados por dezenas de casas iguais à sua?

Era complicado. E, de alguma forma, tudo o que ele dissera saíra errado. Não queria que Theresa achasse que ele estava lhe dando um ultimato, mas, relembrando o diálogo dos dois, entendeu que tinha feito exatamente isso.

Suspirando, pensou no que faria a seguir. Achava que não havia nada que pudesse dizer quando ela voltasse que não levasse a outra briga. Essa era a última coisa que ele queria. As discussões quase nunca levam a soluções, e era de soluções que eles precisavam no momento.

Entretanto, se não havia nada que ele pudesse dizer, o que sobrava? Garrett pensou por um momento antes de enfim decidir escrever-lhe uma carta explicando os próprios sentimentos. O ato de escrever sempre o ajudara a pensar com mais clareza – sobretudo nos últimos anos –, e talvez ela conseguisse entendê-lo.

Olhou na direção da mesa de cabeceira. O telefone estava ali, e ela devia anotar recados de vez em quando, mas ele não viu sinal de papel ou caneta. Abriu a gaveta, vasculhou-a e encontrou uma esferográfica.

Continuou a remexer lá dentro em busca de papel e achou revistas, alguns livros de bolso e algumas caixinhas de joia vazias. De repente, algo familiar atraiu sua atenção.

Um veleiro.

Estava numa folha de papel, entre uma agenda fina e um exemplar antigo de uma revista. Estendeu a mão para ela, imaginando tratar-se de uma das cartas que ele lhe escrevera ao longo dos últimos meses, e então parou de repente.

Como ela tinha conseguido aquilo?

O papel de carta tinha sido um presente de Catherine, e ele só o usava quando escrevia para ela. Suas correspondências para Theresa tinham sido redigidas em outro tipo de papel, comprado numa loja.

Garrett percebeu que estava prendendo a respiração. Rapidamente vasculhou a gaveta, retirou a revista e encontrou não uma, mas cinco – cinco! – folhas de papel de carta. Ainda confuso, piscou várias vezes antes de olhar para a primeira, e ali, escritas com sua caligrafia, estavam as palavras:

Minha adorada Catherine

Ah, meu Deus. Ele passou para a segunda página, que era uma fotocópia.

Minha querida Catherine

A carta seguinte:

Querida Catherine

– O que é isto? – resmungou ele, sem conseguir acreditar no que via. – Não pode ser...

Tornou a examinar as páginas, para ter certeza.

Mas era verdade. Uma carta era original e duas eram cópias, mas eram as correspondências dele, as que escrevera para Catherine depois de seus sonhos, as cartas que jogara do *Happenstance* e que nunca imaginara tornar a ver.

Num impulso, começou a lê-las, e a cada palavra, a cada frase, sentia as emoções vindo à tona, invadindo-o de uma vez – seus sonhos, suas lembranças, sua perda, sua angústia. Parou de ler.

Sua boca estava seca, e ele contraiu os lábios. Em vez de continuar a leitura, Garrett ficou apenas olhando para as cartas, em estado de choque. Mal ouviu a porta da frente se abrir e fechar.

– Garrett, voltei – chamou Theresa. Ela fez uma pausa e então ele ouviu seus passos pelo apartamento. – Onde você está?

Ele não respondeu. Não conseguia fazer outra coisa além de tentar entender como aquilo acontecera. Como ela podia ter aquelas cartas? Eram correspondências dele... suas cartas *particulares.*

Cartas para a sua *esposa.*

Cartas que não eram da conta de mais *ninguém.*

Theresa entrou no quarto e olhou para ele. Embora Garrett não soubesse disso, tinha o rosto pálido e os nós dos dedos que seguravam as páginas estavam brancos.

– Você está bem? – perguntou ela, sem distinguir o que ele tinha nas mãos.

Por um momento, foi como se Garrett não a tivesse ouvido. Então, erguendo os olhos lentamente, ele a encarou furioso.

Assustada, Theresa quase tornou a falar. Mas não o fez. Como uma onda, tudo a atingiu ao mesmo tempo – a gaveta aberta, os papéis na mão dele, sua expressão – e ela entendeu no mesmo instante o que tinha acontecido.

– Garrett... eu posso explicar – disse depressa, baixinho.

Ele pareceu não ouvir.

– Minhas cartas... – sussurrou.

Olhou para ela com um misto de confusão e raiva.

– Eu...

– Como foi que conseguiu minhas cartas? – quis saber ele.

O som de sua voz a fez se encolher.

– Encontrei uma delas na praia e...

– Você encontrou? – interrompeu ele.

Ela assentiu, tentando explicar.

– Foi quando eu estava em Cape Cod. Tinha acabado de correr na praia e achei a garrafa...

Ele olhou para a primeira página, a única carta original. Era a que ele tinha escrito no início daquele ano. Mas as outras...

– E estas? – indagou, erguendo as cópias. – De onde vieram?

– Enviaram para mim – retrucou ela com delicadeza.

– Quem?

Confuso, ele se levantou da cama. Ela avançou um passo na direção dele, estendendo a mão.

– As pessoas que encontraram as cartas. Uma delas leu minha coluna...

– Você publicou minha carta?

Ele parecia ter levado um soco no estômago.

Por um instante, Theresa não respondeu.

– Eu não sabia... – começou.

– Não sabia o quê? – gritou Garrett, a mágoa evidente na voz. – Que era errado fazer isso? Que esta carta não era uma coisa que eu queria que o mundo inteiro visse?

– Ela apareceu na praia, você sabia que alguém ia encontrar – disse Theresa rapidamente. – Não usei os nomes verdadeiros.

– Mas publicou no jornal...

Incrédulo, ele não terminou a frase.

– Garrett, eu...

– Não! – retrucou ele, com raiva. Tornou a olhar para as cartas e depois para ela, como se a visse pela primeira vez. – Você *mentiu* para mim – continuou, quase como se fosse uma revelação.

– Eu não menti...

Ele não estava escutando.

– Você mentiu para mim – repetiu, como se para si mesmo. – E foi me procurar. Por quê? Para poder escrever outro artigo? Foi esse o motivo de tudo?

– Não... Não foi nada disso...

– Então o que foi?

– Depois de ler as cartas eu... eu quis conhecer você.

Ele não entendeu o que ela queria dizer. Ficava olhando das folhas para ela e de novo para as folhas. Sua expressão era de dor.

– Você mentiu para mim – falou pela terceira vez. – Você me *usou*.

– Eu não...

– Usou, sim! – gritou ele, a voz ecoando no quarto. Lembrando-se de Catherine, ele segurou as cartas diante de si, como se Theresa nunca as tivesse visto antes. – Estas cartas são minhas, são os meus sentimentos, os meus pensamentos, a minha maneira de lidar com a perda da minha mulher. São minhas, não suas.

– Eu não tive intenção de magoar você.

Ele a encarou em silêncio. Tinha os músculos da mandíbula tensos.

– Foi tudo mentira, não foi? – disse finalmente, sem esperar que ela continuasse. – Você pegou os meus sentimentos por Catherine e tentou manipulá-los, transformá-los naquilo que queria. Achou que, porque eu amava Catherine, ia amar você também, não foi?

Theresa empalideceu. De repente não conseguiu mais falar.

– Você planejou tudo desde o princípio, não é verdade? – Ele fez uma pausa e passou a mão livre pelos cabelos. Quando falou, a voz começou a falhar: – Foi tudo uma encenação...

Por um instante ele pareceu atordoado, e ela lhe estendeu a mão.

– Garrett, eu admito que queria conhecer você. As cartas eram tão lindas que eu queria ver o tipo de pessoa que escrevia assim. Mas não sabia aonde aquilo ia dar, não tinha planejado nada além de conhecê-lo. – Ela pegou a mão dele. – Eu te amo, Garrett. Você tem que acreditar.

Quando Theresa ficou em silêncio, ele puxou a mão que ela segurava e se afastou.

– Que tipo de pessoa você é?

Isso a feriu, e ela reagiu na defensiva:

– Não é o que você está pensando...

Garrett insistiu, alheio à resposta dela:

– Você embarcou em alguma fantasia estranha...

Aquilo era demais.

– Pare, Garrett! – exclamou Theresa com raiva, magoada pelas palavras dele. – Você não ouviu nada do que eu disse!

Enquanto gritava, ela sentia as lágrimas aflorando aos olhos.

– Por que devo escutar? Você vem mentindo para mim desde que nos conhecemos – acusou Garrett.

– Não menti! Só não falei das cartas!

– Porque sabia que tinha agido mal!

– Não. Porque sabia que você não entenderia – retrucou ela, tentando recobrar a calma.

– Eu entendi muito bem. Entendi o tipo de pessoa que você é!

Ela estreitou os olhos.

– Não fique assim – pediu.

– "Assim" como? Zangado? Magoado? Acabei de descobrir que toda a nossa história foi um teatro e você quer que eu pare?

– Cale a boca! – exclamou Theresa, sem conseguir conter a fúria.

Ele pareceu atônito diante do comportamento dela, e a encarou em silêncio. Por fim, entregou-lhe as cartas e disse, com a voz entrecortada:

– Você acha que entende o que Catherine e eu tínhamos, mas não sabe de nada. Não importa quantas cartas leia, nem quanto me conheça: você nunca vai compreender. O que nós tínhamos era *verdadeiro*. Era tudo autêntico, e ela era autêntica...

Ele fez uma pausa para ordenar os pensamentos, olhando para Theresa como se ela fosse uma desconhecida. Então, enrijecendo o corpo, disse algo que a magoou mais do que qualquer outra coisa que tivesse falado até o momento:

– Nós dois nunca chegamos nem perto do que Catherine e eu tínhamos.

Não esperou pela resposta. Em vez disso, passou por ela em direção à sua mala. Depois de jogar suas coisas dentro dela, fechou-a com brutalidade. Por um momento Theresa pensou em impedi-lo, mas o comentário dele a deixara aturdida.

Garrett se empertigou, erguendo a bagagem.

– Isto é meu, vou levar comigo – falou, pegando as cartas.

Compreendendo de repente o que Garrett pretendia fazer, ela perguntou:

– Por que está indo embora?

Ele a encarou.

– Não sei nem quem você é.

Sem dizer mais nada, ele se virou, atravessou a sala e saiu pela porta da frente.

12

Sem saber para onde ir depois de sair do apartamento de Theresa, Garrett pegou um táxi para o aeroporto. Infelizmente não havia voos naquele horário, e ele acabou passando o resto da noite lá, ainda furioso e incapaz de pegar no sono. Ficou andando pelo terminal durante horas, passando pelas lojas já fechadas, parando de vez em quando para olhar através das barreiras que limitavam o espaço dos viajantes noturnos.

Na manhã seguinte, pegou o primeiro voo disponível e chegou em casa pouco depois das onze. Foi direto para o quarto, mas quando se deitou os acontecimentos da véspera ficaram rodando em sua cabeça e não o deixaram dormir. Depois de passar horas tentando pegar no sono, ele finalmente desistiu: tomou banho e se vestiu, depois tornou a se sentar na cama, de olhos fixos na fotografia de Catherine. Por fim, pegou-a e levou-a para a sala, onde também estavam as cartas. No apartamento de Theresa ele ficara chocado demais para pensar nelas a fundo, mas agora, olhando para o retrato de Catherine, leu-as devagar, de forma quase reverente, e sentiu a presença dela encher o aposento.

– Ei, pensei que tivesse esquecido o nosso compromisso – disse ele, vendo Catherine surgir nas docas com uma sacola de compras.

Sorrindo, ela pegou a mão dele para subir a bordo.

– Não esqueci, mas tive que fazer um pequeno desvio.

– Como assim?

– Tive que ir ao médico.

Ele pegou a sacola da mão dela e colocou-a de lado.

– Você está doente? Sei que não anda se sentindo bem...

– Estou ótima – afirmou ela, interrompendo-o com delicadeza. – Mas acho que seria melhor não velejar hoje.

– Tem alguma coisa errada, não tem?

Catherine sorriu mais uma vez enquanto se inclinava para a frente e tirava um pequeno pacote de uma das sacolas. Garrett ficou observando-a enquanto ela o abria.

– Feche os olhos e eu lhe conto o que está acontecendo – pediu ela.

Ainda um pouco inseguro, Garrett fez o que ela mandou e escutou o papel sendo desembrulhado.

– Pronto, pode abrir os olhos agora.

Catherine tinha algumas roupas de bebê nas mãos.

– O que é isso? – perguntou ele, sem entender.

O rosto dela estava radiante.

– Estou grávida! – exclamou, entusiasmada.

– Grávida?

– Isso mesmo. Estou oficialmente com oito semanas de gravidez.

– Oito semanas?

Ela assentiu.

– Acho que engravidei na última vez que saímos para velejar.

Perplexo, Garrett pegou as roupinhas de bebê e segurou-as com delicadeza. Por fim, inclinou-se na direção de Catherine e abraçou-a.

– Não consigo acreditar...

– Mas é verdade.

Quando por fim conseguiu apreender a novidade, Garrett deu um largo sorriso.

– Você está grávida...

Catherine fechou os olhos e sussurrou ao ouvido dele:

– E você vai ser papai...

Os pensamentos de Garrett foram interrompidos pelo ranger da porta. Jeb enfiou a cabeça para dentro do aposento.

– Vi seu furgão lá fora e vim ver se estava tudo bem – explicou. – Não esperava você de volta tão cedo.

Como Garrett não respondeu, o pai entrou e a primeira coisa que viu foi a foto de Catherine em cima da mesa.

– Você está bem, filho? – perguntou, preocupado.

Sentaram-se na sala e Garrett explicou a situação desde o início – os sonhos que vinha tendo ao longo dos anos, as mensagens que mandava dentro de garrafas e finalmente a briga na véspera. Não deixou nada de fora. Quando terminou, Jeb pegou as cartas da mão dele.

– Deve ter sido um grande choque – comentou, olhando as páginas de relance, surpreso com o fato de Garrett nunca ter lhe falado sobre elas. – Mas não acha que foi um pouco duro demais com Theresa?

Garrett balançou a cabeça em negativa, cansado.

– Ela sabia tudo a meu respeito, pai, e nunca me disse nada. Ela armou a história toda.

– Não armou, não – retrucou Jeb em tom carinhoso. – Pode ter vindo para cá com a intenção de conhecer você, mas não o obrigou a se apaixonar. Isso você fez sozinho.

Garrett olhou para o outro lado antes de enfim encarar o retrato sobre a mesa.

– Mas não acha que ela errou em esconder tudo de mim?

Jeb suspirou, sem querer responder à pergunta, sabendo que isso levaria Garrett a remoer coisas antigas. Em vez disso, tentou pensar em outra maneira de conseguir se fazer entender pelo filho.

– Há algumas semanas, quando estávamos conversando no píer, você me disse que queria se casar com Theresa porque a amava. Lembra?

Garrett assentiu, distraído.

– Por que isso mudou?

Garrett olhou para o pai, confuso.

– Já lhe falei que...

Jeb interrompeu-o com delicadeza:

– É, você me explicou seus motivos, mas não foi totalmente sincero. Nem comigo, nem com Theresa, nem consigo mesmo. Ela pode não ter lhe contado sobre as cartas, e concordo que talvez devesse ter feito isso. Mas não é por isso que você está zangado, mas porque, por causa dela, você tomou consciência de algo que não queria admitir.

Garrett olhou para o pai sem responder. Então, levantou-se do sofá e foi à cozinha, sentindo de repente o impulso de fugir da conversa. Pegou uma jarra de chá na geladeira e serviu-se de um copo. Depois, abriu a porta do congelador e puxou a bandeja de metal para pegar alguns cubos de gelo. Num súbito acesso de frustração, ergueu a alavanca com força demais e os cubos de gelo voaram da bandeja e se espalharam por cima do balcão e pelo chão.

Enquanto Garrett resmungava e praguejava na cozinha, Jeb contemplava o retrato de Catherine, lembrando-se da própria esposa. Colocou as cartas ao lado da fotografia e foi até a porta de vidro corrediça. Depois de abri-la, ficou observando o vento frio de dezembro fazer as ondas se quebrarem violentamente, com seu estrondo ecoando pela casa, até que ouviu batidas na porta.

Virou-se, imaginando quem poderia ser. De repente se deu conta de que em todas as suas visitas ao filho, estranhamente jamais presenciara a chegada de alguém.

Garrett, na cozinha, parecia não ter ouvido as batidas, então Jeb foi atender. Atrás dele, os sinos pendurados na varanda tocavam alto.

– Já vou! – gritou ele.

Quando Jeb abriu a porta da frente, o vento invadiu a sala de estar, espalhando as cartas pelo chão. No entanto, ele não notou nada – toda a sua atenção estava voltada para a visitante no pórtico. Ele não conseguia desviar os olhos dela.

Parada diante dele estava uma mulher morena que ele nunca tinha visto antes. Jeb ficou paralisado, sabendo exatamente quem ela era, mas incapaz de pensar numa só palavra para dizer. Então deu um passo para o lado, a fim de deixá-la passar.

– Pode entrar – falou baixinho.

Quando ela entrou e fechou a porta atrás de si, o vento parou de soprar de forma abrupta. Constrangida, ela olhou de relance para Jeb. Por um instante nenhum dos dois se pronunciou.

– Você deve ser Theresa – começou Jeb. Escutava Garrett na cozinha resmungando consigo mesmo enquanto recolhia os cubos de gelo espalhados. – Já ouvi falar muito em você.

Ela cruzou os braços, hesitante.

– Sei que não estava sendo esperada...

– Tudo bem – encorajou-a Jeb.

– Ele está aqui?

Jeb fez um gesto com a cabeça na direção da cozinha.

– Está. Foi buscar alguma coisa para beber.

– Como ele está?

Jeb deu de ombros e abriu um sorriso lento e desanimado.

– Você vai ter que conversar com ele...

Theresa assentiu, de repente em dúvida se sua ida tinha sido boa ideia. Olhou à sua volta e no mesmo instante viu as cartas espalhadas pelo chão. Avistou também a mala de Garrett no chão junto à porta do quarto, ainda intocada. Fora isso, a casa parecia a mesma.

Exceto, é claro, pela fotografia de Catherine.

Theresa a viu por cima do ombro de Jeb. Em geral a foto ficava no quarto de Garrett. Agora que ela estava num local de destaque, e por algum motivo Theresa não conseguia despregar os olhos dela. Ainda estava encarando-a quando Garrett apareceu na sala.

– Pai, o que aconteceu aqui...

Ele ficou paralisado. Theresa fitou-o, hesitante. Por um longo momento, nenhum dos dois falou nada. Então ela deu um suspiro profundo e disse:

– Olá, Garrett.

Ele não respondeu. Jeb pegou suas chaves sobre a mesa, sabendo que era o momento de sair.

– Vocês têm muito o que conversar, então vou embora.

Percorreu todo o caminho até a porta olhando de lado para Theresa.

– Foi um prazer conhecê-la – murmurou.

Enquanto falava, ergueu uma sobrancelha e deu de ombros ligeiramente, como se lhe desejasse sorte. Logo estava do lado de fora, afastando-se da casa.

– Por que veio até aqui? – perguntou Garrett calmamente assim que ficaram a sós.

– Eu queria ver você de novo – retrucou ela em voz baixa.

– Por quê?

Theresa não respondeu. Em vez disso, depois de um momento de hesitação ela se dirigiu a ele, sem desviar os olhos dos seus. Quando se aproximou, colocou um dedo nos lábios de Garrett e balançou a cabeça para impedir que ele falasse.

– Shhh... – sussurrou. – Sem perguntas... só por enquanto. Por favor...

Ela tentou sorrir, mas agora que a via de perto, ele percebeu que ela tinha chorado.

Não havia nada que Theresa pudesse dizer. Não havia palavras para descrever o que ela passara.

Em vez de falar, enlaçou Garrett com os braços. Com relutância, ele a abraçou também, enquanto ela apoiava a cabeça no peito dele. Beijou-o no pescoço e puxou-o mais para perto. Passando a mão pelos cabelos dele, ela percorreu seu rosto com a boca, até chegar aos lábios. Beijou-os primeiro de leve, os lábios mal roçando os dele, depois apaixonadamente. Sem se dar conta, ele começou a corresponder às carícias dela. Suas mãos subiram devagar pelas costas de Theresa, apertando-a contra si.

Na sala, com o barulho das ondas ecoando pela casa, eles ficaram abraçados, cedendo ao desejo crescente. Por fim, Theresa afastou-se, pegou-o pela mão e levou-o para o quarto.

Lá dentro, ela o soltou e cruzou o aposento, enquanto ele ficava parado perto do batente. A luz da sala lançava sombras pelo cômodo. Theresa hesitou apenas por um segundo antes de virar-se de frente para ele e começar a se despir. Garrett fez uma leve menção de fechar a porta, mas ela balançou a cabeça. Dessa vez queria vê-lo, e queria que ele a visse. Queria que Garrett soubesse que estava com ela e com mais ninguém.

Devagar, muito devagar, ela tirou a roupa. Primeiro a blusa... depois a calça jeans... o sutiã... a calcinha. Despiu-se com os lábios entreabertos, sem parar de encará-lo. Quando estava nua, ficou parada na frente de Garrett, deixando que o olhar dele percorresse todo o seu corpo.

Por fim, aproximou-se dele e passou as mãos delicadamente por todo o seu corpo – peito, ombros, braços –, como se quisesse lembrar-se para sempre de como era tocá-lo. Recuou um passo para permitir que ele se despisse e ficou observando-o, atenta a cada detalhe enquanto as roupas dele caíam no chão. Aproximou-se dele de novo, beijou-lhe os ombros e depois rodeou-o devagar, a boca de encontro à pele, a umidade de sua boca permanecendo em cada lugar que ela tocava. Então, levou-o em direção à cama, deitou-se e puxou-o consigo.

Fizeram amor com ferocidade, agarrados desesperadamente um ao outro. A paixão foi diferente de qualquer ocasião em que tivessem feito amor antes – cada um deles dolorosamente consciente do prazer do outro, cada toque mais eletrizante do que o anterior. Como se temendo o que o futuro traria, eles reverenciaram seus corpos com intensidade total, que ficaria para sempre em sua memória. Quando enfim chegaram juntos ao orgasmo, Theresa arqueou a cabeça para trás e gritou, sem tentar abafar o som.

Depois ela se sentou na cama e aninhou a cabeça de Garrett em seu colo. Passou as mãos pelos cabelos dele e ficou ouvindo o som de sua respiração normalizar aos poucos.

Mais tarde, Garrett acordou sozinho. Percebendo que as roupas de Theresa também não estavam no quarto, ele vestiu às pressas a calça jeans e a camisa. Ainda abotoando-a ao sair do quarto, procurou-a por toda parte.

A casa estava fria.

Encontrou-a sentada na cozinha, de casaco. À sua frente havia uma xícara de café quase vazia, o que indicava que ela estava sentada ali havia um bom tempo. O bule já estava na pia. Ao olhar para o relógio, ele constatou que tinha dormido quase duas horas.

– Olá – falou, hesitante.

Theresa olhou para ele por cima do ombro.

– Ah, oi, não ouvi você levantar...

– Tudo bem?

Ela não respondeu diretamente:

– Venha se sentar comigo. Tenho muita coisa para lhe contar.

Garrett obedeceu e lhe deu um sorriso vacilante. Theresa ficou brincando com a xícara de café por um momento, de olhos baixos. Ele estendeu a mão e afastou uma mecha de cabelo do rosto dela. Como ela não reagiu, ele recolheu o braço.

Por fim, sem olhar para Garrett, Theresa pegou as cartas do colo e colocou-as sobre a mesa. Pelo visto, ela as tinha pegado enquanto ele dormia.

– Encontrei a garrafa no verão, quando estava correndo na praia – começou, com a voz firme porém distante, como se recordasse algo doloroso. – Não tinha a menor ideia do que a carta ali dentro dizia, mas depois de lê-la comecei a chorar. Era tão linda, eu sabia que tinha vindo direto do seu coração. E o modo como estava escrita... Acho que o que você escreveu me tocou porque eu também me sentia solitária.

Ela olhou para ele e continuou:

– Naquela manhã, mostrei a carta a Deanna. Publicá-la foi ideia dela. No princípio eu não queria... Achava que era pessoal demais, mas ela não via nada de mal nisso. Achava que seria uma coisa boa para as pessoas lerem. Então acabei cedendo, imaginando que a história terminaria ali. Mas não terminou.

Ela suspirou.

– Depois que voltei a Boston, recebi um telefonema de uma pessoa que tinha lido o artigo. Ela me mandou a segunda carta, que tinha encontrado alguns anos antes. Quando li, fiquei curiosa, mas novamente não imaginei que o assunto teria desdobramentos.

Fez uma pausa e depois perguntou:

– Já ouviu falar na revista *Yankee*?

– Não.

– É uma revista regional, não muito conhecida fora da Nova Inglaterra, mas publica alguns artigos ótimos. Foi lá que encontrei a terceira carta.

Garrett encarou-a, surpreso.

– Ela foi publicada na revista?

– Foi. Eu procurei o autor do artigo e ele me mandou a carta que tinha. Depois disso... Bem, a curiosidade me venceu. Eu tinha três cartas, Garrett, não apenas uma, mas três, e todas me comoveram do mesmo modo. Aí, com a ajuda de Deanna, descobri quem você era e vim até aqui para conhecê-lo.

Ela deu um sorriso triste.

– Sei que parece aquilo que você disse, que era algum tipo de fantasia, mas não era. Não vim até aqui para me apaixonar por você nem para escrever um artigo. Vim para ver quem você era, só isso. Queria conhecer a pessoa que tinha escrito aquelas cartas lindas. Por isso fui até as docas quando sabia que você estava lá. Começamos a conversar e aí, como você deve lembrar, foi você quem me convidou para velejar. Se não tivesse chamado, eu provavelmente teria ido embora no mesmo dia.

Ele não sabia o que dizer. Theresa estendeu a mão e colocou-a sobre a dele.

– Mas sabe de uma coisa? Aquela noite foi muito boa, e me fez querer ver você de novo – continuou. – Não por causa das cartas, mas pelo modo como você me tratou. E daí em diante tudo pareceu evoluir de forma natural. Depois daquele primeiro encontro, nada do que ocorreu entre nós fazia parte de um plano. Simplesmente aconteceu.

Ele ficou calado por um instante, contemplando as cartas.

– Por que não me contou tudo isso? – perguntou enfim.

Ela demorou algum tempo para responder:

– Algumas vezes eu quis fazer isso, mas... Não sei... Acho que me convenci de que não fazia diferença o modo como nos conhecemos, que a única coisa importante era como nos dávamos bem. – Ela fez uma pausa, sabendo que havia mais coisas a dizer. – Além disso, achei que você não entenderia. Não queria perdê-lo.

– Se tivesse me falado antes, eu teria compreendido.

Ela observou-o com atenção.

– Teria mesmo, Garrett? Teria *realmente* compreendido?

Ele sabia que aquele era o momento da verdade. Como não disse nada, Theresa balançou a cabeça e desviou o olhar.

– Ontem à noite, quando você pediu que me mudasse para cá, não concordei de imediato porque tive medo de *por que* você tinha pedido. – Ela hesitou. – Precisava ter certeza de que você queria a mim, Garrett. Precisava ter certeza de que você queria que eu viesse por *nós*, não porque estivesse fugindo de alguma coisa. Acho que queria que você me convencesse disso quando eu voltasse para casa. Mas você encontrou as cartas...

Ela deu de ombros e passou a falar num tom mais suave:

– No fundo, acho que sabia o tempo todo, mas queria acreditar que tudo daria certo.

– A que você está se referindo?

Ela respondeu de maneira indireta:

– Garrett, não é que eu ache que você não me ama. Sei que ama. É isso que torna tudo tão difícil. Eu *sei* que você me ama, e eu também o amo. Se as circunstâncias fossem diferentes, talvez pudéssemos vencer todos os obstáculos. Mas neste momento acho que não podemos. Acho que você ainda não está pronto.

Garrett se sentiu como se tivesse levado um soco no estômago. Ela olhava dentro de seus olhos.

– Não sou cega, Garrett. Sempre soube o motivo de você às vezes ficar tão quieto quando estamos juntos. Sei por que quis que eu me mudasse para cá.

– Porque sinto a sua falta – interrompeu ele.

– Isto é uma parte, mas não é tudo – retrucou Theresa, fazendo uma pausa para pestanejar, reprimindo as lágrimas. Sua voz começava a falhar. – É também por causa de Catherine.

Ela enxugou o canto do olho, visivelmente lutando contra o pranto, determinada a não perder o controle.

– Quando você me falou sobre ela pela primeira vez, vi a sua expressão... Era óbvio que você ainda a amava. E ontem à noite, apesar da sua raiva, vi de novo a mesma expressão. Mesmo depois de todo o tempo que passamos juntos, você ainda não superou esse amor. E então... as coisas que me disse... – Ela suspirou. – Você não estava com raiva só porque eu tinha encontrado as cartas, mas porque sentia que eu era uma ameaça ao que você tinha com Catherine... e ainda tem.

Garrett desviou os olhos, ouvindo o eco da acusação do pai. Mais uma vez ela estendeu a mão e tocou na dele.

– Você é quem é, Garrett: um homem que ama profundamente, e também um homem que ama para sempre. Por mais que me ame, acho que nunca esquecerá Catherine, e não posso viver me perguntando se estou à altura dela.

– Podemos superar isso – começou ele, com a voz rouca. – Quero dizer... Eu posso superar isso. Sei que as coisas podem ser diferentes...

Theresa interrompeu-o apertando a mão dele de leve.

– Sei que acredita nisso, e parte de mim quer acreditar também. Se você me abraçasse agora e me implorasse para ficar, sem dúvida eu cederia, porque você me deu algo que eu não tinha há muito tempo. E nós viveríamos como vivemos até agora, ambos acreditando que estava tudo bem... Mas não seria verdade, entende? Porque na próxima vez em que tivéssemos uma discussão... – Ela fez uma pausa. – Não posso competir com ela. E por mais que eu queira que o nosso relacionamento perdure, não posso esquecer isso, porque *você* também não vai esquecer.

– Mas eu te amo.

Ela sorriu. Soltou a mão dele e acariciou-lhe o rosto com ternura.

– Eu também te amo, Garrett. Mas às vezes só amor não é suficiente.

Ele ficou calado, com o rosto pálido. Depois de um longo silêncio, Theresa começou a chorar.

Garrett se inclinou em sua direção e passou o braço pelos seus ombros, frouxamente. Apoiou a face nos cabelos dela e ela descansou o rosto no peito dele, o corpo trêmulo, sem parar de chorar. Um longo tempo se passou antes que Theresa secasse as lágrimas e se afastasse. Os dois se encararam, e Garrett tinha os olhos suplicantes. Ela balançou a cabeça.

– Não posso ficar, Garrett. Por mais que nós dois queiramos, não posso.

Essas palavras o atingiram com força. Ele sentiu a cabeça girar de repente.

– Não... – balbuciou.

Theresa se levantou, sabendo que tinha que ir embora antes que perdesse a coragem. Lá fora, um violento trovão soou. Segundos depois, uma chuva fina e nevoenta começou a cair.

– Tenho que ir.

Ela colocou a bolsa a tiracolo e encaminhou-se para a porta da rua. Por um momento, Garrett ficou aturdido demais para se mexer.

Por fim, ainda atordoado, ele se ergueu e seguiu-a porta afora. A chuva agora era mais forte. O carro que Theresa alugara estava estacionado na entrada de veículos. Garrett viu-a abrir a porta do automóvel, incapaz de pensar em algo para dizer.

Dentro do carro, ela manuseou desajeitadamente a chave, depois a enfiou na ignição. Deu um sorriso forçado enquanto fechava a porta. Apesar da chuva, baixou a janela para vê-lo com mais clareza e então girou a chave, dando partida no motor. Os dois se encararam por um momento.

A expressão dele quase venceu todos os propósitos de Theresa, sua frágil decisão. Por apenas um instante ela teve vontade de voltar atrás. Queria dizer a ele que não falara a verdade, que não podiam acabar tudo daquele jeito. Seria fácil fazer isso, parecia tão certo...

Porém, por mais que quisesse, ela não podia.

Ele deu um passo na direção do carro e Theresa balançou a cabeça para impedi-lo. A situação já era dolorosa o suficiente.

– Vou sentir saudade, Garrett – disse ela baixinho, sem saber se ele podia ouvi-la.

Então engrenou a marcha a ré.

A chuva ficou mais forte, com as gotas mais frias e mais pesadas de uma tempestade de inverno.

Garrett ficou parado ali, olhando para ela.

– Por favor, não vá – pediu com a voz rouca e baixa, quase abafada pelo som da chuva.

Ela não respondeu.

Sabendo que ia recomeçar a chorar se ficasse ali por mais tempo, Theresa fechou a janela e, olhando por cima do ombro, começou a descer a entrada de veículos de ré. Garrett colocou a mão no capô quando o carro começou a se mover e seus dedos deslizaram pela superfície molhada enquanto o automóvel se afastava devagar. No instante seguinte o carro estava na rua, pronto para partir, os limpadores de para-brisa movimentando-se de um lado para outro.

Com uma súbita urgência, Garrett sentiu que a sua última oportunidade estava indo embora.

– Theresa, espere! – gritou.

Por causa da chuva pesada, ela não o escutou. Garrett saiu correndo pela entrada de veículos, acenando com os braços para chamar a atenção dela. Theresa parecia não vê-lo.

– Theresa! – tornou a gritar.

Ele estava agora no meio da rua, correndo atrás do carro, pisando nas poças que já começavam a se formar. As luzes do freio piscaram por um segundo, depois se mantiveram acesas, enquanto o carro parava. A chuva e a neblina o rodeavam, fazendo o veículo parecer uma miragem. Garrett sabia que ela o observava pelo espelho retrovisor e o via se aproximar cada vez mais. *Ainda há uma chance...*

De repente as luzes do freio se apagaram e o carro tornou a se mover, acelerando com mais força dessa vez. Garrett continuou correndo atrás do veículo, perseguindo-o ao longo da rua. Via-o se afastar mais e mais, tornar-se menor a cada momento. Seus pulmões queimavam, mas ele continuou correndo, lutando contra a sensação de impotência. A chuva ficara muito mais forte, ensopando a camisa dele e dificultando a sua visão.

Finalmente ele diminuiu a velocidade, até parar por completo, ofegante. Com a camisa grudada à pele e os cabelos caídos sobre os olhos, Garrett ficou parado no meio da rua, com o temporal desabando à sua volta, vendo o carro dela virar a esquina e desaparecer de vista.

Ficou ali paralisado por um longo tempo, tentando recuperar o fôlego, com a esperança de que ela fizesse meia-volta e retornasse para ele, desejando não ter deixado que ela se fosse. Desejando mais uma chance.

Mas ela tinha partido.

Instantes depois, um carro buzinou atrás dele, fazendo o seu coração disparar. Ele virou-se depressa e passou a mão pelo rosto para secar as gotas de chuva, quase esperando avistar Theresa atrás do para-brisa, mas logo viu que tinha se enganado. Então recuou para o meio-fio a fim de deixar o automóvel passar, sentindo o olhar curioso do motorista, e de repente teve consciência de que nunca tinha se sentido tão solitário.

No avião, Theresa se sentou com a bolsa no colo. Fora uma das últimas pessoas a embarcar, tendo chegado com apenas alguns minutos de antecedência.

Contemplou, pela janela, a chuva cair de lado, soprada pelo vento. Olhou para baixo e viu, na pista, o resto da bagagem ser colocado na aeronave. Os funcionários trabalhavam depressa para que as malas não ficassem encharcadas. Terminaram ao mesmo tempo que a porta do avião se fechava, e momentos depois a rampa de embarque foi levada de volta ao terminal.

Estava escurecendo, e em alguns minutos a noite já teria caído por completo. As comissárias de bordo fizeram a última inspeção na cabine, certificando-se de que estava tudo bem acomodado, e foram para seus assentos. As luzes da aeronave piscaram e o avião iniciou seu lento movimento em marcha a ré, afastando-se do terminal e virando na direção da pista.

De repente parou para aguardar instruções, em posição paralela ao terminal. Distraída, Theresa olhou para fora e viu, pelo canto do olho, uma figura solitária parada perto de uma janela do terminal, as mãos pressionadas contra a vidraça.

Estreitou os olhos para ver melhor. *Será que é ele?*

Não conseguia ter certeza, porque o vidro fumê do terminal, junto com a chuva, obscurecia sua visão. Se a pessoa não estivesse parada tão perto da vidraça, ela não saberia sequer que havia alguém ali.

Com um nó na garganta, Theresa continuou com os olhos fixos na figura.

Fosse quem fosse, não se moveu.

Os motores rugiram, depois silenciaram enquanto o avião começava a avançar. Ela sabia que lhe restavam poucos minutos. O portão de embarque foi ficando cada vez mais distante, enquanto a aeronave ganhava velocidade gradualmente.

Para a frente... para a pista de decolagem... para longe de Wilmington...

Ela virou a cabeça, esforçando-se para olhar pela última vez, mas era impossível dizer se a pessoa ainda estava ali.

Enquanto o avião taxiava para tomar posição, Theresa continuou observando o terminal, tentando descobrir se o que vira era real ou um produto de sua imaginação. A aeronave fez uma curva abrupta e ela sentiu o impulso dos motores à medida que a velocidade aumentava cada vez mais. Finalmente, os pneus saíram do chão e o avião levantou voo. Estreitando os olhos, ela contemplou, em meio às lágrimas, a vista de Wilmington do alto. Distinguiu as praias vazias... os píeres... a marina...

O avião começou a fazer a curva, virando um pouco de lado e rumando para o norte, a caminho de casa. Pela janela, ela agora conseguia ver apenas o mar, o mesmo oceano que os reunira.

Pouco antes de a aeronave adentrar na camada de nuvens que esconderia todas as coisas lá embaixo, ela encostou a mão na vidraça, tocando-a de leve, imaginando mais uma vez a sensação da mão dele.

– Adeus – sussurrou.

E começou a chorar em silêncio.

13

No ano seguinte, o inverno chegou cedo. Sentada na praia, perto do lugar onde tinha encontrado a garrafa, Theresa percebeu que a fria brisa do mar tinha ficado mais forte desde que ela chegara, naquela manhã. Sinistras nuvens cinzentas moviam-se no céu, e as ondas começavam a se formar e quebrar a intervalos cada vez menores. Ela sabia que a tempestade se aproximava.

Passara a maior parte do dia ali, relembrando o relacionamento deles até o dia em que se despediram, buscando na memória algum sinal de compreensão que pudesse ter passado despercebido até então. Ao longo do ano, ela fora perseguida pela expressão dele parado à porta de casa e seu reflexo no retrovisor, correndo atrás do carro enquanto o veículo se afastava. Deixá-lo naquele momento fora a coisa mais difícil que ela já fizera. Muitas vezes sonhava que tinha voltado no tempo e vivido aquele dia mais uma vez.

Finalmente, ela se levantou. Em silêncio, pôs-se a caminhar ao longo da praia, desejando que ele estivesse ao seu lado. Garrett teria gostado de um dia sossegado e nevoento como aquele. Olhando para o horizonte, ela imaginou que ele caminhava com ela. Parou, hipnotizada pela turbulência do mar. Quando enfim virou a cabeça, constatou que a imagem dele também a abandonara. Ficou ali parada durante um longo tempo, tentando trazê-lo de volta. Como não conseguiu, Theresa entendeu que era hora de ir e recomeçou a andar, embora dessa vez mais devagar, perguntando-se se ele teria conseguido adivinhar o motivo para ela estar ali.

Sem querer, a mente dela voltou aos dias que se seguiram à última despedida deles. *Passamos tanto tempo imaginando as coisas que deixamos de dizer...*, pensou. *Se pelo menos...*, começou pela milésima vez. As imagens daqueles dias desfilaram ante seus olhos como uma série de retratos cuja exposição ela não conseguia interromper.

Se pelo menos...

Ao chegar a Boston, Theresa foi direto do aeroporto buscar Kevin. O garoto, que passara o dia na casa de um amigo, começou a contar, entusiasmado, sobre o filme que tinha visto, alheio ao fato de que a mãe mal o escutava. Quando chegaram em casa, ela pediu uma pizza, que os dois comeram na sala, assistindo à televisão. Assim que terminaram, Theresa surpreendeu o filho, pedindo-lhe que ficasse com ela um instante, em vez de ir fazer o dever de casa. Ele permaneceu sentado em silêncio a seu lado no sofá, dirigindo-lhe de vez em quando um olhar ansioso. Ela apenas acariciava os cabelos dele e sorria-lhe, distraída, como se estivesse em algum lugar distante.

Mais tarde, depois que Kevin foi se deitar e ela se certificou de que ele adormecera, Theresa vestiu um pijama leve e serviu-se uma taça de vinho. A caminho do quarto, desligou a secretária eletrônica.

Na segunda-feira, almoçou com Deanna e contou-lhe tudo o que acontecera. Tentou parecer forte, mas ainda assim Deanna segurou sua mão durante todo o tempo, escutando com ar pensativo e falando pouco.

– É melhor assim – declarou Theresa resolutamente quando terminou. – Já aceitei isso.

Deanna a fitava com atenção, os olhos cheios de compaixão. Mas não disse nada, limitando-se a assentir diante das corajosas declarações de Theresa.

Nos dias que se seguiram, Theresa fez o possível para não pensar nele. Trabalhar em seus artigos era reconfortante. Concentrar-se na pesquisa e transformá-la em palavras requeria toda a energia mental de que ela dispunha. A atmosfera caótica da redação também ajudava, e, como a reunião com Dan Mandel tivera o desfecho que Deanna previra, Theresa encarou seu trabalho com entusiasmo renovado, preparando duas ou três colunas por dia, mais rápido do que nunca.

À noite, porém, depois que Kevin ia para a cama e ela ficava sozinha, achava difícil manter a imagem de Garrett a distância. Usando como exemplo seus hábitos no trabalho, Theresa tentava concentrar-se em outras tarefas. Fez uma faxina completa ao longo das noites seguintes – esfregou o chão, limpou a geladeira, passou o aspirador, tirou o pó do apartamento, arrumou os armários. Nada ficou intocado. Ela chegou até a vasculhar as gavetas para separar as roupas que não usava mais e doá-las para caridade. Depois, colocou-as numa caixa, levou-a para o carro e guardou-a na mala. Naquela noite, ficou andando pelo apartamento, procurando alguma coisa – qualquer coisa – que precisasse ser feita. Por fim, consciente de que não havia mais nada a fazer, mas ainda incapaz de dormir, ela ligou a televisão. Começou a zapear e parou quando viu Linda Ronstadt sendo entrevistada no programa *Tonight*. Theresa sempre adorara o trabalho da cantora, mas caiu em prantos quando Linda foi ao microfone para cantar uma música romântica. Chorou sem parar durante quase uma hora.

No fim de semana, ela e Kevin foram ver os Patriots da Nova Inglaterra jogarem contra os Bears de Chicago. Kevin vinha insistindo em ir a esse jogo desde que a temporada de futebol terminara, e Theresa enfim concordara em levá-lo, embora não entendesse nada do esporte. Sentaram-se na arquibancada, e estava tão frio que a respiração deles saía em pequenas nuvens. Torceram pelo time da casa enquanto bebiam chocolate quente.

Depois, quando foram jantar, Theresa contou a Kevin, com relutância, que ela e Garrett não iriam mais se ver.

– Mamãe, aconteceu alguma coisa quando você foi visitar Garrett da última vez? Ele fez algo que deixou você com raiva?

– Não – retrucou ela com delicadeza. Hesitou por um instante e depois desviou o olhar. – Só não era para ser.

Embora Kevin tivesse ficado claramente perplexo com essa resposta, foi o mais próximo de uma explicação a que Theresa conseguiu chegar.

Na semana seguinte, ela estava trabalhando no computador quando o telefone tocou.

– É Theresa quem está falando?

– Sou eu, sim – disse ela, sem reconhecer a voz.

– Aqui é Jeb Blake, pai de Garrett. Sei que vai achar estranho, mas eu gostaria de falar com você.

– Ah, olá – balbuciou ela. – Bem... tenho alguns minutos livres agora.

Ele hesitou por um instante, depois respondeu:

– Gostaria de conversar com você pessoalmente, se for possível. Não é um assunto fácil de se tratar pelo telefone.

– Posso perguntar de que se trata?

– É sobre Garrett – retrucou Jeb em voz baixa. – Sei que estou pedindo muito, mas será que poderia vir até aqui? Eu não pediria se não fosse importante.

Após enfim concordar em ir, Theresa saiu do trabalho e foi pegar Kevin mais cedo na escola. Deixou-o com uma amiga de confiança, explicando que deveria passar uns dias fora. Kevin tentou saber mais sobre aquela viagem repentina, mas o comportamento estranho e disperso dela deixou claro que o motivo teria que ser explicado mais tarde.

– Diga que mandei lembranças – pediu ele, dando-lhe um beijo de despedida.

Theresa se limitou a assentir. Em seguida foi para o aeroporto e pegou o primeiro voo que conseguiu. Assim que chegou a Wilmington, foi direto para a casa de Garrett, onde Jeb a esperava.

– Ainda bem que você pôde vir – disse ele assim que ela chegou.

– O que aconteceu? – quis saber Theresa, olhando em volta em busca de sinais da presença de Garrett.

Jeb parecia mais velho do que ela se lembrava. Ele a levou até a mesa da cozinha e puxou uma cadeira para ela a seu lado. Falando em tom suave, começou a narrar aquilo que sabia:

– Pelo que entendi depois de conversar com várias pessoas, Garrett saiu com o *Happenstance* mais tarde do que de costume...

Era algo que Garrett simplesmente tinha que fazer. Sabia que as nuvens escuras e pesadas no horizonte pressagiavam um temporal iminente, mas elas pareciam distantes o suficiente para lhe dar o tempo de que ele precisava. Além disso, iria se afastar apenas alguns quilômetros. Ainda que a tempestade eclodisse, ele estaria próximo o bastante para conseguir voltar ao porto. Depois de calçar as luvas, conduziu o *Happenstance* através de ondas cada vez maiores, as velas já em posição.

Durante três anos ele percorria a mesma rota toda vez que saía para velejar, guiado pelo instinto e pelas lembranças de Catherine. Tinha sido ideia dela seguirem direto para o leste naquela noite, a primeira em que o barco ficara pronto. Na imaginação dela, os dois iam à Europa, um lugar que ela sempre quisera conhecer. Às vezes ela voltava da loja com revistas de viagem e ficava sentada ao lado dele olhando as fotos. Queria conhecer tudo aquilo: os famosos castelos do vale do Loire, o Partenon, as terras altas da Escócia, a Basílica, todos os lugares sobre os quais tinha lido. Suas férias ideais iam do usual ao exótico, e mudavam cada vez que ela pegava uma revista nova.

Mas, naturalmente, nunca chegaram a ir à Europa.

Era um dos maiores arrependimentos dele. Sempre que recordava sua vida com ela, constatava que precisava ter feito isso. Poderia ter lhe dado pelo menos essa alegria – e, olhando para trás, via que teria sido possível. Depois de economizar por alguns anos, eles tinham dinheiro para ir, e chegaram a brincar de fazer planos, mas por fim usaram a poupança para comprar a loja. Quando Catherine percebera que as responsabilidades em relação à loja jamais lhes permitiriam ter tempo suficiente para viajar, seu sonho começou a morrer. Ela passou a levar menos revistas para casa e depois de algum tempo quase nunca mencionava a Europa.

No entanto, na primeira noite em que saíram no *Happenstance*, ele constatou que o sonho de Catherine ainda estava vivo. Ela se encontrava parada na proa, olhando para o horizonte e segurando a mão de Garrett.

– Será que um dia iremos? – perguntou baixinho.

Era essa a visão dela que ele sempre recordava: cabelos ao vento, expressão radiante e esperançosa como a de um anjo.

– Iremos, sim – prometeu ele. – Assim que tivermos tempo.

Menos de um ano depois, grávida do filho deles, Catherine morrera no hospital, com Garrett ao seu lado.

Mais tarde, quando os sonhos começaram, ele não soube o que fazer. Por algum tempo tentou afastar à força seus sentimentos atormentados. Depois, certa manhã, num acesso de desespero, tentou aliviar seu sofrimento colocando esses sentimentos em palavras. Escreveu depressa, sem pausa, e a primeira carta ficou com quase cinco páginas. Ele a levou consigo quando foi velejar, naquele mesmo dia, e ao relê-la teve de repente uma ideia. Como a corrente do Golfo fluía para o norte, subindo o litoral dos Estados Unidos, e virava para o leste quando chegava às águas mais quentes do Atlântico, com um pouco de sorte uma garrafa poderia ir boiando na corrente até a

Europa e ir parar em alguma praia do continente que Catherine sempre quisera visitar. Tomada a decisão, ele vedou uma garrafa com a carta dentro e jogou-a ao mar, na esperança de manter de alguma forma a promessa que fizera. Isso se tornou um padrão que ele jamais interromperia.

Desde então escrevera mais dezesseis cartas – dezessete contando com a que tinha consigo agora. Parado junto ao timão, conduzindo o barco direto para o leste, ele tocou distraidamente na garrafa aninhada no bolso do casaco. Tinha escrito a carta de manhã, assim que se levantara.

O céu estava começando a ficar cor de chumbo, mas Garrett seguiu em frente, na direção do horizonte. A seu lado, o rádio transmitia alertas da tempestade iminente. Depois de hesitar por um instante, ele desligou-o e avaliou o céu. Decidiu que ainda tinha tempo. O vento era forte e regular, mas ainda não imprevisível.

Depois de escrever aquela carta a Catherine, ele tinha redigido outra. Da segunda, já tinha cuidado. No entanto, justamente por causa dela, ele sabia que tinha que mandar a de Catherine ainda naquele dia. Havia tempestades em todo o Atlântico, movendo-se devagar para o oeste, encaminhando-se para o litoral ocidental. De acordo com os avisos transmitidos pela televisão, parecia que ele não poderia sair de barco outra vez pelo menos durante uma semana, e isso era tempo demais para esperar. Àquela altura, já teria partido.

O mar ficava cada vez mais agitado: as ondas se tornavam mais altas e o intervalo entre elas, menor. As velas começavam a ceder à força do vento. Garrett estudou sua posição. A água ali era funda, embora não o suficiente. A corrente do Golfo, um fenômeno de verão, desaparecera, e a única maneira de dar à garrafa alguma chance de atravessar o oceano era avançar mar adentro até alcançar uma distância suficiente para lançá-la. Caso contrário, o temporal poderia levá-la de volta à costa em poucos dias – e, de todas as cartas que ele escrevera para Catherine, queria que aquela em particular chegasse à Europa. Tinha resolvido que seria a última que enviaria.

As nuvens no horizonte não mostravam bons presságios.

Ele vestiu a capa de chuva e abotoou-a. Esperava que o protegesse pelo menos por algum tempo quando a tempestade desabasse.

O *Happenstance* começou a oscilar à medida que avançava para o oceano. Garrett segurava o timão com as duas mãos, mantendo o barco o mais firme possível. Quando a direção do vento mudou e ele ficou mais forte – sinalizando o início da chuva –, Garrett passou a velejar contra o vento, movendo-se na diagonal através das ondas, apesar do perigo. Era uma manobra difícil naquelas condições, e ele mal conseguia avançar, mas preferia ir contra o vento agora para não ter que fazer isso no caminho de volta se a tempestade o alcançasse.

O esforço era exaustivo: cada vez que ele mudava as velas, precisava de todas as forças para não perder o controle da embarcação. Apesar das luvas, suas mãos queimavam quando as cordas deslizavam por elas. Por duas vezes, quando o vento aumentou inesperadamente, ele quase perdeu o equilíbrio, tendo sido salvo apenas porque a lufada morrera com a mesma rapidez com que surgira.

Durante quase uma hora, ele continuou a navegar contra o vento, observando sem parar a tempestade à sua frente. Ela parecia imóvel, mas ele sabia que isso era uma ilusão: em poucas horas, chegaria à costa. Assim que atingisse águas menos profundas, ganharia aceleração e o oceano ficaria inavegável. No momento, ela estava apenas reunindo forças, como um estopim queimando devagar, preparando a explosão.

Garrett já tinha sido pego por grandes tempestades e sabia que não devia subestimar a força da que precisaria enfrentar agora. Um movimento descuidado e o mar o destruiria, e ele estava decidido a não deixar isso acontecer. Era teimoso, mas não era tolo: no momento em que sentisse um perigo real, viraria o barco para o outro lado e voltaria o mais rápido possível para o porto.

As nuvens continuavam a engrossar, assumindo novas formas a cada instante. Começou a cair uma chuva leve. Garrett olhou para cima, sabendo que aquilo era apenas o início.

– Só mais uns minutos – murmurou.

Precisava apenas de mais algum tempo...

Um relâmpago brilhou no céu e Garrett contou os segundos até ouvir a trovoada. Passaram-se dois minutos e meio até o som explodir e ecoar sobre o mar aberto. O centro da tempestade estava a cerca de 40 quilômetros de distância. Com a velocidade do vento, ele calculou que dispunha de uma hora antes de a tormenta chegar com força total. Planejava voltar muito antes disso.

A chuva continuava a cair.

Enquanto ele avançava com dificuldade, a escuridão aumentava. À medida que o sol caía, nuvens espessas ocultavam o resto da luz do dia, baixando rapidamente a temperatura do ar. Dez minutos depois, a chuva ficou mais forte e mais fria.

Droga! Seu tempo estava acabando e ele ainda não tinha chegado lá.

As ondas pareciam crescer e o oceano chacoalhava enquanto o *Happenstance* avançava. Garrett afastou as pernas para manter o equilíbrio. O timão estava firme, mas as ondas começavam a vir em diagonal, balançando o barco como uma casca de noz. Decidido, ele seguiu em frente.

Minutos depois, outro relâmpago... uma pausa... a trovoada. Trinta quilômetros agora. Garrett consultou o relógio. Se a tempestade avançasse naquela velocidade, ele estaria se arriscando. Ainda conseguiria chegar ao porto, contanto que o vento continuasse soprando na mesma direção.

Mas se o vento mudasse...

Ele estudou as circunstâncias. Estava a duas horas e meia da terra – a favor do vento, precisaria de no máximo uma hora e meia para voltar, se tudo saísse como planejado. O temporal chegaria à costa junto com ele.

– Droga! – praguejou, desta vez em voz alta.

Tinha que jogar a garrafa naquele momento, embora não estivesse tão longe quanto queria. Mas não podia arriscar-se avançando mais.

Segurou com uma das mãos o timão, que agora estremecia sem parar, e com a outra pegou a garrafa no bolso do casaco. Apertou a rolha para se certificar de que ela estava bem presa, depois ergueu a garrafa à sua frente e viu a carta enrolada dentro dela.

Experimentou uma sensação de realização, como se a longa viagem enfim tivesse terminado.

– Obrigado – sussurrou, a voz quase totalmente abafada pelo barulho das ondas.

Lançou a garrafa o mais longe que conseguiu e acompanhou-a com o olhar, perdendo-a de vista quando ela atingiu a água. Estava feito.

Agora podia mudar a direção do barco.

Nesse momento, dois raios rasgaram o céu ao mesmo tempo. A tempestade estava agora a 25 quilômetros. Ele hesitou, preocupado.

Ela não pode estar vindo tão rápido, pensou de repente.

Mas a chuva parecia estar ganhando força e velocidade, expandindo-se como um balão, indo direto para ele.

Garrett usou as cordas para firmar o timão enquanto voltava para a popa. Perdendo minutos preciosos, lutou o máximo possível para manter o controle da retranca. As cordas queimaram suas mãos, rasgando as luvas. Ele enfim conseguiu virar as velas, e o barco inclinou-se à força do vento. Enquanto Garrett voltava ao timão, outra lufada fria o alcançou, vindo de outra direção.

O ar quente corre para o ar frio.

Garrett ligou o rádio bem a tempo de ouvir um aviso para as embarcações pequenas. Aumentou depressa o volume e escutou com atenção a descrição das condições meteorológicas, que mudavam rapidamente: "Repetindo... Aviso às embarcações pequenas... Ventos perigosos em formação... Espera-se chuva pesada."

A tempestade ganhava força a cada instante.

Com a temperatura baixando depressa, os ventos aumentavam de forma perigosa. Nos últimos três minutos, tinham chegado a 25 nós de velocidade.

Ele girou o timão, com uma crescente sensação de urgência.

Nada aconteceu.

Garrett percebeu então que as ondas cada vez maiores estavam tirando o leme da água, impossibilitando que ele mantivesse o rumo. O barco parecia preso na direção errada, e oscilava de maneira precária. Subiu em outra onda e o casco bateu com força na água, a proa quase submergindo.

– Vamos, funcione – sussurrou Garrett, os primeiros sinais de pânico deixando-o com um frio na barriga.

Aquilo estava demorando demais. O céu enegrecia a cada minuto e os pingos de chuva começaram a cair na lateral, formando muralhas densas e impenetráveis.

Um minuto depois, o leme enfim funcionou e o barco começou a virar...

Devagar... Lentamente... O barco ainda inclinado demais para um lado...

Com horror crescente, Garrett observou o mar erguer-se à sua volta e formar uma onda gigantesca que ia na direção do *Happenstance*.

Não conseguiria escapar.

Segurou-se enquanto a água tombava por cima do casco exposto. O barco inclinou-se ainda mais e as pernas de Garrett cederam, mas ele continuou com as mãos agarradas ao timão. Conseguiu levantar-se no instante exato que outra onda atingia a embarcação.

A água inundou o convés.

O barco agora quase não se mantinha ereto sob a força da ventania. Durante quase um minuto, o mar jorrou sobre o convés com o vigor de um rio violento. Então o vento cedeu por um momento e por um milagre o *Happenstance* começou a se endireitar, o mastro erguendo-se ligeiramente para o céu negro. O leme tornou a funcionar e Garrett girou o timão com força, sabendo que precisava fazer o barco mudar de direção com rapidez.

Outro relâmpago. A tempestade estava agora a pouco mais de 10 quilômetros de distância.

O rádio soou, cheio de estática: "Repetindo... Aviso às embarcações pequenas... Previsão de ventos a 40 nós... Repetindo... ventos a 40 nós, crescendo para 50..."

Garrett sabia que corria perigo. Não conseguiria controlar o *Happenstance* em meio a uma ventania tão poderosa.

O barco continuou a fazer a volta, lutando contra as ondas gigantescas e o peso adicional – no convés havia agora quase 15 centímetros de água. A curva estava quase completa...

De repente, um vento muito forte começou a soprar de outra direção, interrompendo a manobra e sacudindo o *Happenstance* como se fosse um barquinho de brinquedo. Exatamente quando o barco estava mais vulnerável, uma onda enorme bateu contra o casco. O mastro baixou, apontando para o oceano.

Dessa vez, a ventania não cessou.

A chuva gelada caía de lado, cegando-o. O *Happenstance*, em vez de se endireitar, começou a se inclinar ainda mais, as velas pesadas com a água. Garrett perdeu mais uma vez o equilíbrio, e a inclinação do barco frustrava seus esforços para se levantar. Se outra onda o atingisse...

Ele nem chegou a vê-la.

Como o chicote de um carrasco, a onda explodiu contra a embarcação e o *Happenstance* tombou de lado, o mastro e as velas batendo na água. O barco estava perdido. Garrett agarrou-se ao timão, sabendo que seria varrido para o oceano caso se soltasse.

O *Happenstance* começou a afundar rapidamente, corcoveando como um animal enorme se afogando.

Ele tinha que chegar aos suprimentos de emergência, que incluíam um bote salva-vidas – era a sua única chance. Rastejou centímetro por centímetro em direção à porta da cabine, segurando-se onde conseguia, lutando contra a chuva cegante, brigando pela própria vida.

Mais um relâmpago e um trovão, quase simultâneos.

Garrett enfim conseguiu chegar à porta e agarrou a maçaneta, mas ela não se moveu. Desesperado, ele posicionou os pés de forma a tentar se equilibrar melhor e tornou a puxar. Quando a porta se abriu, a água começou a jorrar para dentro da cabine e ele percebeu que tinha cometido um erro terrível.

Em pouco tempo a cabine estava inundada. Logo Garrett viu que os suprimentos de emergência, em geral presos à parede, já se encontravam debaixo d'água. Finalmente tomou consciência de que não havia nada a fazer para impedir que o barco fosse engolido pelo oceano.

Em pânico, lutou para fechar a porta da cabine, mas a força da água e a falta de equilíbrio tornavam isso impossível e o *Happenstance* começou a afundar mais rápido. Em segundos, metade do casco estava submersa. De repente Garrett teve uma ideia.

Os coletes salva-vidas...

Estavam guardados sob o assento do banco, perto da popa. Ele olhou naquela direção e viu que ainda estavam fora da água.

Lutando furiosamente, estendeu a mão para a amurada lateral, o único apoio ainda não submerso. Quando conseguiu se segurar, a água chegava ao seu peito. Ele praguejou, sabendo que devia ter colocado o colete muito antes.

Três quartos do barco estavam agora mergulhados no oceano, e ele continuava afundando.

Fazendo o possível para chegar aos coletes, Garrett posicionava uma mão na frente da outra e tentava avançar, lutando contra a violência das ondas e forçando os próprios braços exaustos. Quando conseguiu vencer metade do caminho, a água lhe chegava ao pescoço e ele enfim se deu conta da inutilidade do seu esforço.

Não iria conseguir.

No momento em que parou de tentar, a água já lhe chegava ao queixo. Olhando para o alto, o corpo exaurido, ele ainda se recusava a acreditar que tudo terminaria daquela maneira.

Soltou a amurada e começou a nadar para longe do barco. O casaco e os sapatos pesavam no mar. Tentou boiar, subindo e descendo ao sabor das ondas, enquanto contemplava o *Happenstance* desaparecer sob a superfície. Então, com o vento e o cansaço começando a adormecer seus sentidos, ele virou-se e recomeçou a nadar, numa viagem lenta e impossível, rumo à terra firme.

Theresa estava sentada à mesa com Jeb. Tendo interrompido a narrativa muitas vezes, ele levara um longo tempo para contar-lhe o que sabia.

Mais tarde, ela relembraria que enquanto ouvia a história, experimentava uma sensação mais de curiosidade do que de medo. Sabia que Garrett tinha sobrevivido – ele era um marinheiro experiente e um excelente nadador. Era cuidadoso demais, e muito cheio de vida, para ser derrotado por algo como aquilo. Se alguém conseguiria escapar, esse alguém era ele.

Ela estendeu a mão para Jeb e disse, confusa:

– Não entendi... Por que ele saiu com o barco, se sabia que uma tempestade estava para chegar?

– Não sei – retrucou ele em voz baixa, sem encará-la.

Theresa franziu a testa, a perplexidade tornando tudo à sua volta surreal.

– Ele disse algo antes de ir?

Jeb balançou a cabeça. Estava lívido e tinha os olhos baixos, como se ocultasse alguma informação. Theresa olhou distraidamente em torno da cozinha. Estava tudo no lugar, como se tivesse sido arrumado minutos antes da chegada dela. Pela porta aberta do quarto, ela via a colcha de Garrett estendida sobre a cama. Estranhamente, dois grandes arranjos de flores tinham sido colocados sobre ela.

– Não estou entendendo... Ele está bem, não está?

– Theresa... – falou Jeb, com lágrimas nos olhos. – Ele foi encontrado ontem de manhã.

– Está no hospital?

– Não – retrucou ele baixinho.

– Então cadê ele? – insistiu ela, recusando-se a reconhecer aquilo que de algum modo já sabia.

Jeb não respondeu.

De repente, ela não conseguiu mais respirar. Seu corpo todo começou a tremer, começando pelas mãos. *Garrett!*, pensou. *O que aconteceu? Por que você não está aqui?* Jeb abaixou a cabeça para que ela não visse as suas lágrimas, porém ela ouvia os seus soluços.

– Theresa... – começou ele, e logo depois se calou.

– *Cadê ele?* – gritou ela, levantando-se tomada por uma onda de adrenalina.

Ouviu a cadeira cair no chão atrás de si como um som muito distante.

Jeb encarou-a em silêncio e então enxugou as lágrimas com as costas da mão.

– Encontraram o corpo dele ontem.

Ela sentiu um peso no peito, como se estivesse sufocando.

– Ele morreu, Theresa.

Na praia onde tudo tinha começado, Theresa permitiu-se recordar os acontecimentos de um ano antes.

Tinham-no enterrado ao lado de Catherine num pequeno cemitério perto de casa. Jeb e Theresa ficaram juntos durante o velório, cercados das pessoas cujas vidas Garrett tinha tocado – colegas de escola, antigos alunos de mergulho, empregados da loja. Foi uma cerimônia simples, e embora tivesse começado a chover assim que o ministro terminou de falar, todos continuaram presentes por um longo tempo depois.

Em seguida, foram para a casa de Garrett. Uma por uma, as pessoas ofereciam os pêsames e compartilhavam lembranças. Quando a última delas foi embora, deixando Jeb e Theresa sozinhos, o pai de Garrett tirou uma caixa do armário e pediu-lhe que se sentasse com ele para examinarem-na juntos.

Na caixa havia centenas de fotografias. Durante as horas seguintes, Theresa percorreu a infância e a adolescência de Garrett – todos os pedaços da vida dele que apenas imaginara. Depois vieram as imagens mais recentes: a formatura no ensino fundamental e na faculdade; o *Happenstance* restaurado; Garrett na porta da loja reformada, antes da inauguração. Em cada foto, ela notou, o sorriso dele nunca mudava. Sorrindo com ele, Theresa percebeu que seu estilo também não mudara: com exceção das fotografias tiradas em ocasiões especiais, desde a infância ele parecia vestir-se do mesmo modo – sempre de jeans ou short, camisa esporte e mocassins sem meias.

Havia dezenas de retratos de Catherine. A princípio Jeb pareceu constrangido por Theresa vê-los, mas, estranhamente, aquelas fotos não a perturbaram. Não sentiu tristeza ou raiva ao vê-las – elas faziam parte de uma outra época da vida dele.

Mais tarde, enquanto examinavam as últimas imagens, Theresa encontrou o Garrett por quem tinha se apaixonado. Uma foto em particular atraiu a sua atenção, e ela segurou-a por um longo tempo. Percebendo sua expressão, Jeb contou que fora tirada poucas semanas antes do dia em que a garrafa surgira na praia em Cape Cod. Nela, Garrett estava na varanda dos fundos de sua casa, com a mesma aparência de quando ela o visitara pela primeira vez.

No momento em que Theresa enfim conseguiu desviar os olhos da fotografia, Jeb pegou-a de sua mão com toda a delicadeza.

Na manhã seguinte, ele estendeu-lhe um envelope. Ao abri-lo, ela viu que Jeb lhe dera aquela foto, assim como várias outras, e também as três cartas responsáveis por Theresa e Garrett terem se conhecido.

– Acho que ele ia gostar que você ficasse com elas.

Emocionada demais para responder, ela assentiu silenciosamente em agradecimento.

Theresa não tinha uma lembrança clara dos seus primeiros dias de volta a Boston, e em retrospecto percebeu que na verdade não queria recordar. Lembrava-se, sim, que Deanna a esperava no Aeroporto Logan quando seu avião pousou. Depois de dar uma olhada nela, a mais velha ligou no mesmo instante para o marido e pediu que ele levasse algumas roupas dela para a casa de Theresa, pois planejava ficar lá por alguns dias. Theresa passou a maior parte do tempo deitada, sem se dar ao trabalho sequer de se levantar quando Kevin chegava da escola.

– Será que a mamãe vai ficar bem de novo algum dia? – perguntava ele.

– Ela só precisa de um pouco de tempo, Kevin – retrucava Deanna. – Sei que está sendo difícil para você também, mas vai ficar tudo bem.

Os sonhos de Theresa, quando ela conseguia lembrar-se, eram fragmentados e confusos. Surpreendentemente, Garrett nunca chegou a aparecer neles. Ela não sabia se isso era uma espécie de mau augúrio ou sequer se deveria atribuir algum significado a esse fato. Em seu aturdimento, achava difícil pensar em qualquer coisa com clareza. Ia para a cama cedo e ali ficava enquanto pudesse, envolta num tranquilizante casulo de escuridão.

Às vezes, ao acordar, durante uma fração de segundo, ela experimentava uma irrealidade confusa, em que a situação toda parecia um engano terrível, absurdo demais para ter acontecido de verdade. Durante esse instante, tudo era como devia ser. Ela apurava os ouvidos para escutar os ruídos que Garrett fazia dentro do apartamento, certa de que a cama vazia significava apenas que ele já estava na cozinha, tomando café e lendo o jornal. Num instante ela iria encontrar-se com ele à mesa e diria, balançando a cabeça: *Tive um pesadelo horrível...*

Sua única lembrança dessa semana era uma insaciável necessidade de entender como aquilo podia ter acontecido. Antes de ir embora de Wilmington, ela fez Jeb prometer que telefonaria se soubesse de alguma novidade sobre o dia em que Garrett saíra no *Happenstance*. Mudando curiosamente de opinião, ela acreditava que seu sofrimento de alguma forma seria menor se conhecesse os detalhes, o motivo. O que se recusava em acreditar era que Garrett velejara ao encontro da tempestade, planejando não voltar. Sempre que o telefone tocava, despertava as suas esperanças de ouvir a voz de Jeb. Imaginava-se dizendo: "Sim, estou entendendo... Isto faz sentido..."

É claro que no fundo sabia que isso jamais aconteceria. Naquela semana Jeb não telefonou com uma explicação, e nenhum esclarecimento lhe ocorreu num momento de meditação. Não, a resposta veio, por fim, de um lugar que ela jamais teria previsto.

Na praia em Cape Cod, um ano depois, ela refletia sem amargura na série de acontecimentos que a tinham levado até aquele lugar. Finalmente pronta, Theresa vasculhou sua sacola. Depois de encontrar o objeto que procurava, fixou os olhos nele, revivendo o momento em que a resposta enfim chegara. Ao contrário de sua lembrança dos dias que se seguiram à sua volta para Boston, essa recordação ainda era totalmente nítida.

Depois que Deanna partira, Theresa tentara restabelecer uma espécie de rotina. Em sua confusão ao longo da semana anterior, ela ignorara os aspectos da vida que tinham continuado a existir. Enquanto Deanna ajudava com Kevin e com a casa, por exemplo, ela empilhava num canto da sala de jantar toda a correspondência que se acumulava. Certa noite, depois do jantar, enquanto o garoto estava no cinema, Theresa começou a examinar a pilha distraidamente.

Havia algumas dezenas de cartas, três revistas e dois pacotes. Um dos embrulhos ela reconheceu como o presente de aniversário de Kevin, que encomendara de um catálogo; o segundo, porém, estava embrulhado em papel pardo, sem o nome do remetente. Era comprido e retangular, lacrado com fita adesiva. Havia duas etiquetas dizendo "Frágil"– uma perto do endereço e outra no lado oposto da caixa – e uma terceira em que estava escrito "Cuidado ao manusear". Curiosa, ela resolveu abri-lo primeiro.

Foi nesse momento que viu o carimbo do correio de Wilmington, na Carolina do Norte, datado de duas semanas antes. Examinou o endereço grafado na frente.

Era a letra de Garrett.

– Não...

Ela largou o pacote sobre a mesa, sentindo de repente um embrulho no estômago.

Encontrou uma tesoura na gaveta e, com as mãos trêmulas, pôs-se a cortar a fita adesiva, puxando o papel com cuidado. Já sabia o que encontraria lá dentro.

Depois de tirar o objeto e vasculhar a caixa para se certificar de que nada ficara lá dentro, ela retirou a proteção que o embrulhava, que estava bem presa no topo e no fundo, forçando-a a usar a tesoura mais uma vez. Por fim, depois de puxar os pedaços restantes de plástico, ela colocou o objeto em cima da escrivaninha e passou um longo tempo fitando-o, incapaz de se mover. Quando o ergueu à luz, viu o próprio reflexo.

A garrafa estava arrolhada, e a carta se encontrava enrolada dentro dela. Depois de retirar a rolha – que ele colocara frouxamente –, ela virou a garrafa de cabeça para baixo e o canudo deslizou para fora com facilidade. Como a carta que Theresa encontrara alguns meses antes, aquela estava presa por um pedaço de barbante. Ela o desenrolou com gestos delicados, tomando cuidado para não rasgar o papel.

O texto fora escrito com caneta-tinteiro. No canto superior direito havia a imagem de um navio antigo, as velas enfunadas ao vento.

Querida Theresa,
Você pode me perdoar?

Theresa colocou a carta sobre a escrivaninha. Sentiu um nó na garganta, que tornava sua respiração difícil. A luz vinda do teto formava um estranho prisma através das suas lágrimas inesperadas. Ela pegou um lenço de papel e enxugou os olhos. Controlando-se, recomeçou a leitura.

Você pode me perdoar?

Num mundo que eu raramente compreendo, existem ventos do destino que sopram quando menos os esperamos. Às vezes sopram com a fúria de um tufão, às vezes mal tocam nossa face. Mas eles não podem ser negados, trazendo, como muitas vezes fazem, um futuro impossível de ignorar. Você, minha querida, é o vento que eu não previ, o vendaval que soprou com mais força do que jamais imaginei ser possível. Você é o meu destino.

Errei, errei muito, ao ignorar o que era óbvio, e lhe peço perdão. Como um viajante cauteloso, tentei me proteger da ventania e em vez disso perdi minha alma. Fui um tolo em ignorar meu destino – mas até mesmo os tolos têm sentimentos, e acabei tomando consciência de que você é a coisa mais importante que tenho neste mundo.

Sei que não sou perfeito; cometi mais erros nos últimos meses do que algumas pessoas cometem durante a vida inteira. Errei ao agir daquela forma quando encontrei as cartas, assim como ao esconder a verdade sobre o que estava enfrentando em relação ao meu passado. Quando corri atrás do seu carro pela rua, e depois disso, ao ver seu avião levantar voo, sabia que devia ter me esforçado mais para impedi-la de partir. Mas, acima de tudo, errei ao negar o que era óbvio para o meu coração: não posso continuar sem você.

Você tinha razão em tudo. Quando estávamos sentados na cozinha da minha casa, tentei negar tudo o que você dizia, mesmo sabendo que era verdade. Como um homem que faz uma viagem olhando apenas para trás, eu ignorava o que vinha à minha frente. Perdi a beleza de um futuro nascer do sol, aquela maravilhosa sensação de expectativa que faz a vida valer a pena. Foi um erro agir assim, um resultado da minha confusão, e queria ter entendido isso antes.

Agora, porém, olhando para o futuro, vejo seu rosto e ouço a sua voz, certo de que é o caminho que devo seguir. Meu maior desejo é que você me dê mais uma chance. Como deve ter adivinhado, tenho esperança de que esta garrafa exerça a sua magia, como já fez antes, e que de alguma forma nos una outra vez.

Durante os primeiros dias depois da sua partida, eu queria acreditar que podia viver como sempre tinha vivido, mas não consegui. Cada vez que contemplava o pôr do sol, pensava em você. Cada vez que passava pelo telefone, queria ligar para você. Mesmo quando ia velejar, só conseguia pensar em você e nas horas maravilhosas que passamos juntos. Sabia, no fundo do coração, que minha vida jamais seria a mesma outra vez. Queria você de volta, mais do que imaginava possível. Só que, cada vez que a evocava, ouvia o que você disse na nossa última conversa. Por mais que eu a amasse, sabia que nosso amor não seria possível a não ser que nós, juntos, tivéssemos certeza de que eu me dedicaria por completo ao caminho que se abria à minha frente. Esses pensamentos continuaram me perturbando até a madrugada de ontem, quando a resposta enfim veio. Espero que, depois que eu lhe contar, ela signifique tanto para você quanto significou para mim.

No meu sonho, eu me vi numa praia com Catherine, no mesmo lugar aonde levei você depois do nosso almoço no Hank's. O sol estava forte, os raios refletiam na areia. Caminhávamos lado a lado e ela escutava atentamente enquanto eu falava de você, de nós dois, das coisas maravilhosas que compartilhamos. Por fim, depois de um momento de hesitação, confessei que amo você, mas que me sentia culpado por isso. Ela não respondeu de imediato, só continuou andando, até enfim se virar para mim e perguntar:

– Culpado por quê?

– Por causa de você – falei.

Ao ouvir isso, ela deu um sorriso divertido e ao mesmo tempo paciente, como costumava fazer. Então, tocando de leve o meu rosto, falou:

– Ah, Garrett, quem você pensa que levou a garrafa até ela?

Theresa parou de ler. O zumbido baixo da geladeira parecia ecoar as palavras da carta:

Quem você pensa que levou a garrafa até ela?

Recostando-se na cadeira, ela fechou os olhos, tentando conter as lágrimas.

– Garrett – murmurou. – Garrett...

Do lado de fora da janela vinha o ruído dos carros passando. Lentamente, ela recomeçou a leitura.

Acordei sentindo-me vazio e solitário. O sonho não me consolou. Pelo contrário, me fez sofrer ainda mais, pelo que eu tinha feito a nós dois, e comecei a chorar. Quando enfim me controlei, sabia o que tinha que fazer. Com as mãos trêmulas, escrevi duas cartas: esta que você lê agora, e uma para Catherine, na qual eu finalmente disse adeus. Hoje vou sair no Happenstance para enviar a correspondência para ela, como fiz com todas as outras. Será a minha última: a seu modo, Catherine me mandou seguir com a vida e decidi obedecer – não apenas às palavras dela, mas também aos impulsos do meu coração, que me levam de volta a você.

Ah, Theresa, sinto muito, muito mesmo, por tê-la magoado. Na semana que vem irei a Boston na esperança de que você encontre um modo de me perdoar. Talvez seja tarde demais. Não sei.

Eu a amo e sempre amarei. Estou cansado de ser solitário. Vejo crianças gritando e rindo enquanto brincam na areia, e percebo que quero ter filhos com você. Quero ver Kevin virar homem. Quero segurar a sua mão e ver você chorar quando ele finalmente se casar, quero beijar você quando os sonhos dele se realizarem. Vou me mudar para Boston se você me pedir, porque não posso continuar assim. Sem você fico triste o tempo todo. Sentado aqui na cozinha, rezo para que você me aceite de volta, desta vez para sempre.

Garrett

O dia chegava ao fim e o céu cinzento escurecia rapidamente. Embora tivesse lido a carta mil vezes, Theresa ainda experimentava os mesmos sentimentos que tivera quando a lera pela primeira vez. No ano anterior, esses sentimentos a perseguiram durante todos os seus momentos.

Sentada na praia, ela tentou mais uma vez imaginá-lo escrevendo a carta. Correu o dedo pelas palavras, percorrendo de leve a página, sabendo que a mão dele estivera ali. Lutando para controlar as lágrimas, ela estudou a carta, como sempre fazia depois de lê-la. Em certos lugares havia manchas, como se a caneta tivesse vazado enquanto ele escrevia. Isso lhe conferia uma aparência característica, quase de pressa. Seis palavras tinham sido riscadas, e ela as examinava com especial atenção, perguntando-se o que ele teria pretendido dizer. Continuava sem saber a resposta. Como muitas coisas a respeito do último dia de vida de Garrett, tratava-se de um segredo que ele levara consigo. Ela notou que no final da página a caligrafia dele ficava difícil de ser lida, como se ele estivesse segurando a caneta com força.

Quando terminou, tornou a enrolar a carta com todo o cuidado e amarrou de novo o barbante em volta dela, preservando-a para que não se estragasse. Colocou-a de volta na garrafa e deixou-a de lado, perto da sacola. Sabia que quando chegasse em casa iria deixá-la em cima de sua escrivaninha, como sempre. À noite, quando a luz dos postes da rua entrava de viés em seu quarto, a garrafa brilhava na escuridão e era, em geral, a última coisa que ela via antes de adormecer.

Em seguida, pegou as fotos que Jeb lhe dera. Lembrou-se que depois de voltar para Boston ela as examinara uma por uma. Quando suas mãos começaram a tremer, guardara-as na gaveta e nunca mais olhara para elas.

Mas agora tornou a contemplá-las, e encontrou aquela que fora tirada na varanda. Segurando-a diante de si, recordou tudo a respeito dele – seu olhar e o modo como ele se movimentava, seu sorriso fácil, as ruguinhas nos cantos dos olhos. Disse a si mesma que no dia seguinte talvez mandasse fazer uma cópia, uma ampliação para colocar na mesa de cabeceira, exatamente como ele tinha feito com a fotografia de Catherine. Então sorriu com melancolia, sabendo que não iria fazer isso. As fotos voltariam para a gaveta, ao mesmo lugar de antes, debaixo das meias e junto aos brincos de pérolas que sua avó lhe dera. Seria triste demais ver o rosto dele todos os dias, e ela ainda não estava preparada para isso.

Desde o velório ela mantinha um contato esporádico com Jeb, telefonando de vez em quando para saber como ele estava passando. Na primeira vez em que ligou, contou-lhe o que tinha descoberto, a razão para

Garrett ter saído no *Happenstance* naquele dia, e ambos acabaram chorando ao telefone. Ao longo dos meses, porém, eles finalmente passaram a conseguir mencionar o nome dele sem chorar, e Jeb começara a descrever suas lembranças de Garrett quando criança, ou contar a Theresa as coisas que ele dissera sobre ela durante suas longas separações.

Em julho, ela e Kevin foram para a Flórida e mergulharam nas Keys. Lá, como na Carolina do Norte, a água era quente, embora muito mais clara. Passaram oito dias mergulhando todas as manhãs e relaxando na praia à tarde. No caminho de volta a Boston, decidiram fazer a mesma coisa no ano seguinte. Kevin pediu de presente de aniversário a assinatura de uma revista de mergulho, e ironicamente o primeiro número continha um artigo sobre os navios naufragados na Carolina do Norte, inclusive aquele em águas rasas que eles tinham visitado com Garrett.

Embora tivesse recebido convites, ela não saíra com ninguém desde a morte de Garrett. As pessoas no trabalho, com exceção de Deanna, tentavam a todo momento arranjar-lhe um namorado. Todos os candidatos eram descritos como bonitões e bons-partidos, mas ela recusava todos os convites. De vez em quando escutava colegas cochichando: "Ela ainda é jovem e atraente." Outros, mais compreensivos, comentavam apenas que ela ia acabar superando aquele sofrimento.

Foi um telefonema de Jeb, três semanas antes, que a levara de volta a Cape Cod. Ao escutar a voz carinhosa dele, sugerindo que era hora de seguir em frente, as muralhas que ela erguera começaram enfim a ruir. Ela chorou durante a maior parte da noite, mas na manhã seguinte sabia o que devia fazer. Organizou-se para voltar lá – uma empreitada fácil, já que estavam em baixa temporada. E foi então que seu processo de cura finalmente começou.

Parada na areia, ela se perguntou se alguém a veria. Olhou para os dois lados, mas a praia estava deserta. Apenas o mar parecia mover-se, e ela se sentiu atraída pela fúria das águas. Pareciam iradas e perigosas, não o lugar romântico de que ela se lembrava. Ficou contemplando o mar por um longo tempo, pensando em Garrett, até ouvir um trovão ecoar pelo céu invernal.

O vento aumentou e ela sentiu a mente voar com ele. Por que tudo tinha terminado daquele modo? Ela não sabia. Outra lufada de vento e ela o sentiu ao seu lado, afastando uma mecha de cabelo do rosto. Garrett fizera isso na hora da despedida, e Theresa mais uma vez sentiu o toque dele. Havia tantas coisas que ela gostaria de poder mudar naquele dia, tanto arrependimento...

Ela o amava. Sempre amaria. Soube disso no momento em que o vira nas docas, e isso estava claro agora também – nem a passagem do tempo nem a morte poderiam mudar seus sentimentos. Fechou os olhos e falou: "Sinto saudades suas, Garrett Blake."

Por um momento, imaginou que ele de algum modo a ouvira, porque o vento parou de repente.

Os primeiros pingos de chuva começaram a cair quando ela desarrolhou a garrafa de vidro transparente que segurava com tanta força e retirou a carta que escrevera para ele na véspera, aquela que fora ali enviar. Desenrolou-a e segurou-a à sua frente do mesmo modo que fizera com a primeira carta dele que encontrara. A pouca luz que restava mal era suficiente para que enxergasse as palavras, mas de qualquer modo Theresa sabia todas elas de cor. Suas mãos tremeram um pouco quando ela começou a ler.

Meu amor,

Um ano se passou desde que me sentei com seu pai na cozinha. É tarde da noite, e, embora as palavras me estejam vindo com dificuldade, não consigo fugir à sensação de que está na hora de enfim responder à sua pergunta.

É claro que eu o perdoo. Perdoo agora, e perdoei no momento em que li a sua carta. Em meu coração eu não tinha escolha. Deixar você uma vez foi difícil. Fazer isso de novo teria sido impossível. Eu o amava demais para deixar que partisse de novo. Embora eu ainda chore pelo que poderia ter sido, sinto-me grata por você ter entrado na minha vida, mesmo que por um curto período de tempo. No início eu imaginava que nós tínhamos nos conhecido para que eu o ajudasse a superar sua dor. Agora, no entanto, um ano depois, passei a acreditar que foi o contrário.

Ironicamente, encontro-me na mesma posição em que você estava quando nos conhecemos. Enquanto escrevo, luto com o fantasma de alguém que amei e perdi. Agora compreendo melhor as dificuldades por que você passou e percebo como deve ter sido doloroso retomar o curso da sua vida. Às vezes meu sofrimento é esmagador, e mesmo compreendendo que nunca mais vamos nos ver, parte de mim quer ficar presa a você para sempre. Para mim seria fácil fazer isso, porque o amor por outra pessoa poderia diminuir minhas lembranças de você. Porém é este o paradoxo: mesmo sentindo demais a sua falta, é por sua causa que não tenho medo do futuro. Por ter sido capaz de se apaixonar por mim, você me deu esperança, meu amor. Você me ensinou que é possível seguir em frente, por mais terrível que seja a dor. A seu modo, você me fez acreditar que o amor verdadeiro não pode ser negado.

Neste momento acho que não estou pronta, mas esta é a minha escolha. Não se culpe. Graças a você, tenho esperança de que algum dia minha tristeza será substituída por alguma coisa bela. Graças a você, tenho forças para continuar.

Não sei se os mortos podem voltar a esta terra e moverem-se, invisíveis, entre aqueles que os amaram, mas se puderem, então sei que você estará comigo em todos os momentos. Quando eu escutar o mar, serão os seus sussurros; quando uma brisa fresca acariciar o meu rosto, será o seu espírito passando por mim. Você não vai ficar longe de mim para sempre, não importa o que aconteça em minha vida. Você está junto a Deus, junto à minha alma, ajudando a me guiar na direção de um futuro que não consigo prever.

Esta carta não é uma despedida, meu amor, é um agradecimento. Obrigada por ter entrado na minha vida, por me dar alegria, me amar e aceitar meu amor em troca. Obrigada pelas lembranças que vou guardar para sempre. Mas, principalmente, obrigada por me mostrar que chegará um dia em que poderei enfim deixar você ir.

Eu te amo,
T.

Depois de ler a carta uma última vez, Theresa enrolou-a e fechou-a dentro da garrafa. Girou o frasco nas mãos algumas vezes, sabendo que sua viagem tinha completado um ciclo. Finalmente, quando sentiu que não podia esperar mais, jogou-a o mais distante que conseguiu.

Nesse momento, começou a soprar um vento forte e a neblina se dissipou aos poucos. Theresa ficou parada em silêncio, contemplando a garrafa que boiava em direção ao mar aberto. E, mesmo sabendo que isso era impossível, imaginou que aquela garrafa jamais pararia em terra firme – viajaria ao redor do mundo pelo resto dos tempos, passando por lugares tão distantes que ela própria jamais veria.

Alguns minutos após a garrafa desaparecer de vista, Theresa iniciou o caminho de volta para o carro. Andou em silêncio sob a chuva, sorrindo de leve. Não sabia quando, ou onde, ou se algum dia sua carta apareceria, mas isso não tinha importância. De algum modo, sabia que Garrett receberia sua mensagem.

AGRADECIMENTOS

Este livro não teria sido possível sem o auxílio de muitas pessoas. Gostaria de agradecer sobretudo a Catherine, minha mulher, que me apoia com a mistura exata de paciência e amor.

Gostaria de agradecer também à minha agente, Theresa Park, da Sanford Greenburger Associates, e a meu editor, Jamie Raab, da Warner Books. Este livro não poderia ter sido escrito sem eles – meus mestres, colegas e amigos.

Finalmente, estas pessoas também merecem minha profunda gratidão: Larry Kirshbaum, Maureen Egen, Dan Mandel, John Aherne, Scott Schwimer, Howie Sanders, Richard Green e Denise DiNovi – vocês conhecem seu papel neste projeto, e lhes sou muito grato por tudo.

CONHEÇA OUTROS TÍTULOS DO AUTOR

Uma longa jornada

Aos 91 anos, com problemas de saúde e sozinho no mundo, Ira Levinson sofre um terrível acidente de carro. Enquanto luta para se manter consciente, a imagem de Ruth, sua amada esposa que morreu há nove anos, surge diante dele.

Mesmo sabendo que é impossível que ela esteja ali, Ira se agarra a isso e relembra diversos momentos de sua longa vida em comum: o dia em que se conheceram, o casamento, o amor dela pela arte, os dias sombrios da Segunda Guerra Mundial e seus efeitos sobre eles e suas famílias.

Perto dali, Sophia Danko, uma jovem estudante de história da arte, acompanha a melhor amiga a um rodeio. Lá, é assediada pelo ex-namorado e acaba sendo salva por Luke Collins, o caubói que acabou de vencer a competição.

Ele e Sophia começam a conversar e logo percebem como é fácil estarem juntos. Luke é completamente diferente dos rapazes privilegiados da faculdade. Ele não mede esforços para ajudar a mãe e salvar a fazenda da família. Aos poucos, Sophia começa a descobrir um novo mundo e percebe que Luke talvez tenha o poder de reescrever o futuro que ela havia planejado. Isso se o terrível segredo que ele guarda não puser tudo a perder.

Ira e Ruth. Luke e Sophia. Dois casais de gerações diferentes que o destino cuidará de unir, mostrando que, para além do desespero, da dificuldade e da morte, a força do amor sempre nos guia nesta longa jornada que é a vida.

O melhor de mim

Na primavera de 1984, os estudantes Amanda Collier e Dawson Cole se apaixonaram perdidamente. Embora vivessem em mundos muito diferentes, o amor que sentiam um pelo outro parecia forte o bastante para desafiar todas as convenções de Oriental, a pequena cidade em que moravam.

Nascido em uma família de criminosos, o solitário Dawson acreditava que seu sentimento por Amanda lhe daria a força necessária para fugir do destino sombrio que parecia traçado para ele. Ela, uma garota bonita e de família tradicional, que sonhava entrar para uma universidade de renome, via nele um porto seguro para toda a sua paixão e seu espírito livre. Infelizmente, quando o verão do último ano de escola chegou ao fim, a realidade os separou de maneira cruel e implacável.

Vinte e cinco anos depois, eles estão de volta a Oriental para o velório de Tuck Hostetler, o homem que um dia abrigou Dawson, acobertou o namoro do casal e acabou se tornando o melhor amigo dos dois.

Seguindo as instruções de cartas deixadas por Tuck, o casal se verá diante de sentimentos que há décadas sufocava. Após tanto tempo longe, Amanda e Dawson irão perceber que não tiveram a vida que esperavam e que nunca conseguiram esquecer o primeiro amor. Um único fim de semana juntos e talvez seus destinos mudem para sempre.

Num romance envolvente, Nicholas Sparks mostra toda a sua habilidade de contador de histórias e reafirma que o amor é a força mais poderosa do Universo – e que, quando duas pessoas se amam, nem a distância nem o tempo podem separá-las.

O guardião

Quarenta dias após a morte de seu marido, Julie Barenson recebe uma encomenda deixada por ele. Dentro da caixa, encontra um filhote de cachorro dinamarquês e um bilhete no qual Jim promete que sempre cuidará dela.

Quatro anos mais tarde, Julie já não pode depender apenas da companhia do fiel Singer, o filhotinho que se tornou um cachorro enorme e estabanado.

Depois de tanto sofrimento, ela enfim está pronta para voltar a amar, mas seus primeiros encontros não são nada promissores. Até que surge Richard Franklin, um belo e sofisticado engenheiro que a trata como uma rainha.

Julie está animada como havia muito tempo não se sentia, mas, por alguma razão, não consegue compartilhar isso com Mike Harris, seu melhor amigo. Ele, por sua vez, é incapaz de esconder o ciúme que sente dela.

Quando percebe que seu desconforto diante de Mike é causado por um sentimento mais forte que amizade, Julie se vê dividida entre esses dois homens. Ela tem que tomar uma decisão. Só não pode imaginar que, em vez de lhe trazer felicidade, essa escolha colocará sua vida em perigo.

O guardião contém tudo o que os leitores esperam de um romance de Nicholas Sparks, mas desta vez ele se reinventa e acrescenta um novo ingrediente à trama: páginas e mais páginas de muito suspense.

O casamento

O advogado Wilson Lewis é casado com Jane há quase três décadas. Os dois já criaram três filhos e têm uma vida confortável e sem grandes sobressaltos na bucólica cidade de New Bern, na Carolina do Norte.

Porém, quando esquece seu aniversário de 29 anos de casamento, Wilson ameaça a aparente estabilidade da relação. Esse descuido é apenas a gota d'água em uma longa lista de decepções que sua negligência e falta de romantismo já causaram à esposa.

Com medo de que Jane não o ame mais e esteja pensando em deixá-lo, Wilson decide se aconselhar com o sogro, Noah, e mergulha de cabeça em um ambicioso projeto de um ano para reacender a chama de seu relacionamento.

Quando esses 12 meses estão quase no fim, sua filha Anna anuncia que vai se casar dali a duas semanas, exatamente no dia do aniversário de 30 anos de matrimônio dos pais. Agora que a hora da verdade está chegando, o evento se torna a oportunidade perfeita para Wilson descobrir se valeu a pena todo o seu esforço para que ele e Jane voltem a ser felizes.

Uma curva na estrada

A vida do subxerife Miles Ryan parecia ter chegado ao fim no dia em que sua esposa morreu. Missy tinha sido seu primeiro amor, a namorada de escola que se tornara a companheira de todos os momentos, a mulher sensual que se mostrara uma mãe carinhosa. Uma noite Missy saiu para correr e não voltou. Tinha sido atropelada numa rua perto de casa.

As investigações da polícia nada revelaram. Para Miles, esse fato é duplamente doloroso: além de enfrentar o sofrimento de perder a esposa, ele se culpa por não ter descoberto o motorista que a atropelou e fugiu sem prestar socorro.

Dois anos depois, ele ainda anseia levar o criminoso à justiça. É quando conhece Sarah Andrews. Professora de seu filho, Jonah, ela se mudou de Baltimore para New Bern na expectativa de refazer sua vida após o divórcio. Sarah logo percebe a tristeza nos olhos do aluno e, em seguida, nos do pai dele.

Sarah e Miles começam a se aproximar e, em pouco tempo, estão rindo juntos e apaixonados. Mas nenhum dos dois tem ideia de que um segredo os une e os obrigará a tomar uma decisão difícil, que pode mudar suas vidas para sempre.

Em *Uma curva na estrada*, Nicholas Sparks escreve com incrível intensidade sobre as difíceis reviravoltas da vida e sua incomparável doçura. Um livro sobre as imperfeições do ser humano, os erros que todos cometemos e a alegria que experimentamos quando nos permitimos amar.

À primeira vista

Jeremy Marsh tinha três certezas: jamais se mudaria de Nova York, não se apaixonaria novamente e nunca teria filhos.

Mas agora ele está prestes a se casar com Lexie Darnell e aguarda a chegada da primeira filha, enquanto conduz a reforma de sua nova casa na pequena cidade de Boone Creek, na Carolina do Norte.

Em meio a tantas mudanças, Jeremy luta para reencontrar o equilíbrio pessoal e profissional ao lado da mulher que o fez mudar todos os seus planos. Quando tudo parece estar entrando nos eixos, Jeremy recebe um misterioso e-mail que dá início a uma série de acontecimentos que irão testar a força dessa paixão.

Atormentado pela ideia de estar sendo traído, vivendo uma crise criativa que o impede de trabalhar e angustiado com a gestação complicada de Lexie, ele não poderia imaginar que o pior – e o melhor – ainda estava por vir.

À primeira vista captura toda a incerteza, a tensão e a angústia da vida desse jovem casal, mas também retrata o romantismo, o companheirismo, a descoberta e o amadurecimento que só o verdadeiro amor pode proporcionar.

CONHEÇA OUTROS TÍTULOS DA EDITORA ARQUEIRO

Amigas para sempre

KRISTIN HANNAH

Tully Hart tinha 14 anos, era linda, alegre, popular e invejada por todos. O que ninguém poderia imaginar era o sofrimento que ela vivia dentro de casa: nunca conhecera o pai, e a mãe, viciada em drogas, costumava desaparecer por longos períodos, deixando a menina aos cuidados da avó.

Mas a vida de Tully se transformou quando ela se mudou para a alameda dos Vaga-lumes e conheceu a garota mais legal do mundo. Kate Mularkey era inteligente, compreensiva e tão amorosa que logo fez Tully sentir-se parte de sua família.

Ao longo de mais de trinta anos de amizade, uma se tornou o porto seguro da outra. Tully ajudou Kate a descobrir a própria beleza e a encorajou a enfrentar seus medos. Kate, por sua vez, a ensinou a enxergar além das aparências e a fez entender que certos riscos não valem a pena.

As duas juraram que seriam amigas para sempre. Essa promessa resistiu ao frenesi dos anos 1970, às reviravoltas políticas das décadas de 1980 e 1990 e às promessas do novo milênio. Até que algo acontece para abalar a confiança entre elas.

Será possível perdoar uma traição de sua melhor amiga? Neste livro, Kristin Hannah nos conta uma linda história sobre duas pessoas que sabem tudo a respeito uma da outra – e que por isso mesmo podem tanto ferir quanto curar.

Álbum de Casamento

NORA ROBERTS

Quando crianças, as amigas Parker, Emma, Laurel e Mac adoravam fazer casamentos de mentirinha no jardim. E elas pensavam em todos os detalhes. Depois de anos dessa brincadeira, não é de surpreender que tenham fundado a Votos, uma empresa de organização de casamentos bem-sucedida.

Mas, apesar de planejar e tornar real o dia perfeito para tantos casais, nenhuma delas teve no amor a mesma sorte que tem nos negócios. Até agora.

Com várias capas de revistas de noivas no currículo, a fotógrafa Mac é especialista em captar os momentos de pura felicidade, mesmo que nunca os tenha experimentado em sua vida.

Por causa da separação dos pais e de seu difícil relacionamento com eles, Mac não leva muita fé no amor. Por isso não entende o frio na barriga que sente ao reencontrar Carter Maguire, um colega de escola com quem nunca falara direito.

Carter definitivamente não é o seu tipo. Professor de inglês apaixonado pelo que faz, ele cita Shakespeare e usa paletó de tweed. Por causa de uma antiga quedinha por Mac, fica atrapalhado na frente dela, sem saber bem como agir e o que falar. E mesmo assim ela não consegue resistir ao seu charme.

Agora Carter está disposto a ganhar o coração de Mac e convencê-la de que ela é capaz de criar suas próprias lembranças felizes.

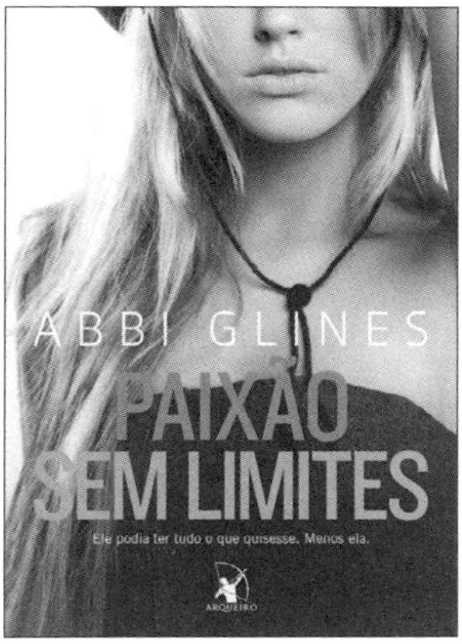

Paixão sem Limites

ABBI GLINES

Blaire Wynn não teve uma adolescência normal. Ela passou os últimos três anos cuidando da mãe doente. Após a sua morte, Blaire foi obrigada a vender a casa da família no Alabama para arcar com as despesas médicas. Agora, aos 19 anos, está sozinha e sem lugar para ficar. Então não tem outra escolha senão pedir ajuda ao pai que as abandonara.

Ao chegar a Rosemary, na Flórida, ela se depara com uma mansão à beira-mar e um mundo de luxo completamente diferente do seu. Para piorar, o pai viajou com a nova esposa para Paris, deixando Blaire ali sozinha com o filho dela, que não parece nada satisfeito com a chegada da irmã postiça.

Rush Finlay é filho da madrasta de Blaire com um famoso astro do rock. Ele tem 24 anos, é lindo, rico, charmoso e parece ter o mundo inteiro a seus pés. Extremamente sexy, orgulha-se de levar várias garotas para a cama e dispensá-las no dia seguinte. Blaire sabe que deve ficar longe dele, mas não consegue evitar a atração que sente, ainda mais quando ele começa a dar sinais de que sente a mesma coisa.

Convivendo sob o mesmo teto, eles acabam se entregando a uma paixão proibida, sobre a qual não têm nenhum controle. Mas Rush guarda um segredo que Blaire não deve descobrir e que pode mudar para sempre as suas vidas.

Paixão sem limites – primeiro volume da trilogia Sem Limites, que vendeu mais de 500 mil exemplares como publicação independente – é um livro romântico, sexy e intenso, que vai conquistar os leitores e deixá-los ávidos pela sequência.

INFORMAÇÕES SOBRE A ARQUEIRO

Para saber mais sobre os títulos e autores
da EDITORA ARQUEIRO,
visite o site www.editoraarqueiro.com.br
e curta as nossas redes sociais.
Além de informações sobre os próximos lançamentos,
você terá acesso a conteúdos exclusivos e poderá participar
de promoções e sorteios.

www.editoraarqueiro.com.br

facebook.com/editora.arqueiro

twitter.com/editoraarqueiro

instagram.com/editoraarqueiro

skoob.com.br/editoraarqueiro

Se quiser receber informações por e-mail,
basta se cadastrar diretamente no nosso site
ou enviar uma mensagem para
atendimento@editoraarqueiro.com.br

Editora Arqueiro
Rua Funchal, 538 – conjuntos 52 e 54 – Vila Olímpia
04551-060 – São Paulo – SP
Tel.: (11) 3868-4492 – Fax: (11) 3862-5818
E-mail: atendimento@editoraarqueiro.com.br